Donald Robertson

ESTOICISMO
e a arte da
FELICIDADE

Título original: *Stoicism and the art of hapiness*
Copyright © 2013 by Donald Robertson
Estoicismo e a arte da felicidade
1ª edição: Novembro 2022

Direitos reservados desta edição: CDG Edições e Publicações

O conteúdo desta obra é de total responsabilidade do autor
e não reflete necessariamente a opinião da editora.

Autor:
Donald Robertson

Tradução:
Alexandre Pires Vieira

Preparação de texto:
Elisabete Franczak Branco

Revisão:
Gabriel Silva
3GB Consulting

Projeto gráfico e capa:
Jéssica Wendy

DADOS INTERNACIONAIS DE CATALOGAÇÃO NA PUBLICAÇÃO (CIP)

Donald, Robertson
    Estoicismo e a arte da felicidade / Donald Robertson ; tradução de Alexandre Pires. — Porto Alegre : Citadel, 2022.
   352 p.

Bibliografia
ISBN 978-65-5047-189-7
Título original: Stoicism and the art of happiness

1. Estoicos 2. Filosofia antiga I. Título II. Pires, Alexandre

22-5394   CDD 188

Angélica Ilacqua - Bibliotecária - CRB-8/7057

Produção editorial e distribuição:

contato@citadel.com.br
www.citadel.com.br

Donald Robertson

ESTOICISMO
e a arte da
FELICIDADE

Tradução:
Alexandre Pires Vieira

CITADEL
Grupo Editorial

2022

Sumário

Agradecimentos	7
A metáfora da árvore	8
Nota sobre terminologia e citações	9
Referências, traduções e leituras adicionais	10
Nota sobre gênero	14
Prefácio: Estoicismo moderno	15
Do que trata este livro?	17
Por que focar a Ética Estoica e a psicoterapia?	26
Um exemplo dos paradoxos estoicos	32
O estoicismo no mundo moderno	38
1. O caminho do estoico: "Viver de acordo com a Natureza"	42
2. Ética Estoica: a natureza do bem	71
3. A promessa da filosofia ("terapia das paixões")	105
4. A disciplina do desejo (aceitação estoica)	139
5. Amor, amizade e o Sábio ideal	164
6. A disciplina da ação (filantropia estoica)	198
7. Premeditação da adversidade	223
8. A disciplina do julgamento (atenção plena estoica)	252
9. Autoconsciência e a "dicotomia estoica"	279
10. A visão do alto e a cosmologia estoica	309
Leitura adicional	337
Referências	341

Agradecimentos

Gostaria de dedicar este livro à minha esposa, Mandy, e à nossa bela filha, Poppy Louise Robertson. Eu amo vocês duas.

Gostaria também de agradecer a todos os envolvidos com a iniciativa Semana Estoica (Stoic Week) e com os projetos iniciados pelo professor Christopher Gill e por Patrick Ussher na Universidade de Exeter, pelos conselhos, apoio e ideias.

A metáfora da árvore

Por que então, você se pergunta, os homens bons são chacoalhados para que possam crescer fortes? Nenhuma árvore se torna enraizada e robusta a menos que castigada por muitos ventos. Pois, por seu próprio esforço, ela reforça seu domínio e lança suas raízes com mais segurança; as árvores frágeis são aquelas que cresceram em um vale ensolarado. É, portanto, vantajoso até mesmo para os homens bons, com a finalidade de que eles possam se tornar destemidos, viver constantemente em meio a alarmes e suportar com paciência os acontecimentos que são prejudiciais apenas para aquele que os suporta mal.

Sêneca, *Sobre a Providência Divina*

Nota sobre terminologia e citações

Optei por manter traduções convencionais de certos termos-chave empregados na literatura estoica antiga, enquanto às vezes ofereço traduções alternativas.[1] Meu objetivo foi tornar este livro mais contemporâneo e acessível ao leitor moderno, sem comprometer muito o significado. *Eudaimonia*, traduzi usando "Felicidade" de maneira convencional, embora isso seja problemático e será abordado no livro; portanto, escrevi o termo capitalizado para destacar o sentido especial da palavra.

---

[1]. Nesta edição em português, todo o texto foi traduzido diretamente do original do autor, sem se amparar em traduções existentes dos clássicos estoicos. (N.T.)

Referências, traduções e leituras adicionais

Omiti deliberadamente muitas referências porque o formato típico da série *Teach Yourself*[2] é voltado para a legibilidade geral e aplicação prática. Onde referi fontes primárias, muitas vezes abreviei a citação, deixando de fora algumas passagens específicas etc. – novamente, em nome da simplicidade e da legibilidade. Em muitos casos, citei ou parafraseei fontes antigas sem incluir a referência específica.

Ao longo deste livro, citei muitas fontes antigas diferentes, a maioria das quais está disponível em muitas traduções diferentes em inglês. Por uma questão de consistência, eu mesmo traduzi trechos do grego original, muitas vezes recorrendo a várias traduções existentes ao fazê-lo. As principais traduções em inglês que citei ou consultei foram:

- Sêneca. *Dialogues and Essays*. Tradução: John Davie. Oxford: Oxford University Press. 2007. [Inclui excertos de *On Anger, On Clemency/Mercy, Consolations to Marcia and Helvia* e *On Earthquakes* etc.]

---

2. Edição original americana.

- Sêneca. *Selected Letters*. Tradução: Elaine Fantham. Oxford: Oxford University Press, 2010.
- Cícero. *On the Good Life*. Tradução: Michael Grant. Middlesex: Penguin, 2005.
- Cícero. *On Moral Ends*. Tradução: Raphael Woolf. Cambridge: Cambridge University Press, 2001.
- Musônio Rufo. *Lectures and Sayings*. Tradução: Cynthia King. Lulu, 2010.
- Marco Aurélio. *The Meditations*. Tradução: C. R. Haines. The Loeb Classical Library. Cambridge: Harvard University Press, 1989.
- Epicteto. *The Discourses & Handbook*. Tradução: W. A. Oldfather. The Loeb Classical Library. Cambridge: Harvard University Press, 1925.
- Lucano. *The Civil War*. Tradução: Susan H. Braund. Oxford: Oxford University Press, 1992.
- Diógenes o Cínico. *Sayings and Anecdotes*. Tradução: Robin Hard. Oxford: Oxford University Press, 2012.
- Cícero. *On Moral Ends (De Finibus)*. Tradução: Raphael Woolf. Cambridge: Cambridge University Press, 2001.
- Cícero. *On the Good Life*. Tradução: Michael Grant. Middlesex: Penguin, 1971. [Inclui *Tusculan Disputations, On Duties*, Laelius: *On Friendship*, e *The Dream of Scipio* etc.]
- Diógenes Laércio. *Lives of Eminent Philosophers*. Tradução: R. D. Hicks. The Loeb Classical Library. Cambridge: Harvard University Press, 1925.

As duas principais traduções dos antigos fragmentos estoicos gregos são:

- *The Hellenistic Philosophers: Translations of the Principal Sources with Philosophical Commentary.* Tradução: A. A. Long, & D. N. Seldey. Cambridge: Cambridge University Press, 1987. v. 1
- *The Stoics Reader: Selected Writings and Testimonia.* Tradução: B. Inwood, & L. P. Gerson. Cambridge: Hackett, 2008.

Traduções de fragmentos cínicos, textos do hermetismo e de Pitágoras, assim como os escritos de Platão, podem ser encontrados em:

- Diógenes o Cínico. *Sayings and Anecdotes.* Tradução: Robin Hard. Oxford: Oxford University Press, 2012.
- *The Way of Hermes: New Translations of The Corpus Hermeticum and The Definitions of Hermes Trismegistus to Asclepius.* Tradução: C. Salaman, D. van Oyen, W. D. Wharton, & J. P. Mah. Londres: Duckworth, 1999.
- *The Pythagorean Sourcebook.* Tradução: K. S. Guthrie. Michigan: Phanes, 1988.
- *Plato: Complete Works.* Tradução: J. M. Cooper, ed. Cambridge: Hackett, 1997. [Contém todos os trabalhos atribuídos a Platão, traduzidos por diferentes acadêmicos.]

Os textos antigos são tradicionalmente referenciados de forma diferente dos textos modernos. Por exemplo, "*Discursos de Epicteto* (1.1.25)" significa livro um, capítulo um e linha número 25 no manuscrito grego original. Por uma questão de brevidade e legibilidade, geralmente omiti números de linhas específicos dessas referências e apenas indiquei ao leitor a seção mais geral do livro em questão.

Você encontrará informações sobre sugestões de leitura adicional para cada capítulo no fim deste livro, juntamente com uma seção bibliográfica mais detalhada. Nos casos em que indiquei ao leitor uma das fontes antigas, recomendaria o uso das traduções indicadas acima. Em geral, a série Loeb Classical Library contém traduções confiáveis para o inglês de textos estoicos de Epicteto, Marco Aurélio e Sêneca, embora haja várias outras versões das obras mais populares disponíveis atualmente.

Nota sobre gênero

As fontes antigas são todas escritas por homens e pressupõem que o Sábio ideal é masculino. Elas também tendem a se referir aos estoicos em geral no masculino. Mantive esse uso do gênero em relação ao Sábio por uma questão de coerência com os textos da fonte, mas tentei deliberadamente variar o gênero presumido ao me referir aos estoicos modernos (aspirantes a estoicos), por uma questão de equilíbrio, muitas vezes me referindo a hipotéticos estudantes do estoicismo como "ela". Zenão, o fundador do estoicismo, começou sua formação em filosofia estudando por muitos anos com o famoso filósofo cínico Crates de Tebas, cuja esposa, Hipárquia de Maroneia, foi uma das mais notáveis filósofas da antiguidade. Zenão e seus seguidores aparentemente consideravam homens e mulheres iguais, e as escolas estoicas eram conhecidas por aceitarem estudantes do sexo feminino em uma época em que isso era incomum. Temos duas preleções sobreviventes do grande estoico romano Musônio Rufo, nas quais ele argumenta que as meninas têm o direito de se beneficiar da mesma formação filosófica que os meninos porque são capazes de ter as mesmas virtudes fundamentais de caráter. Elas são chamadas "As mulheres também devem estudar filosofia" e "Devem as filhas receber a mesma educação que os filhos?".

Prefácio: Estoicismo moderno

Ó vós que aprendestes as doutrinas da Stoa
E vos comprometestes com os vossos livros divinos
O melhor do aprendizado humano, ensinando aos homens
Que a virtude da mente é o único bem!
Só ela é quem mantém a vida dos homens
E as cidades mais seguras do que portões e muros altos.
Mas aqueles que colocam sua felicidade em prazer
São liderados pelos menos dignos das Musas.
(Ateneu, o Epigramata, citado em Diógenes Laércio, *Vidas e doutrinas dos filósofos ilustres*)

Bem – eu não sou a palavra final sobre isso, Sr. Croker, mas o que [o antigo professor estoico Epicteto] está dizendo, me parece, é que a única posse real que você terá é seu caráter e seu "esquema de vida". Zeus deu a cada pessoa uma centelha de sua própria divindade, e ninguém pode tirar isso de você, nem mesmo Zeus, e dessa centelha vem seu caráter. Tudo o mais é temporário e sem valor em longo prazo, inclusive seu corpo. Você sabe o que ele chama de seus bens? "Ninharias." Você sabe o que ele chama de corpo humano? Um vaso de barro contendo um litro de sangue. Se você entender isso, não vai lamentar e gemer, não vai reclamar, não vai culpar os outros por seus problemas e não vai andar por aí bajulando pessoas. Acho que é isso que ele está dizendo, Sr. Croker (Wolfe, 1998, p. 683).

Do que trata este livro?

Este livro é sobre o estoicismo, uma tradição filosófica fundada em Atenas por Zenão de Cítio por volta do ano 301 a.C., que durou como um movimento filosófico ativo por quase quinhentos anos, e que ainda hoje fascina as pessoas. No entanto, é também um guia de "como fazer" que lhe mostrará, assim o esperamos, como o estoicismo pode proporcionar, ou pelo menos contribuir, para uma "filosofia de vida" para o mundo moderno – uma arte de viver com Felicidade, que ambiciona ser ao mesmo tempo racional e saudável.

Se você perguntar "Qual é o sentido da vida?" para a maioria dos filósofos modernos, eles provavelmente apenas encolherão os ombros e dirão que essa é uma pergunta sem resposta. Entretanto, cada uma das principais escolas de filosofia antiga basicamente propunha uma diferente resposta. Em resumo, os estoicos diziam que o objetivo (*telos*, "fim" ou "propósito") da vida é viver consistentemente em harmonia e concordância com a natureza do universo, e fazer isso destacando-se em relação à nossa própria natureza essencial como seres racionais e sociais. Isso também foi descrito como "viver de acordo com a virtude" ou *aretê*, embora, como você verá, seja melhor interpretar isso como excelência em um sentido mais amplo do que a palavra "virtude" normalmente implica – algo que será explicado mais adiante.

A palavra "estoico" (com "e" minúsculo) ainda hoje é usada com o significado de estar calmo ou autocontrolado diante de uma adversidade. Curiosamente, o adjetivo "filosófico" é usado para indicar mais ou menos a mesma coisa, por exemplo: "Ele desenvolveu uma doença grave, mas permaneceu filosófico sobre os acontecimentos".[3] O dicionário de inglês Oxford inclui as seguintes definições, praticamente idênticas:

- *filosófico*. adj. Calmo na adversidade. (*philosophical. adj. Calm in adversity.*)
- *estoico*. adj. Ter ou demonstrar grande autocontrole na adversidade. (*stoical. adj. having or showing great self-control in adversity.*)

Isso não é impressionante? É como se, quando se trata de realmente viver filosoficamente, em vez de apenas falar de filosofia, essas duas palavras tivessem se tornado quase sinônimas e intercambiáveis.

Entretanto, para a maioria dos não filósofos, a palavra "estoico" também significa ser "não sociável", ou "fleugmático", no sentido de reprimir os sentimentos, e isso definitivamente não é o significado original. Em outras palavras, não é o significado de "Estoicismo" (com um "E" maiúsculo).

Como veremos, o Estoicismo, como a maioria das antigas filosofias ocidentais, supôs que o objetivo da vida era a Felicidade (*eudaimonia*), que os estoicos acreditavam corresponder tanto ao amor-próprio racional quanto a uma atitude de amizade e afeto com os outros, às vezes descrita como "filantropia" estoica, ou amor à humanidade. Por exemplo, o imperador estoico Marco Aurélio, escrevendo em seu diário, aconselha-se repetidamente a "amar a humanidade do fundo do coração" enquanto

---

3. Essa analogia funciona melhor em inglês. Consultando o dicionário Caldas Aulete, vemos: (fi.lo.só.fi.co) 3. que é marcado pela lógica, pela racionalidade: *Extraiu do incidente uma conclusão filosófica*. (N.T.)

alegra-se em fazer o bem aos outros por seu próprio bem e em tratar a virtude como sua própria recompensa (*Meditações*, 7.13).

Poderíamos dizer que é um paradoxo central do Estoicismo, portanto, sua suposição de que, longe de ser sem sentimentos, o sábio ideal, chamado "Sábio", tanto amará os outros como não será perturbado por inevitáveis perdas e pelos infortúnios que a vida lhe inflige. Ele tem emoções e desejos naturais, mas não se deixa dominar por eles, e permanece guiado pela razão.

Na verdade, o Estoicismo proporciona um rico arsenal de estratégias e técnicas para desenvolver a resiliência psicológica, mudando nossos sentimentos de forma racional e natural, em vez de simplesmente tentar bloqueá-los pela força. Em certo sentido, o antigo Estoicismo foi o avô de toda "autoajuda", e suas ideias e técnicas inspiraram muitas abordagens modernas tanto no desenvolvimento pessoal quanto na terapia psicológica. É geralmente aceito que as psicoterapias modernas que mais se assemelham aos antigos "remédios" estoicos para problemas emocionais são a Terapia Cognitivo-Comportamental (TCC) e sua precursora Terapia Racional-Emotiva Comportamental (Trec). De fato, tanto o fundador da Trec, Albert Ellis, quanto o fundador da terapia cognitiva, Aaron T. Beck, citam o Estoicismo como a principal inspiração filosófica para suas respectivas abordagens. No principal livro sobre terapia cognitiva, por exemplo, Beck e seus colaboradores escreveram: "As origens filosóficas da terapia cognitiva podem ser rastreadas até os filósofos estoicos" (Beck, Rush, Shaw & Emery, 1979, p. 8).

Embora a TCC seja principalmente de natureza terapêutica, lidando com ansiedade clínica e depressão, também foi adaptada para uso como uma abordagem preventiva, para a "construção de resiliência" psicológica em geral. A antiga "terapia" estoica também era mais uma abordagem geral de construção de resiliência, embora também se propusesse a remediar angústia extrema quando necessário. A TCC também tem uma base de evidências muito forte, o mais forte fundamento científico de qualquer forma moderna de terapia psicológica. Portanto, estamos olhando para um antigo sistema filosófico, empregado para a construção da resiliência emocional, que inspirou uma terapia moderna extremamente bem-sucedida com um desempenho cientificamente comprovado.

O Estoicismo, portanto, está crescendo em popularidade. Entretanto, sempre que se fala de "Estoicos modernos", surgem duas objeções. A primeira é que somente alguém de excepcional sabedoria e excelência moral pode ser chamado de um verdadeiro "estoico" – trata-se de um ideal praticamente inalcançável. Isso é ilustrado em vários comentários feitos pelo famoso professor estoico Epicteto:

> Por que você se chamou de Estoico? [...] Mostre-me um Estoico se você puder! Onde ou como ele pode ser encontrado? [...] Quem então é um Estoico? [...] Mostre-o para mim. Não, você não pode. Por que, então, vocês zombam de vocês mesmos e brincam com os outros? Por que vocês representam um personagem que não é seu e andam por aí como assaltantes e ladrões nestas expressões e propriedades roubadas que não pertencem a vocês? (*Discursos*, 2.19).

Essas são transcrições de palestras, e o mais provável é que Epicteto estivesse usando deliberadamente a hipérbole. De fato, os estudantes do estoicismo eram referidos como "Estoicos" durante toda a Antiguidade. Entretanto, como veremos, o estoicismo antigo tem um vocabulário técnico rico, e o termo grego *prokoptôn* era usado para descrever um estudante do estoicismo ou alguém que está "progredindo" em direção ao objetivo supremo da iluminação filosófica, e se tornando um sábio Estoico de pleno direito, ou simplesmente "Sábio". Teremos a intenção de nos referir apenas aos "estudantes Estoicos", embora às vezes abreviando esse termo para "Estoicos", para facilitar a leitura.

Outro aspecto da opinião de Epicteto é que estudantes não deveriam divulgar o fato de que estão se treinando no estoicismo, mas que seria melhor manter a privacidade sempre que possível, para evitar vaidade e outros obstáculos ao progresso:

"Jamais declare ser filósofo nem fale frequentemente sobre os princípios filosóficos com quem ignora a filosofia, mas faça as coisas que decorrem desses princípios." (*Encheirídion*, 46).

Entretanto, se quisermos fazer contato com outros estudantes do estoicismo e nos beneficiarmos de seu exemplo e conversação com eles, como seus próprios estudantes fizeram, então obviamente precisaremos divulgar o fato de que estamos estudando o estoicismo também. Como veremos, a internet agora fornece uma forma de os estudantes do estoicismo em todo o mundo se comunicarem entre si e formarem grupos de discussão, e isso talvez tenha ajudado a alimentar o ressurgimento de sua popularidade. Embora a ênfase do estoicismo seja muito mais na prática assídua do que na discussão, os recursos on-line podem ajudar as pessoas a entenderem a filosofia estoica e a incorporarem seus elementos práticos na vida diária. Quem sabe agora estejamos entrando na era do *ciberestoicismo*?

A segunda objeção ao estoicismo moderno vai além das questiúnculas da terminologia. Algumas pessoas questionam como seria possível estudar o estoicismo hoje quando a tradição original basicamente morreu no fim da Antiguidade, juntamente com outras escolas filosóficas "pagãs", após a ascensão do cristianismo. A escola estoica foi um movimento filosófico influente, que durou muitos séculos tanto na Grécia quanto em Roma, mas que gradualmente chegou ao fim como uma filosofia viva. O imperador Marco Aurélio, que morreu em 180 d.C., é a última grande figura estoica que conhecemos bem hoje.

A propósito, você deve ter visto o filme *Gladiador*, no qual Marco Aurélio é retratado pelo ator Richard Harris. Não há muita referência ao estoicismo nesse filme, embora seja dito, quase no final, pelo personagem de Russell Crowe:

"Eu conheci um homem que disse: '*A morte sorri para todos nós. Tudo o que um homem pode fazer é sorrir de volta*.'"

Essa não é uma citação real de Marco Aurélio, mas é obviamente inspirada por passagens de seu diário pessoal, as *Meditações*, provavelmente o texto estoico remanescente mais conhecido hoje.

Muitos leitores modernos baseiam seu entendimento do estoicismo exclusivamente nesse pequeno livro. Apesar de sua popularidade, no entanto, as *Meditações* foram um diário particular da prática estoica de Marco e nunca pretenderam ser uma introdução abrangente ao estoicismo.

Na verdade, a escola estoica original de Zenão foi baseada no estudo de argumentos detalhados contidos em seus muitos textos fundadores. Só os primeiros estoicos escreveram mais de mil "livros" (embora alguns deles fossem provavelmente mais como longos ensaios). No entanto, essa instituição formal foi destruída juntamente com os centros de outras grandes escolas filosóficas em algum momento após o saque de Atenas pelo ditador romano Sula, em 86 a.C. Apesar disso, a tradição estoica sobreviveu por vários séculos, durante o período imperial romano, embora de forma mais difusa e fragmentada.

Na época de Marco Aurélio, os estoicos parecem ter se encontrado em grupos menores e mais informais. Eles presumivelmente tinham acesso a um número muito mais limitado de textos estoicos, muitos dos primeiros escritos gregos já tendo sido perdidos ao longo dos séculos. Marco parece ter se baseado principalmente nos ensinamentos estoicos de Epicteto, registrados em suas *Diatribes*, das quais cerca da metade subsiste até hoje. Em contraste, ele não faz referência alguma a Sêneca, o autor estoico do qual temos o maior volume de escritos remanescentes. O acesso aparentemente empobrecido de Marco aos ensinamentos originais do estoicismo pode ser comparado ao de um estudante moderno do assunto, ainda que ele também tenha se beneficiado do conhecimento pessoal de vários tutores e mestres estoicos.

Temos que reconstruir um quadro do estoicismo a partir dos fragmentos que restam, mais de 2.300 anos após a origem da escola. Entretanto, ao contrário de Marco, agora nos beneficiamos de muitos volumes de comentários e análises modernas (Long, 2002; Hadot, 1998) e de exemplos de pessoas que aplicam o estoicismo à vida moderna (Evans, 2012; Irvine, 2009). De certa forma, não estamos, portanto, em pior situação do que os estudantes do estoicismo no fim da Antiguidade, e podemos até ter vantagens que lhes faltavam, incluindo o acesso a textos que não tinham lido.

Alguns antigos estoicos eram prolíficos escritores e conferencistas que dedicavam a vida à educação dos outros. De fato, os primeiros estoicos ensinavam que todos os sábios têm um amor natural por escrever o tipo de livros que pode ajudar outras pessoas. Assim, é possível que os estudantes modernos do estoicismo, embora distantes do ideal grandioso do Sábio, possam, no entanto, gostar de escrever livros ou blogs de autoajuda com o objetivo de ajudar outros e trocar ideias sobre a relevância moderna do estoicismo. Ninguém deve ousar dizer que é sábio, embora todos devam ousar tentar sê-lo.

O papel de um autor moderno sobre o estoicismo talvez seja mais bem descrito como assemelhando-se àquele de Sêneca. Ele diz a seus aspirantes ao estoicismo que ele é como um inválido em uma cama discutindo com o homem na cama ao seu lado sobre como sua terapia está indo. Menos de um por cento da literatura estoica original sobreviveu, mas, se isso fosse compilado em uma publicação, provavelmente teria cerca de sete ou oito volumes – portanto, não é uma quantidade insignificante de material. Infelizmente, muitas vezes precisamos de pensadores acadêmicos modernos para nos ajudar a reconstruir o significado desses primeiros fragmentos gregos. Entretanto, eles fornecem um importante recurso que pode nos ajudar a entender o sistema filosófico subjacente, tomado como garantido por autores estoicos mais conhecidos, tais como Sêneca e Marco Aurélio.

No entanto, devemos ser especialmente cautelosos para que o estoicismo não se transforme em um assunto estéril e acadêmico. Uma solução para esse problema é dada no primeiro capítulo das *Meditações*, em que Marco Aurélio mostra como um estoico aspirante pode contemplar as virtudes de amigos, familiares, colegas e talvez até de alguns de seus inimigos para encontrar traços de inspiração, mesmo que um único exemplo de uma pessoa perfeitamente sábia e boa, ou mesmo algo que se aproxime disso, possa estar faltando em nossas vidas.

Ao longo deste livro, vou me referir a muitos exemplos específicos de pessoas, tanto da Antiguidade quanto da atualidade, cujas vidas foram mudadas pelo estoicismo. Meu próprio interesse nessa área começou quando eu tinha cerca de dezessete anos e um professor universitário sugeriu que eu estudasse filosofia. Comecei a ler os clássicos, principalmente Platão, e prossegui fazendo o curso de filosofia na Universidade de Aberdeen. Eu também era membro da sociedade estudantil budista e praticava meditação regularmente. Fui a vários retiros budistas porque queria encontrar um estilo de vida e prática diária que de alguma forma complementasse meu estudo de filosofia.

Após a graduação, treinei e comecei a praticar aconselhamento e psicoterapia, porque senti que isso me dava uma vocação prática que complementava meu interesse pela filosofia. No entanto, sempre desejei conciliar terapia, filosofia e meditação, e foi somente alguns anos depois que meus olhos se abriram para a rica tradição de exercícios espirituais na literatura filosófica antiga por meio da obra do eminente estudioso francês Pierre Hadot, como *Filosofia como um modo de vida* (1995).[4]

Os livros maravilhosos de Hadot despertaram meu interesse pelo estoicismo e me inspiraram a começar eu mesmo a publicar pequenos artigos sobre o assunto. Isso me levou a escrever um artigo mais longo sobre estoicismo para uma das principais revistas de aconselhamento e psicoterapia (2005), e eventualmente um livro sobre estoicismo e psicoterapia moderna intitulado *The Philosophy of Cognitive-Behavioural Therapy: Stoic Philosophy as Rational and Cognitive Psychotherapy* (2010). Há mais de dez anos venho tentando assimilar o estoicismo, em termos de estratégias práticas específicas, bem como a maneira geral como vivo minha vida. Também tenho muita experiência em discutir aspectos do estoicismo com pacientes de ansiedade ou depressão, relativamente ao meu trabalho como profissional de TCC. (Meu livro anterior na série Teach Yourself, *Build your Resilience*, 2012, baseia-se na filosofia estoica em relação às modernas abordagens baseadas em evidências para a construção da resiliência psicológica.)

O estoicismo me interessa, portanto, porque concordo com o que considero serem suas doutrinas centrais e porque acredito que seus exercícios psicológicos são de valor prático na vida moderna. No entanto, também acho a literatura estoica remanescente muito bela e profunda, e parte de seu apelo duradouro é sem dúvida o mérito literário de escritos como as cartas e os ensaios de Sêneca e os aforismos de Marco Aurélio.

---

4. Pierre Hadot, *La Philosophie comme manière de vivre*. (N.T.)

Por que focar a Ética Estoica e a psicoterapia?

Este livro não dará o mesmo peso a todos os aspectos do estoicismo antigo. Como veremos, os estoicos dividiram seu currículo filosófico em três tópicos, chamados "Ética", "Física" e "Lógica" (embora não sejam traduções muito boas, essas palavras são as comumente usadas). Aqui vamos nos concentrar principalmente na Ética Estoica. Há várias razões para isso:

- Sabemos muito mais sobre Ética Estoica do que sobre sua Física ou Lógica, porque os escritos existentes, particularmente os dos "três grandes" estoicos romanos – Sêneca, Epicteto e Marco Aurélio –, estão principalmente voltados a esse tema, que pode ter sido o foco central do estoicismo romano em geral.
- A Ética Estoica tende a despertar mais interesse entre os leitores modernos devido a sua óbvia relação com as formas contemporâneas de autoajuda e terapias psicológicas, como a TCC, enquanto os remanescentes de sua Física (fundamentada em teologia) podem ser percebidos como menos relevantes hoje em dia, e a Lógica antiga é menos acessível para o leitor médio.

- Alguns estoicos importantes, embora pouco ortodoxos, concentraram-se exclusivamente na Ética. Por exemplo, dizem-nos que um dos seguidores de Zenão, Aríston de Chios, "descartou completamente o tema da física e da lógica, dizendo que um estava acima de nós, e que o outro não tinha nada a ver conosco, e que o único ramo da filosofia com o qual tínhamos alguma preocupação real era a ética" (*Vidas*, 7.160).

- Os estoicos geralmente tinham os cínicos como seus precursores, os mantinham em particular alta estima e alguns viam seu estilo de vida austero e desafiador como um "atalho para a virtude", ainda que deliberadamente fugissem dos debates filosóficos técnicos sobre lógica ou física; essa admiração pelo estilo de vida cínico é particularmente evidente nas *Diatribes* de Epicteto, o único texto sobrevivente de um verdadeiro professor de estoicismo.

- Se o conhecimento técnico da Ética e Lógica Estoica fosse absolutamente essencial para o objetivo de vida, então os antigos estoicos presumivelmente não teriam reverenciado figuras históricas e mitológicas como Hércules, Sócrates e Diógenes, o Cínico, como modelos de conduta. Em outras palavras, os paradigmas que os antigos estoicos normalmente procuravam imitar em sua vida cotidiana não eram fundamentalmente estudantes de lógica ou cientistas naturais, mas homens de grande virtude pessoal e sabedoria prática.

- Desde o início, todos os estoicos parecem ter concordado que a Ética era, em última análise, o aspecto mais importante de sua filosofia. Por exemplo, Crisipo, o influente terceiro líder da escola, supostamente disse que a única razão para estudar Física seria para melhor atender à Ética.

Cícero, um dos mais importantes comentaristas antigos do estoicismo, descreveu a indagação do que seria o "bem supremo" na vida, o tópico central da Ética Estoica, como a base de toda a sua filosofia. Ele diz que a doutrina estoica "mais importante" era que "o único bem é a virtude" e chama isso de "o verdadeiro chefe da família estoica" (*De Finibus*, 4.14; 4.44). Epicteto, portanto, advertiu seus alunos de que a preocupação excessiva com a Física Estoica poderia se tornar um desvio da tarefa central de viver com virtude.

Entretanto, como veremos, há inevitavelmente alguma sobreposição entre lógica, ética e física, e por isso nossa discussão trará alguns elementos dos outros tópicos onde parece necessário ou útil fazê-lo. Em particular, analisaremos a prática concreta do estoicismo quanto a três "disciplinas", que os acadêmicos têm correlacionado com os três tópicos do currículo teórico.

Algumas pessoas sentem que o estoicismo moderno não é suficientemente fiel à tradição antiga, mas esperamos que essas observações ajudem a justificar as diferenças. Por outro lado, algumas pessoas sentem que é dada demasiada ênfase ao que os estoicos antigos diziam. Entretanto, o Estoicismo (com "E" maiúsculo) é, por definição, uma filosofia antiga. Mesmo aqueles que o adaptam para a vida moderna geralmente se consideram ligados por um interesse na tradição original grega e romana, da qual buscam inspiração. Esses textos ainda são imensamente valiosos e muito apreciados. Em muitos casos, são extraordinariamente belos. Na verdade, Sêneca (um estoico) e Cícero (não foi um estoico, mas uma fonte importante) são conhecidos como dois dos melhores escritores da Antiguidade.

Por isso, citei os antigos estoicos com frequência; em parte para fornecer provas onde alguma interpretação pode estar em dúvida, mas também porque eles são francamente escritores muito melhores do que eu poderia esperar ser e merecem ser lidos mais amplamente. De fato, essas são algumas das maiores mentes filosóficas e alguns dos escritores mais talentosos de todos os tempos. Entretanto, até mesmo os antigos estoicos estavam conscientes de que era preciso encontrar um equilíbrio entre a confiança excessiva e a desconfiança total nos textos originais de sua escola. Escrevendo cerca de três séculos após a fundação da escola estoica, diz Sêneca:

"Então eu não estou seguindo nossos antecessores? Sim, estou, mas me permito descobrir algumas coisas novas e mudar ou abandonar outras: Não sou um escravo deles, mas concordo com eles" (*Carta* 80).

Parafraseando um famoso ditado latino: "Zenão é nosso amigo, mas a verdade é um amigo ainda maior". Temos agora acesso a enormes volumes de pesquisa psicológica que nos dizem muitas coisas sobre a natureza humana que os estoicos não poderiam ter conhecido tão facilmente. Em particular, existe um grande corpo de pesquisas sobre a TCC que nos diz muito sobre formas sadias e prejudiciais de responder à angústia emocional. Como veremos, essa era uma grande preocupação para os estoicos, e eles eram tradicionalmente percebidos como a escola filosófica com o foco "terapêutico" mais explícito. Os leitores de hoje estão naturalmente interessados no que os estoicos diziam sobre terapia, e como se compara à pesquisa moderna sobre o assunto.

O estoicismo era frequentemente empregado terapeuticamente, como remédio para a angústia, como nos muitos exemplos de antigas cartas de "consolação" escritas para ajudar outros a lidar emocionalmente com lutos traumáticos e outros infortúnios na vida. Entretanto, como observado acima, a prevenção é melhor que a cura, e o foco principal dos exercícios psicológicos estoicos seria mais bem descrito como parecido com o que agora chamamos de "construção de resiliência emocional". Assim, Musônio Rufo, um dos proeminentes professores estoicos do período imperial romano, disse que, "para nos resguardarmos, devemos viver como médicos e continuamente nos tratar com a razão". Ele aconselhava seus alunos, o mais famoso dos quais foi Epicteto, a não usar a filosofia como um remédio fitoterápico, a ser descartado quando terminado. Ao contrário, devemos permitir que a filosofia permaneça conosco, vigiando continuamente nossos julgamentos ao longo da vida, fazendo parte de nosso regime diário, como ter uma dieta saudável ou fazer exercícios físicos.

Essa noção de filosofia prática como base para a construção da resiliência emocional geral parece atraente para muitos leitores modernos e é parte da razão pela qual as pessoas se sentem atraídas pelo assunto. Assim como nos tempos antigos, as pessoas insatisfeitas com a vida, e necessitadas de cura emocional, estão frequentemente entre as que se sentem atraídas pelo estoicismo, em busca tanto de paz de espírito quanto de um sentido de propósito. Como veremos, a "terapia das paixões" estoica era um componente absolutamente central de sua ética, que visava a nada menos que a transformação de nosso caráter, ajudando-nos a florescer, como a Natureza pretendia, de acordo com a sabedoria e a virtude. A ética e a terapia estoica, portanto, andam de mãos dadas, estão no centro do tema e são os aspectos que as pessoas tendem a achar mais relevantes e intrigantes hoje.

Entretanto, há também aspectos do estoicismo extremamente desafiadores. Algumas pessoas serão desencorajadas por sua postura fundamentalmente intransigente com relação à ética. Outras acharão isso revigorante e intrigante, talvez até mesmo absolutamente radical e estimulante. Os estoicos eram sem dúvida considerados uma força filosófica a ser reconhecida no mundo antigo. Mesmo aqueles que discordavam deles se impressionavam com o alcance e a consistência interna de sua visão filosófica, mas eles também eram criticados por serem por vezes obscuros. Cícero se debateu com o estoicismo e queixou-se:

Tanto em suas fundações quanto no próprio edifício, o estoicismo é um sistema construído com muito cuidado; incorretamente, talvez, embora eu ainda não ouse pronunciar-me sobre esse ponto, mas certamente elaborado. Não é uma tarefa fácil dominá-lo (*De Finibus*, 4.1).

Este livro se concentra em fornecer uma introdução prática ao estoicismo e, portanto, não explora as críticas de sua filosofia em muitos detalhes. No entanto, *De Finibus,* de Cícero, fornece um relato clássico de argumentos relativamente equilibrados a favor e contra o estoicismo. O ensaio de Plutarco "Sobre as Contradições Estoicas" também fornece outra fonte clássica de crítica. Uma avaliação moderna do estoicismo que tenta fornecer uma defesa técnica detalhada de suas doutrinas em relação à filosofia ética pode ser encontrada no livro de Becker *A New Stoicism* (1998).

Embora uma crítica detalhada da filosofia estoica esteja além do escopo deste livro, não é a intenção retratar o estoicismo como de alguma forma acima da crítica filosófica ou científica. Pelo contrário, os leitores devem tomar para si mesmos a responsabilidade de pensar cuidadosamente sobre essas ideias e questioná-las profundamente. É claro que você precisa primeiro entender aquilo em que os estoicos realmente acreditavam antes de poder fazer isso. Por isso, vamos mergulhar bem nisso...

Um exemplo dos paradoxos estoicos

Embora o estoicismo fosse um sistema filosófico que privilegiava o entendimento racional, os argumentos filosóficos originais de Zenão eram notoriamente concisos e não convenceram seus críticos filosóficos. Zenão anunciou muitos "paradoxos" famosos, que literalmente representavam ideias que iam contra aquilo em que a maioria acreditava, contrariando a opinião popular. Eles retratavam uma visão de mundo radical, mas impressionantemente coerente, que atraía muitos que queriam descobrir se ela poderia ser defendida com mais rigor.

O terceiro dirigente da Escola Estoica, Crisipo, um dos maiores intelectuais do mundo antigo, tentou fazer isso escrevendo centenas de volumes de argumentos filosóficos detalhados em defesa da doutrina estoica, particularmente engajando-se com as críticas feitas pelos antigos céticos que representavam uma escola rival, a Academia de Platão. Ele basicamente transformou o estoicismo, partindo do pequeno movimento fundado por Zenão, em um dos pesos pesados filosóficos do mundo antigo.

"Pois se Crisipo não tivesse vivido e ensinado, a escola estoica certamente não teria sido nada" (Vidas, 7.183).

Foi-nos dito que ele ficou conhecido por fazer a observação contundente a seu professor Cleantes de que ele só queria ser instruído nas doutrinas centrais (*dogmata*) do estoicismo e que descobriria os argumentos a favor e contra por si mesmo. Muitos leitores modernos também serão atraídos primeiro pelas ideias arrebatadoras dos estoicos, que prometem revolucionar nossa filosofia de vida vigente, e depois procuram ponderá-las racionalmente em seus próprios termos. Alguns estoicos até se referiram a essa convulsão em nossa visão de mundo e sistema de valores, afastando-se da visão convencional da maioria, como uma "conversão" filosófica (*epistrophê*), literalmente uma "virada" ou "reviravolta" na vida. A esse respeito, os estoicos foram influenciados pelos cínicos, que nos dizem que caminhavam contra o fluxo das multidões, ou que andavam para trás em público, para ilustrar seu desejo, paradoxal, de nadar contra a corrente na vida e ir na direção oposta à da maioria das pessoas.

Os estoicos, portanto, reconheciam que estavam dizendo coisas que muitas pessoas teriam dificuldade de aceitar a princípio, embora também acreditassem que sua filosofia era, em última análise, baseada em suposições de bom senso, acessíveis a todos por meio da ponderação. Por exemplo, Cícero defende seis "Paradoxos Estoicos" notoriamente críticos em seu pequeno livro intitulado com o mesmo nome:

1. A virtude, ou excelência moral, é o único bem (bens convencionais como saúde, riqueza e reputação contam fundamentalmente como nada em relação a viver uma boa vida).
2. A virtude é completamente suficiente para a Felicidade e a realização; um homem virtuoso não carece de nenhuma exigência para viver uma boa vida.

3. Todas as formas de virtude são iguais, assim como todas as formas de vício (em termos do benefício ou dano que elas causam ao próprio indivíduo).
4. Todos que carecem de sabedoria perfeita são loucos (o que basicamente significa todos os vivos; todos nós somos essencialmente loucos).
5. Somente o sábio é realmente livre, e todos os outros são escravizados (mesmo quando o sábio é preso por um tirano, ou condenado à morte, como Sócrates, ele ainda é mais livre do que todos os outros, inclusive seus opressores).
6. Somente o sábio é verdadeiramente rico (mesmo se, como Diógenes, o cínico, ele possuir apenas aquilo que consiga carregar na mochila).

Esses quebra-cabeças requerem algumas explicações, como veremos. Musônio Rufo aparentemente costumava dizer que se esperava que os estudantes ficassem em um silêncio atordoado após suas palestras, em vez de aplaudi-lo. Eles sentiam que tinham ouvido algo inquietante, mas poderoso, e muitas vezes não sabiam o que pensar de tudo isso no início. Eu diria que isso também é verdade para os leitores modernos. Se não nos sentirmos pelo menos um pouco inquietos com o que os estoicos estão dizendo, então provavelmente estamos deixando escapar algo importante sobre sua filosofia.

No entanto, apesar dos paradoxos, o estoicismo foi, em muitos aspectos, a escola filosófica ateniense mais "realista", alicerçada em nossa experiência da vida diária. Há relatos de que Cleantes, o segundo diretor da *Stoa*, costumava comentar: "Possivelmente os filósofos dizem o que é contrário à opinião [ou 'paradoxal'], mas certamente não o que é contrário à razão" (Epicteto, *Diatribes*, 4.1).

ESTUDO DE CASO: O PROJETO DE PESQUISA DA UNIVERSIDADE DE EXETER SOBRE O ESTOICISMO MODERNO

O estoicismo tem sido descrito como a inspiração filosófica para a terapia cognitivo-comportamental (TCC) porque ambas as abordagens interpretam as emoções como algo decorrente principalmente de crenças e padrões de pensamento ("cognições"). Elas também compartilham a suposição de que, alterando crenças relevantes, podemos superar o sofrimento emocional. Um impressionante conjunto de evidências científicas de ensaios clínicos e outros tipos de pesquisa tem fornecido apoio para a eficácia da TCC, particularmente como um tratamento para ansiedade e distúrbios depressivos.

Em certa medida, isso pode ser visto como um apoio indireto à "terapia estoica". Entretanto, até recentemente não havia tentativa alguma de fornecer evidência direta dos benefícios psicológicos do estoicismo.

Em novembro de 2012, entretanto, Patrick Ussher (2012), um estudante de doutorado pesquisando o estoicismo na Universidade de Exeter, organizou um estudo-piloto informal chamado "Semana Estoica", sob a supervisão do Prof. Christopher Gill, um classicista, que escreveu e contribuiu para vários livros acadêmicos sobre estoicismo (Gill, 2006; 2010; 2011).

Uma equipe multidisciplinar de filósofos acadêmicos, classicistas, psicólogos e psicoterapeutas esteve envolvida no projeto (incluindo eu mesmo). Um manual explicando conceitos e práticas estoicas básicas foi disponibilizado na internet para os participantes usarem na vida diária durante um período de uma semana como um teste inicial de viabilidade (escrevi algumas seções do manual, e o livro que você está lendo foi parcialmente inspirado por esse e vários outros de nossos descobrimentos). A "Semana" gerou muito interesse e foi abordada em vários artigos nos jornais *The Independent* e *Guardian*. Houve cerca de 14 mil visitas ao website do projeto, chamado *Stoicism Today*, durante a semana do estudo.

Mais de oitenta pessoas realmente participaram do projeto pela internet, e dados de 42 participantes foram coletados. O filósofo e psicoterapeuta Tim LeBon, autor de *Wise Therapy* (LeBon, 2001), compilou um relatório que também está disponível no website (LeBon, 2012).

Então, quais foram as conclusões? Deve ser enfatizado que foi apenas um estudo-piloto inicial e que uma pesquisa mais formal está em andamento. O relatório concluiu: "Resultados extremamente promissores e interessantes, muito espaço para pesquisas mais aprofundadas e mais focadas". Os dados mostraram um aumento de aproximadamente 10% em três diferentes medidas de bem-estar psicológico após apenas uma semana de seguimento do manual estoico do projeto, que é, naturalmente, um período muito breve de prática do qual se pode esperar uma mudança significativa. Houve também diminuição de cerca de 10% nas medições de emoções negativas, embora as emoções positivas tenham aumentado apenas em torno de 5%. Os participantes puderam escolher entre uma gama de estratégias estoicas e relataram que as três mais úteis foram as seguintes:

- Atenção plena estoica[5] (*prosochê*)
- Meditação retrospectiva noturna
- Visão de cima

Portanto, vamos explorar essas três estratégias estoicas clássicas com mais detalhes em capítulos posteriores. A principal conclusão do estudo, porém, foi que se afigurava viável construir um manual de exer-

---

5. "*Stoic mindfulness*" foi o termo original em inglês. No decorrer do livro, será sempre usado "atenção plena". (N.T.)

cícios estoicos suficientemente simples para que as pessoas pudessem fazer o download e aplicá-los à vida moderna. Os participantes gostaram de seguir os exercícios, perceberam-nos como úteis e estavam interessados em fazer mais. O estudo não foi um experimento científico cuidadosamente controlado, então temos que ser cautelosos com os resultados, mas os dados sugerem que mesmo a prática de exercícios estoicos durante uma semana pode ter um efeito psicológico positivo que pode ser medido usando escalas cientificamente validadas.

O estoicismo no mundo moderno

E o estoicismo hoje em dia? Bem, há uma comunidade crescente de pessoas estudando o estoicismo no mundo inteiro, conectadas via internet. Se você digitar "Stoicism" no Google, provavelmente não vai demorar muito para encontrar estoicos praticantes, pois há muitos que participam de fóruns on-line etc. Por exemplo, o *International Stoic Forum* é um grupo de discussão on-line ativo, fundado em 1998, com quase mil membros.

Fórum Estoico Internacional

http://people.wku.edu/jan.garrett/stoa/stoaforu.htm

O blogueiro e filósofo Jules Evans também publicou recentemente um livro intitulado *Philosophy for Life*, que dá muitos exemplos concretos de pessoas que aplicam a filosofia antiga à vida moderna, particularmente o estoicismo e as escolas socráticas de pensamento relacionadas (Evans, 2012). O estoicismo tem sido particularmente popular entre os militares modernos. Por exemplo, o Major Thomas Jarrett, um antigo Boina Verde, ensinou um programa de resiliência psicológica a milhares de pessoas do exército dos Estados Unidos principalmente com base na filosofia estoica e em elementos da TCC. Os dados coletados a partir de questionários preenchidos por 900 participantes do programa "Treinamento de Resiliência Estoica" do Major Jarrett sugeriram resultados positivos. Por exemplo, as estatísticas mostraram que seus participantes sentiam que o treinamento os ajudava de fato a se tornarem mais resistentes durante o destacamento e no retorno para casa (Jarrett, 2008). Um livro recente intitulado *Stoic Warriors: The Ancient Philosophy behind the Military Mind*, da Prof. Nancy Sherman, titular da cadeira de Ética da Academia Naval dos Estados Unidos, também explorou a afinidade entre a filosofia estoica e os valores militares contemporâneos (Sherman, 2005).

Muitas pessoas, por outro lado, tomaram conhecimento do estoicismo com o aclamado romance de Tom Wolfe[6] *Um homem por inteiro* (1998). Dois dos personagens centrais convertem-se ao estoicismo em pontos cruciais, e seu uso do estoicismo se torna central para o clímax da história. A segunda metade do livro contém muitas referências, portanto, aos dizeres de Epicteto. Um dos personagens, Conrado, se depara com os escritos dos estoicos por acidente enquanto está preso. Quando questionado se ele se considera um estoico:

> "Estou apenas lendo sobre isso", disse Conrado, "mas gostaria que houvesse alguém por perto hoje, alguém a quem se pudesse ir, do jeito que os estudantes iam a Epicteto. Hoje as pessoas pensam em Estoicos, sabe, como se fossem pessoas que rangem os dentes e toleram dor e sofrimento. Mas não é nada disso. Eles são, na verdade, serenos e confiantes diante de qualquer coisa à qual você possa sub-

---

6. Tom Wolfe é mais conhecido no Brasil pelo livro *A fogueira das vaidades*. (N.T.)

metê-los. Se você diz a um estoico: 'Olhe, você faz o que eu lhe digo ou eu o mato', ele o olha nos olhos e diz: 'Você faz o que você tem que fazer e eu faço o que tenho que fazer – e, a propósito, quando foi que eu disse que era imortal?'" (Wolfe, 1998, p. 665).

Um bom guia para aplicar o estoicismo no mundo moderno é a serenidade estoica de Keith Seddon, baseada em seu curso a distância *Stoic art of living* (Seddon, 2006). Sua explicação clara do estoicismo é a seguinte: "Um estoico pode ser considerado, talvez, como alguém que continuamente se lembra de que sua situação não é tão ruim quanto parece, e que nossas capacidades, tanto para lidar com as pequenas frustrações da vida diária quanto com as voltas significativas da fortuna, são superiores (com a ajuda da filosofia) ao que geralmente imaginamos" (Seddon, 2006, p. 78).

Entretanto, a introdução ao estoicismo mais vendida é provavelmente o livro *A Guide to the Good Life: The Ancient Art of Stoic Joy*, de William Irvine. No entanto, há uma série de aspectos-chave nos quais o relato de Irvine parece afastar-se do estoicismo em seu formato tradicional. Ele afirma que o foco explícito de seu livro é a obtenção da "tranquilidade", e não da "virtude" (Irvine, 2009, p. 42).

A versão resultante do estoicismo, embora derivada dos estoicos antigos, é, portanto, diferente do estoicismo defendido por qualquer estoico em particular. Também é provável que a versão do estoicismo que desenvolvi seja, em vários aspectos, diferente do estoicismo cuja prática teria sido ensinada em uma escola estoica antiga (Irvine, 2009, p. 244).

A isso, os estoicos mais ortodoxos podem objetar que a "tranquilidade" (*ataraxia*) é tradicionalmente vista como um efeito colateral positivo da virtude, e não como o objetivo da própria vida. Dito de maneira grosseira, se a tranquilidade é realmente seu objetivo supremo na vida, então você pode simplesmente tomar tranquilizantes. Os estoicos argumentaram que o principal bem na vida deve ser algo tanto bom em si como "instrumentalmente" bom, o que significa trazer boas consequências. A tranquilidade é normalmente aceita como uma coisa boa, mas não "leva a lugar algum", não se mantém de forma segura nem gera outras consequências boas – pode ser mal utilizada ou abusada. Um psicopata pode experimentar tranquilidade enquanto corta o corpo de suas vítimas! Entretanto, a busca da sabedoria e da virtude como objetivo principal na vida leva a algo que tanto se mantém quanto traz outras coisas benéficas, incluindo a tranquilidade.

Neste livro, portanto, olharemos para uma abordagem moderna do estoicismo, que se assemelha e se baseia deliberadamente nas visões características dos antigos estoicos. Colocaremos o estoicismo dentro de seu contexto histórico e examinaremos os fundamentos filosóficos da escola, particularmente as doutrinas éticas fundamentais, amplamente consideradas na Antiguidade como a essência do estoicismo. Em outras palavras, baseando-nos extensivamente na tradição histórica, tentaremos responder à pergunta: o que faz de alguém um estoico?

Hino estoico a Zeus

Tu, que és o mais glorioso dos imortais,
Eternamente todo-poderoso e com múltiplos nomes,
Zeus autor da natureza, que governas todas as coisas segundo a tua lei,
É que nós nascemos de ti e o nosso destino é sermos à imagem de Deus.
(Fragmento de um hino a Zeus Cleantes, segundo escolarca do estoicismo).

1.

O caminho do estoico: "Viver de acordo com a Natureza"

Neste capítulo, você aprenderá:

➤ Quem eram os estoicos e a essência de sua filosofia: que o objetivo ou o sentido da vida é "viver de acordo com a Natureza".

➤ Sobre a estrutura geral do estoicismo e os três temas teóricos do currículo filosófico: "Física", "Ética" e "Lógica".

➤ Como esses elementos fundamentam três dimensões da prática estoica: as Disciplinas do "Desejo", da "Ação" e do "Julgamento".

➤ Como contemplar a Natureza do "bem" e como avaliar sua esfera de controle na vida.

Da vida humana o tempo é um ponto, e a substância está em fluxo, e a percepção difícil, e a composição do corpo como um todo sujeita à putrefação, e a alma um turbilhão, e a fortuna difícil de ser revelada, e a fama uma coisa sem discernimento. E, para dizer tudo em uma palavra, tudo o que pertence ao corpo é uma torrente, e o que pertence à alma é um sonho e um vapor, e a vida é uma guerra e uma viagem ao estrangeiro, e depois da fama está o esquecimento.

O que é então aquilo que é capaz de conduzir um homem? Uma coisa, e só uma, é a filosofia. Mas isso consiste em manter o *daemon*, dentro de um homem livre de violência e ileso, superior às dores e aos prazeres, não fazendo nada sem um propósito, nem ainda falsamente e com hipocrisia, não sentindo a necessidade de outro homem fazer ou não fazer nada; e além disso, aceitando tudo o que acontece, e tudo o que lhe é atribuído, como vindo de lá, de onde quer que esteja, de onde ele mesmo veio; e, finalmente, esperando a morte com a mente alegre, como sendo nada mais que uma dissolução dos elementos de que todo ser vivo é composto.

Mas, se não há malefício para os próprios elementos em cada um deles, que se transformam continuamente em outros, por que haveria o ser humano de ter qualquer receio da mudança e da dissolução de todos os elementos? Pois isso está de acordo com a Natureza, e nada existe de mal que esteja de acordo com a Natureza (Marco Aurélio, *Meditações*, 2.17).

AUTOAVALIAÇÃO: ATITUDES ESTOICAS E PRINCÍPIOS FUNDAMENTAIS

Antes de ler este capítulo, avalie quão fortemente você concorda com as seguintes declarações, usando a escala de cinco pontos (1-5) abaixo, e então repita sua avaliação uma vez que tenha lido e assimilado o conteúdo.

1. discorda fortemente,
2. discorda,
3. não concorda nem discorda,
4. concorda,
5. concorda fortemente.

1. "O objetivo da vida é 'viver de acordo com a Natureza', aceitando de bom grado coisas fora de nosso controle."

2. "Devemos também viver em harmonia com nossa própria natureza humana, tentando cultivar a razão e progredir em direção à perfeita sabedoria e virtude."
3. "Devemos viver em harmonia com o restante da humanidade, vendo-nos como todos fundamentalmente semelhantes uns aos outros, na medida em que possuímos a razão."

Introdução: *O que é estoicismo?*

O que é estoicismo? Recapitulando: é uma importante escola de filosofia antiga fundada em Atenas por volta de 301 a.C. por um comerciante fenício chamado Zenão, que veio da cidade de Cítio, no Chipre. Entretanto, como veremos, o estoicismo também era considerado uma das várias escolas concorrentes inspiradas na vida e no pensamento de Sócrates, o proeminente filósofo ateniense, que havia sido executado um século antes.

Era originalmente chamado "Zenonismo", mas ficou conhecido como "Estoicismo" porque Zenão e seus seguidores se reuniam na *Stoa Poikilê*, ou Pórtico Pintado, uma famosa colunata decorada com uma mistura de cenas míticas e históricas de batalha, situada no lado norte da ágora, o antigo mercado ateniense. Às vezes, o estoicismo, ou a escola estoica de filosofia, é, portanto, apenas chamado de "A Stoa" ou mesmo a filosofia do "Pórtico". Como seu herói Sócrates, mas, ao contrário das outras escolas formais de filosofia ateniense, os estoicos se reuniam no mercado público, nesse alpendre, onde qualquer um podia aparentemente ouvi-los debater. Lá Zenão caminhava vigorosamente para cima e para baixo enquanto dava aulas, o que nos dizem que mantinha o alpendre livre de pessoas preguiçosas. A expressão "filosofia estoica" foi, portanto, tomada para sugerir algo como uma "filosofia de rua", uma filosofia para pessoas comuns, e não trancadas nas proverbiais "torres de marfim" da academia. De fato, até recentemente, os estoicos eram bastante negligenciados pelos departamentos de filosofia moderna. William Irvine, professor de filosofia e autor de um recente livro best-seller sobre estoicismo, escreveu:

> Antes do século 20, aqueles que estavam expostos à filosofia provavelmente teriam lido os estoicos. No século 20, porém, os filósofos não só perderam o interesse pelo estoicismo, mas perderam o interesse, mais geralmente, pelas filosofias de vida. Foi possível, como demonstra minha própria experiência, passar uma década tomando aulas de filosofia sem ter lido os estoicos e sem ter passado tempo considerando as filosofias de vida, muito menos adotando uma (Irvine, 2009, p. 222).

Na verdade, o estoicismo tem crescido em popularidade desde os anos 1970, em parte devido ao sucesso da TCC.

Entretanto, no mundo antigo, como vimos, o estoicismo foi, desde o início e por quase cinco séculos posteriores, uma das escolas de filosofia mais influentes e altamente conceituadas. Dizem-nos que os atenienses admiraram muito Zenão, concedendo-lhe as chaves de sua cidade e construindo-lhe uma estátua de bronze, em contraste com o destino que recaiu sobre seu antecessor, Sócrates. Eles também votaram a favor de um decreto oficial que honrava suas exemplares "virtude e autodisciplina", com uma coroa de ouro e um túmulo, construído às custas públicas. Essa declaração pública enalteceu seus muitos anos dedicados à filosofia em Atenas, e o descreveu como um bom homem em todos os aspectos, "exortando à virtude e à autodisciplina aqueles jovens que vêm a seu encontro para serem ensinados, orientando-os para o que é melhor, proporcionando a todos em sua própria conduta um padrão de reprodução em perfeita coerência com seus ensinamentos" (*Vidas*, 7.10).

O exemplo dado pela conduta de Zenão foi importante para os estoicos porque eles consideraram a emulação do sensato e do bom como a melhor maneira de aprender filosofia. Inicialmente seguiu o estilo de vida simples e austero adotado pelos filósofos cínicos, que exerciam influência importante sobre o estoicismo. Como resultado, sua reputação de autodomínio (*enkrateia*) tornou-se aparentemente bastante lendária e até proverbial; as pessoas podiam ser elogiadas comparando sua autodisciplina com a do exemplo dado por Zenão. Os cínicos eram conhecidos por sua resistência às dificuldades materiais, e o próprio Zenão foi certamente descrito como um filósofo temperado pelos elementos. Por exemplo, um poeta antigo, desconhecido, escreveu sobre ele:

> O frio do inverno e a chuva incessante
> Vêm impotentes contra ele:
> enfraquecem o dardo do sol feroz do verão ou a dor aguda
> Para dobrar essa moldura de ferro.
> Ele se destaca sem ser contaminado
> por banquetes e alegria pública:
> Paciente, sem cansaço de noite e de dia, ele
> Se adere aos seus estudos de filosofia.
> (Vidas, 7.27).

Embora Zenão tenha se afastado de sua fidelidade inicial ao cinismo, no entanto, enfatizou mais a necessidade de complementar seu estilo de vida filosófico rígido, sua "Ética", com o estudo da "Física" e da "Lógica" também. Como veremos, os cínicos também viam todas as coisas externas como, em última análise, "indiferentes", enquanto os estoicos assumiram uma posição mais tênue, permitindo-se valorizar certas coisas convencionais, ao mesmo tempo que mantinham uma tendência a se desapegarem delas. No entanto, os estoicos estavam particularmente preocupados em aplicar a filosofia aos desafios diários e especialmente com a clássica questão socrática: como alguém vive uma boa vida? Eles se viam como verdadeiros guerreiros da mente e talvez condenassem a filosofia acadêmica moderna como mero "sofisma" em comparação.

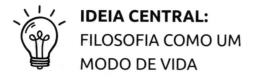

**IDEIA CENTRAL:
FILOSOFIA COMO UM
MODO DE VIDA**

Talvez seja uma surpresa perceber que a filosofia antiga era um assunto bastante prático. Muitas vezes enfatizava o treinamento em exercícios psicológicos ou a adoção de um estilo de vida exigente, um precursor em alguns aspectos das práticas monásticas cristãs. Alguns filósofos, mais notadamente os cínicos, até mesmo desprezavam o debate teórico ou a especulação abstrata como sendo um desvio do verdadeiro objetivo de cultivar a sabedoria prática e o autodomínio.

Os cínicos, portanto, ridicularizaram Platão e seus seguidores por seu estilo "acadêmico" de filosofia. Eles acreditavam que a pobreza voluntária e a resistência às adversidades eram melhores professores filosóficos do que livros e palestras. Zenão teve um início cínico, embora tenha estudado Lógica e Física também, e assim o estoicismo cresceu a partir dessa tradição. O herói estoico, Sócrates, também não escreveu nada, e, embora ele se envolvesse em debates, estes envolviam principalmente colocar perguntas difíceis a outras pessoas sobre suas crenças a respeito da virtude e do melhor modo de viver.

* * *

De fato, os antigos filósofos, especialmente os cínicos, eram reconhecidos por seu traje e comportamento. Os cínicos mendigavam comida ou comiam refeições simples e baratas de grãos de tremoço ou sopa de lentilhas e bebiam apenas água. Vestiam-se apenas com um manto barato, que dobravam para aquecer-se no inverno, carregavam tudo o que possuíam em uma pequena mochila, carregavam um cajado, talvez para autodefesa, e se acamavam em simples colchões de palha, muitas vezes dormindo em locais públicos. Zenão adotou inicialmente um estilo de vida semelhante, e alguns aspectos disso podem ter continuado entre seus seguidores, embora os estoicos fossem geralmente menos austeros do que os cínicos. Musônio diz a seus alunos que, enquanto eles tiverem as virtudes interiores de um filósofo, "não precisará vestir uma capa velha, andar por aí sem camisa, ter cabelos longos, ou comportar-se de forma excêntrica", como os cínicos (*Palestras*, 16). Em outro ponto, no entanto, ele aconselha os estudantes a andar sem camisa e descalços, o que sugere que os estoicos viam esses trajes cínicos como opcionais ao estilo de vida filosófico.

Das outras escolas de filosofia, os estoicos extraíram um amplo repertório de exercícios psicológicos, incluindo técnicas de meditação contemplativa, que foram exploradas em detalhes em vários livros pelo estudioso moderno Pierre Hadot, tal como em sua *Philosophy as a Way of Life* (Hadot, 1995). Assim, ao longo deste livro, vamos nos concentrar particularmente nessa dimensão prática do estoicismo, como uma "arte de viver", que tradicionalmente mantinha a promessa de alcançar a *eudaimonia*, a suprema Felicidade e a realização.

FAÇA AGORA:
EM PROFUNDIDADE...

Comecemos agora mesmo pela contemplação da natureza do bem. Reflita sobre as seguintes questões interdependentes até que sua cabeça comece a doer:

1. O que significa, fundamentalmente, que algo seja "bom" no que diz respeito aos seres humanos?
2. Que qualidades fazem de um ser humano uma boa pessoa? (Compare: "Que qualidades fazem de um cavalo um bom cavalo?")
3. Que qualidades fazem da vida de alguém uma boa vida?
4. Ser uma boa pessoa pode contribuir para ter uma boa vida? (Os estoicos e a maioria dos outros filósofos greco-romanos concordavam que sim).
5. Ser uma boa pessoa é suficiente para ter uma boa vida, mesmo diante de "infortúnios" externos, como a perseguição por outros? (A vida de Sócrates foi pior porque ele era pobre e perseguido; teria sido uma vida melhor se ele tivesse tido boa sorte em assuntos exteriores, se tivesse vivido uma vida mais fácil e confortável?)

Podemos chamar esse último ponto de "linha dura estoica". Eles se distinguiram de outras escolas de filosofia por sua insistência de que ser uma boa pessoa, ter virtude e honra, é o único bem verdadeiro.

Em todo caso, essas são algumas das questões fundamentais da Ética Estoica. Na verdade, são algumas das questões cardeais da filosofia antiga em geral. Portanto, não se preocupe se você ainda não tiver uma resposta definitiva! As pessoas discutem essas questões há quase 2.500 anos. Algumas diriam que o principal é debater-se com as perguntas, pelo menos, mesmo que as respostas às vezes nos escapem. Os estoicos acreditavam que poderíamos chegar a uma espécie de certeza filosófica nesses assuntos, embora geralmente não sem estudo e treinamento árduo.

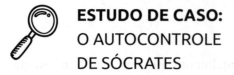

ESTUDO DE CASO: O AUTOCONTROLE DE SÓCRATES

Estamos acostumados a pensar em Sócrates como um filósofo sábio, mas você sabia que ele também foi um herói militar condecorado e se apresentava como um modelo exemplar de coragem e autodisciplina no mundo antigo? Zenão foi aparentemente convertido à filosofia ao ler o relato do general ateniense Xenofonte sobre seu amigo Sócrates. Segundo Xenofonte, Sócrates era "o mais autocontrolado dos homens" em relação a seus desejos físicos, bem como a sua tolerância às dificuldades, incluindo o calor e o frio extremos, tendo se treinado para ter necessidades modestas e para se contentar com os bens materiais mais básicos. Apesar de ele próprio ter um caráter bastante rígido, Xenofonte ficou claramente impressionado com a força de caráter e autodomínio de Sócrates, que se assemelham de perto às virtudes e práticas que posteriormente se tornaram o foco tanto do cinismo quanto do estoicismo.

Dizem-nos que Sócrates treinou rigorosamente tanto a mente quanto o corpo por meio de seu estilo de vida filosófico. Ele argumentava, paradoxalmente, que "é a autodisciplina, acima de todas as coisas, que traz prazer". Exercendo contenção, aprendemos a só comer quando temos fome genuína, beber quando temos sede, e assim por diante. Apetite e sede são o "molho" natural da vida e o segredo para fazer até mesmo pão rústico e água comum parecerem deliciosos. O autocontrole é salutar e na verdade leva a mais prazer do que indulgência, particularmente com relação às fontes mais comuns de prazer na vida diária. Em contraste, Sócrates dizia que qualquer coisa que nos impelisse a comer quando não temos fome ou beber quando não temos sede "arruinaria estômagos, cabeças e personalidades". Felizmente, isso parece mais senso comum do que automortificação, apesar de estar em desacordo com as atitudes modernas em relação a comida e bebida – somos constantemente bombardeados com publicidade para coisas mais convenientes e sedutoras, mas muitas vezes prejudiciais à saúde.

Sócrates também ensinava a seus alunos que deveríamos manter o corpo em forma por meio do exercício físico apropriado, porque este é empregado em toda atividade humana, até mesmo no ato de pensar, pois todos sabem que as pessoas não conseguem pensar direito quando têm certas doenças. Ele aparentemente era favorável à dança solitária, ao amanhecer, como forma de exercício físico, porque envolvia todo o corpo, e não apenas algumas partes – mas isso era algo que parecia bastante excêntrico para seus associados. No entanto, em geral, nos dizem que ele acreditava que todos deveriam cuidar da saúde, aprendendo tudo o que pudessem sobre o assunto com especialistas, mas também estudando a própria constituição diariamente, e observando quais alimentos, bebidas ou exercícios realmente lhes faziam bem. Como cada um é diferente, ele pensava que, idealmente, deveríamos nos tornar nossos próprios médicos, aprendendo com a experiência o que é saudável em nosso próprio caso. Xenofonte também acreditava que, assim como as pessoas que não exercitavam o corpo se tornavam fisicamente fracas, as pessoas que não treinavam o caráter por meio da autodisciplina se tornavam moralmente fracas. Os estoicos concordavam, e nós os veremos colocando grande ênfase no treinamento moral e psicológico em filosofia.

O objetivo de vida: "Viver de acordo com a natureza"

Em que os estoicos realmente acreditavam? Bem, é disso que trata todo este livro. O objetivo final de vida foi aceito por todas as escolas de filosofia antiga como sendo a Felicidade ou *eudaimonia*. Vamos explorar o conceito estoico de Felicidade com mais detalhes nos capítulos seguintes. Entretanto, Zenão escreveu originalmente "Felicidade é uma vida que flui suavemente" (*euroia biou*), que foi a definição adotada pelos outros fundadores da Escola Estoica. Isso obviamente levanta outra questão: como os estoicos acreditavam que poderíamos alcançar uma vida fluida e feliz?

Zenão tentou expressar sua filosofia em curtas declarações "lacônicas" e argumentos "silogísticos" notoriamente condensados, que tiveram que ser elaborados por seus seguidores. A definição mais conhecida do objetivo estoico da vida, que é atribuída ou a Zenão ou a Crisipo, era simplesmente "viver de acordo com a natureza", e diversas variações disso podem ser encontradas na literatura estoica. "Nosso lema, como todos sabem", escreveu Sêneca, "é viver em conformidade com a natureza" (*Carta* 5). De fato, Zenão escreveu um livro intitulado *Sobre a vida de acordo com a natureza*. Assim, esse se tornou o slogan e o dogma central do estoicismo através dos tempos, às vezes abreviado ainda mais para "Seguir a natureza". Entretanto, quatro séculos depois, encontramos o famoso professor estoico Epicteto explicando a seus alunos que, embora as doutrinas estoicas principais tenham sido originalmente resumidas em breves máximas, quando tentamos explicar seu significado isso inevitavelmente levanta questões, tais como "O que é a natureza no indivíduo e a natureza no universo?", e assim a explicação torna-se mais longa.

O que, portanto, significa "viver de acordo com a natureza"? Ao longo deste livro, desvendaremos esse lema enigmático. No entanto, para começar, vale a pena explicar que os estoicos também diziam que o objetivo da vida era "viver de acordo com a virtude", ou seja, a excelência humana. Em outras palavras, eles acreditavam que todos nós nascemos com a responsabilidade de nos sobressair, levando nossa própria natureza à perfeição. Isso significa completar o trabalho deixado inacabado pela própria Natureza, fazendo voluntariamente o melhor uso de nossa mais alta faculdade: a razão. Essencialmente, para os estoicos, os humanos adultos são fundamentalmente criaturas racionais e, portanto, "para a criatura racional, um mesmo ato ocorre simultaneamente de acordo com a natureza e de acordo com a razão" (*Meditações*, 7.11). Portanto, seguir a natureza não significa agir como um "animal estúpido", mas sim realizar nosso potencial natural como animais humanos. De fato, Crisipo disse, supostamente:

> Então, por onde devo começar? E o que devo tomar como princípio de ação apropriada e como matéria-prima para a virtude se eu desistir da natureza e do que está de acordo com a natureza? (Citado em Plutarco, *On Common Conceptions* [Sobre Conceitos Comuns], 1069e).

Os estoicos enfatizavam, portanto, a necessidade de contemplar como seria um ser humano perfeito, alguém cuja vida é ao mesmo tempo honrada e benéfica para si e para os outros. Vislumbravam-no como alguém que tivesse alcançado completa sabedoria prática e "virtude". Por "virtude", eles na verdade entendiam "excelência" ou " desabrochar" em termos de nossa natureza humana racional, em vez do que hoje poderíamos conceber como um comportamento "virtuoso". Como veremos, os estoicos argumentavam que a natureza humana é essencialmente racional e social, e por isso sabedoria e justiça são os pináculos da realização humana.

O objetivo de toda vida humana consiste em progredir voluntariamente nessa direção. Portanto, o estoicismo é uma filosofia que se concentra em nos ensinar como nos destacar na vida, como nos tornar melhores seres humanos e como viver uma boa vida. Portanto, também pode parecer um pouco como uma religião, embora baseada principalmente na racionalidade, e não na fé. Por essa razão, as pessoas às vezes o comparam ao budismo. Fornecer um equivalente ocidental, em alguns aspectos, para o "modo de vida" filosófico que se encontra em muitas religiões orientais é parte de seu apelo para muitos leitores modernos.

Isso resulta da premissa de que nossa natureza primordial é racional e que a maior virtude é a sabedoria, e a maior tolice, o vício ou a ignorância. Os seres humanos têm o dom do conhecimento consciente, somos convidados pela Natureza a ser espectadores e intérpretes do universo, e os estoicos acreditavam que nossa tarefa fundamental na vida deve ser fazer isso bem, destacando-se em termos de conhecimento e compreensão sobre as coisas mais importantes da vida. Isso pode ser resumido como alcançar sabedoria na arte de viver, ou "prudência", por falta de uma palavra melhor. De fato, a palavra "filosofia" significa literalmente "amor à sabedoria" em grego.

O objetivo da vida é, portanto, o objetivo da filosofia: amar e alcançar sabedoria, particularmente no que diz respeito à maneira como realmente vivemos nossas vidas, que poderia ser descrita como sabedoria moral ou prática. De fato, a sabedoria prática, o conhecimento sobre o que é bom e o que é mau, foi considerada pelos estoicos como a base de todas as outras formas de excelência humana, que são tipicamente englobadas sob as quatro virtudes cardeais da sabedoria, justiça, coragem e temperança. Como veremos, os estoicos acreditavam que as virtudes cardeais são tanto habilidades práticas quanto formas de conhecimento, envolvendo uma firme compreensão do que é bom e ruim em diferentes situações.

A escola de Epicteto fez do tema central de toda a sua filosofia a doutrina de que devemos distinguir muito cuidadosamente o que "é nosso encargo"[7], ou está sob nosso poder, e o que não depende de nós. Isso porque o principal bem da vida está diretamente situado dentro da esfera de nosso controle, em nossas próprias ações e julgamentos, e tudo o mais é classificado como "indiferente" no que diz respeito a viver uma boa vida. Trata-se, sem dúvida, de matéria para reflexão, e matéria que levará algum tempo para ser processada e digerida corretamente.

A conclusão filosófica de que o principal bem, a coisa mais importante na vida, deve necessariamente estar "ao nosso encargo" e sob nosso controle direto é ao mesmo tempo o aspecto mais difícil e mais cativante do estoicismo. Torna-nos completa e totalmente responsáveis pela única coisa importante na vida, privando-nos de qualquer desculpa para não florescer e alcançar a melhor vida possível, porque isso está sempre ao nosso alcance. Essa dicotomia fundamental entre o que "é nosso encargo" e o que não é foi descrita como o princípio "soberano" e mais característico dos estoicos. Voltaremos a ela repetidamente no que se segue!

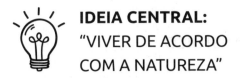

IDEIA CENTRAL: "VIVER DE ACORDO COM A NATUREZA"

O estoicismo define o objetivo principal da vida como "viver de acordo com a Natureza" ou seguir a Natureza. A palavra para o objetivo, *telos*, às vezes é traduzida como "fim" ou "propósito" e, sem dúvida, se aproxi-

---

7. Em inglês, o termo usado é "meu encargo", geralmente traduzido como "nosso encargo" ou "nosso controle". (N.T.)

ma do que chamamos de "o sentido da vida". Mas isso não significava se mudar para o campo ou abraçar árvores! Desde Crisipo, o estilo de vida estoico foi interpretado como estando em harmonia com a natureza em dois níveis. Por um lado, os estoicos tentam viver de acordo com a própria natureza humana, como criaturas inerentemente racionais e sociais, destacando-se em termos de sabedoria, justiça e virtudes do autodomínio. Os estoicos assumiram que a Natureza é dirigida por objetivos e que nossa capacidade de raciocinar sugere a possibilidade de sua própria conclusão ou perfeição, ou seja, de alcançar a sabedoria.

Por outro lado, seguir a Natureza também significa aceitar nosso lugar como parte de um todo, a natureza do universo, e acolher nosso destino, na medida em que está além de nosso controle alterá-lo. No entanto, essas duas tarefas são complementares, porque precisamos de virtude para poder superar as adversidades e acolher o que quer que a vida nos proporcione. A "promessa" da filosofia estoica é que, vivendo de acordo com a natureza, ou vivendo de forma virtuosa e aceitando nosso destino, alcançaremos *eudaimonia*, realização pessoal completa, bem-estar e Felicidade. Retornaremos mais tarde ao que isso significa em mais detalhes...

FAÇA AGORA:
COMA COMO UM ESTOICO

Aqui está uma nova ideia... tente fazer uma dieta mais saudável pela próxima semana. Há uma importante reviravolta "estoica", no entanto. Enquanto você tenta manter seu plano, em vez de se motivar pensando em algum resultado desejado, como perder peso ou melhorar sua saúde etc., concentre-se no valor inerente do desenvolvimento da autodisciplina. Perder peso ou melhorar a saúde não é assegurado com nenhuma dieta; não está diretamente sob seu controle, mas em parte nas mãos do destino. É também algo que está deslocado no futuro, uma "esperança", uma consequência de suas ações em vez de algo que acontece "aqui e agora". Em contraste, a temperança é boa e louvável em si mesma, qualquer que seja o resultado em longo prazo.

Você não precisa seguir uma antiga dieta estoica ou cínica, apenas desafiar-se a comer mais saudavelmente por uma semana ou mais, usando seu próprio bom senso para guiá-lo. Para que conste, porém, os estoicos seguiam o conselho de Sócrates de que deveríamos "comer para viver" em vez de "viver para comer". Em sua preleção sobre alimentação, Musônio Rufo defendeu que dominar o apetite é o próprio fundamento do treinamento em autocontrole. Ele diz que os estoicos devem beber apenas água e evitar refeições extravagantes, preferindo alimentos de origem natural que sejam nutritivos, porém baratos, convenientes de obter e fáceis de preparar (por exemplo, leite, queijo, mel e certas frutas e vegetais etc.). Ele diz que os estoicos devem comer devagar e com cuidado, exercendo moderação e autocontrole. Para alguns leitores modernos, beber apenas água por uma semana, em vez de outras bebidas, pode ser um bom desafio inicial.

Lembre-se, o objetivo é melhorar sua autodisciplina e as "virtudes", ou força de caráter, em vez de perder peso ou ganhar saúde física. Mas se você estiver exercendo autodisciplina e perseverança, faz sentido fazê-lo em uma direção saudável, não faz? Os estoicos se referem à saúde física e à boa forma como algo "preferido", mas em última instância irrelevante, ou "indiferente", em relação à verdadeira Felicidade e realização. Cultivar um caráter sadio é infinitamente mais importante para eles do que cultivar um corpo sadio. No entanto, desenvolvemos a autodisciplina precisamente ao tentar fazer coisas salutares e apropriadas no mundo, independentemente do resultado que nos seria preferível ou não.

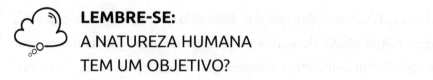 **LEMBRE-SE:
A NATUREZA HUMANA
TEM UM OBJETIVO?**

Alguns leitores modernos podem ter dificuldade de aceitar a hipótese estoica de que a humanidade tem um objetivo natural. No entanto, geralmente tomamos algum objetivo como certo sempre que falamos em ser "prejudicado". Que sentido faz reclamar de ter sido ferido, a menos que assumamos que há algum estado mais desejável? Como diz Sêneca, "o que está de acordo com a natureza é óbvio e pode ser visto de uma só vez – tão facilmente quanto o que é completo" (*Carta* 124). Entretanto, quando falamos em ser "prejudicados", a maioria de nós assume o objetivo que está em risco por ser o prazer, a saúde, a vida longa, ou outros bens, externos. Para os estoicos, esses são "indiferentes", e o verdadeiro "dano" só se refere à nossa faculdade governante, nossa mente, que pode ser ferida por cair no vício e nada mais.

O duplo objetivo da vida

A sabedoria estoica consiste principalmente em distinguir o bem do mal, e isso significa saber o que está sob nosso controle e o que não está. A inscrição "Conhece-te", do Oráculo Délfico de Apolo, que inspirou Sócrates, foi, portanto, interpretada pelos estoicos como uma instrução para que monitorassem e examinassem continuamente a própria alma. Nós realmente "conhecemos a nós mesmos" quando separamos o que é exclusivamente humano do que é externo a nós ou compartilhado com outros animais.

O autoconhecimento também significa distinguir o que está sob nosso controle do que não está. Contemplar e compreender nossa própria existência é um esforço contínuo, de acordo com os estoicos, exigindo uma forma de "atenção plena". A atenção plena é um conceito frequentemente associado à meditação budista, mas que tem claros precedentes na antiga filosofia greco-romana. Além de ser uma contemplação filosófica a respeito da própria natureza da existência humana, a consciência dessa distinção entre o que é nosso encargo e o que não nos compete é um dos principais remédios para o sofrimento emocional. Isso é claramente expresso na "Oração da Serenidade", uma conhecida fórmula do início do século 20, utilizada pelos Alcoólicos Anônimos e muitos terapeutas modernos (Pietsch, 1990):

> Deus, concede-me a serenidade para aceitar as coisas que não posso mudar, a coragem para mudar as coisas que posso e a sabedoria para discernir umas das outras.

Isso é muitas vezes interpretado simplesmente no sentido de que devemos distinguir entre algumas situações ou aspectos do mundo externo que podemos mudar, e outras que não podemos. Para os estoicos, entretanto, a sabedoria consiste em perceber que a única coisa que controlamos completamente, por definição, são nossas próprias volições, particularmente julgamentos e ações voluntárias.

Crisipo foi aparentemente o primeiro estoico a dizer explicitamente que o objetivo da vida deveria, portanto, ser entendido como uma tarefa dupla: "considerada como viver de acordo tanto com a própria natureza quanto com a Natureza do todo" (*Vidas*, 7.88). Essa subdivisão pode ser vista em grande parte da literatura estoica remanescente, até as *Meditações* de Marco Aurélio (*Meditações*, 6.58; 12.11):

1. **A natureza interna de cada um:** ninguém pode impedi-lo de viver de acordo com sua própria natureza interna, como um ser racional, ou seja, com sabedoria e virtuosidade.

2. **Natureza do mundo:** nada pode lhe suceder externamente que seja contrário às leis universais da Natureza, que o homem sábio aceita piedosamente como determinado pelo destino ou, em linguagem teológica, como a vontade de Zeus.

No estoicismo romano de Epicteto, isso é colocado na simples, mas fundamental, distinção mencionada anteriormente entre o que "é nosso encargo", ou está sob nosso controle, e o que não. No entanto, os estoicos também parecem, às vezes, transformar isso em uma tripla divisão, estabelecendo uma distinção adicional dos eventos externos, entre as leis da Natureza e as ações de outros seres humanos. Assim, podemos pensar que "viver de acordo com a Natureza" é viver harmoniosamente através de três dimensões importantes da vida:

1. **Ego:** harmonia com nossa própria natureza essencial, com nós mesmos como seres racionais, o que exige o aperfeiçoamento da razão e da virtude e a realização de nossa natureza.
2. **Mundo:** harmonia com a natureza como um todo, o que significa aceitar nosso destino, na medida em que ele está além de nosso controle, como se quiséssemos que acontecesse, em vez de reclamar e lutar futilmente contra os acontecimentos.
3. **Humanidade:** harmonia social ou "concórdia" com outras pessoas, considerando todos os seres racionais como nossos parentes e estendendo nosso afeto natural pelos outros a uma atitude "filantrópica" sincera em relação ao restante da humanidade.

É tentador ver isso como ligado de alguma forma com as outras três divisões encontradas no estoicismo, às quais nos voltamos agora, por exemplo, ligando a harmonia com nosso eu interior, com o mundo e com o restante da humanidade à Lógica, à Física e à Ética Estoica, respectivamente.

IDEIA CENTRAL: O ESTOICISMO COMO UMA FILOSOFIA PERENE

O eminente professor francês Pierre Hadot concluiu, a partir de sua análise detalhada das *Meditações* de Marco Aurélio, que o estoicismo deu clara expressão a uma atitude filosófica "universal" e "perene", que surge em diferentes matizes ao longo da história e ao redor do mundo (Hadot, 1998, p. 311-312). Como muitas outras pessoas, ele observa semelhanças entre o estoicismo e algumas filosofias orientais. Nessa visão, a tradição estoica fundada por Zenão, continuando até Marco Aurélio, constitui apenas uma das várias posições filosóficas arquetípicas que encontramos na história humana. Hadot resume quatro atitudes-chave no coração dessa genérica "filosofia perene" estoica, que ele chama de "estoicismo eterno":

1. A consciência espiritual de que os seres humanos não são seres fragmentados e isolados, mas são essencialmente partes de um todo maior, tanto da totalidade de toda a humanidade quanto da totalidade do próprio cosmo.
2. O sentimento básico de serenidade, liberdade e invulnerabilidade que vem da aceitação de que não há mal, mas maldade moral, e que a única coisa que importa na vida é a integridade moral ou o que os estoicos chamam de "honra" e "virtude".
3. A crença no valor absoluto da pessoa humana, que Hadot ilustra com o ditado de Sêneca "o homem é uma coisa sagrada para o homem" – um senso de parentesco com toda a humanidade

que faz do bem-estar da humanidade o principal resultado desejado de toda ação moral.

4. O exercício psicológico e filosófico de "concentração no instante presente", que envolve viver como se estivéssemos vendo o mundo pela primeira e última vez, ao mesmo tempo que estamos conscientes de que, para o homem sábio, cada instante nos conecta intimamente com a totalidade do espaço e do tempo.

A maioria das pessoas é atraída pela filosofia estoica sem ter tido a chance de confrontar-se com as complexidades do vasto sistema filosófico e da literatura a ele associada. Ao contrário, elas encontram algo em algumas citações estoicas fragmentárias que têm ressonância com elas porque sentem que expressam um conjunto subjacente mais básico de atitudes filosóficas, uma das várias filosofias humanas perenes.

Os três tópicos teóricos do estoicismo

Como mencionado anteriormente, toda a filosofia estoica foi dividida em três "tópicos" (*topoi*), denominados "Física", "Ética" e "Lógica". Essa divisão foi supostamente introduzida pelo próprio Zenão no livro *Exposição da Doutrina*. Como é frequentemente o caso, vale a pena conhecer as traduções tradicionais, porque você as encontrará em livros sobre estoicismo. No entanto, é preciso dizer que são termos levemente enganadores.

1. A Física (*phusikê*) é às vezes chamada de "filosofia natural", mas está principalmente preocupada com o que chamaríamos de metafísica e teologia, bem como ciência natural antiga; os estoicos eram panteístas e deterministas, para os quais "Natureza" como um todo, "Destino" e "Zeus", ou "Deus", eram sinônimos. Esse aspecto do estoicismo foi influenciado por Heráclito, e

talvez por outros filósofos pré-socráticos a respeito da Natureza, no que é conhecido como a tradição "jônica".

2. Ética (*éthikê*) é o estudo da natureza do bem, da virtude e do objetivo da vida (e até certo ponto da política), mas também engloba o estudo da perturbação emocional (paixões irracionais) e a melhoria do caráter humano (*éthos*) de uma forma que se assemelha à autoajuda moderna e à terapia psicológica. Essa parte da filosofia estoica é provavelmente a mais influenciada pela visão ética de Sócrates e dos cínicos.

3. Lógica (*logikê*) é o estudo de definições e regras, dialética (debate filosófico) e lógica formal "silogística", uma área na qual os estoicos, particularmente Crisipo, se destacaram; pode também ter englobado retórica, embora essa não seja uma área com a qual os estoicos estavam normalmente preocupados; e em alguns aspectos ela engloba características do que chamaríamos de psicologia ou teoria do conhecimento ("epistemologia"). Essa parte de sua filosofia foi provavelmente influenciada pelo tempo que Zenão passou estudando duas escolas antigas conhecidas como Megarianos e Dialéticos, sobre as quais sabemos pouco hoje.

De acordo com uma antiga metáfora estoica, a filosofia é como um pomar ou um jardim. A Lógica é o muro do pomar, que protege tudo que cresce dentro dele e o torna seguro; a Física corresponde ao solo fértil e às próprias árvores, a fonte natural dos frutos que eventualmente crescem e amadurecem no pomar, o que corresponde à Ética, e provavelmente simboliza a virtude humana. No entanto, esses três tópicos estavam um pouco entrelaçados. Diferentes estoicos discordaram sobre a ordem correta em que eles deveriam ser ensinados e provavelmente também divergiam sobre sua importância relativa. Como observamos anteriormente, os estoicos romanos tardios, sobre os quais sabemos mais, parecem ter especial preocupação com a Ética.

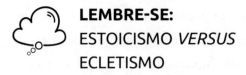
LEMBRE-SE:
**ESTOICISMO *VERSUS*
ECLETISMO**

Muitos estudantes modernos do estoicismo provavelmente são atraídos por alguns aspectos mais do que por outros e podem até negligenciar doutrinas que Zenão e seus seguidores teriam considerado essenciais. Entretanto, muitos antigos filósofos, tanto estoicos quanto não estoicos, também eram bastante ecléticos em sua abordagem, portanto, isso não é novidade. Cícero é um exemplo de antigo filósofo que levava o estoicismo muito a sério, mas não concordava com todos os seus aspectos, preferindo, em vez disso, alinhar-se à Academia Platônica.

Da mesma forma, os leitores de hoje provavelmente serão divididos em dois grupos: pessoas que acreditam nos princípios éticos centrais do estoicismo e estão muito mais comprometidas com ele como um todo, e pessoas que se assemelham mais aos seguidores de Platão, aristotélicos ou mesmo epicuristas, e simplesmente querem assimilar alguns aspectos escolhidos da teoria e da prática estoica.

No entanto, há elementos do estoicismo, particularmente partes da física e da teologia estoica (como o culto a Zeus!), que podem parecer bastante estranhos dentro do contexto da sociedade moderna, e que poucas pessoas aceitariam hoje em dia.

 **FAÇA AGORA:**
EXERCITE-SE COMO UM ESTOICO

Um dos famosos lemas de Epicteto era "resistir e renunciar". Você já viu como a renúncia a alimentos e bebidas não saudáveis ou desnecessários pode ser uma forma de praticar o desenvolvimento da virtude da autodisciplina, ou "moderação" em nossa dieta.

A resistência está ligada à virtude da "coragem" e pode ser desenvolvida até certo ponto simplesmente aprendendo a tolerar o desconforto ou a fadiga comum, do tipo experimentado durante o exercício físico. Musônio diz que, como temos mente e corpo, devemos exercitar ambos, embora sempre prestando mais atenção à mente. "Treinaremos tanto a mente quanto o corpo quando nos acostumamos ao frio, ao calor, à sede, à fome, à escassez de alimentos, à dureza da cama, à abstenção de prazeres e às dores duradouras" (*Palestras*, 9).

Você não precisa se despir e abraçar estátuas geladas no inverno para desenvolver resistência, como os cínicos supostamente fizeram. Corridas, caminhadas vigorosas ou alongamentos de ioga são formas simples de exercício, que podem nos desafiar a aumentar a tolerância ao esforço físico.

Por exemplo, Zenão, o fundador do estoicismo, era conhecido por sua resistência física. Em vez de sentar-se ociosamente para dar aulas, enquanto falava ele percorria vigorosamente o alpendre onde sua escola se reunia. Cleantes, o segundo mestre da Stoa, era originalmente um boxeador; Crisipo, o terceiro mestre, era um corredor de longa distância. Os fundadores da Stoa, em outras palavras, eram bastante interessados em exercício físico. No entanto, como vimos com relação às suas opiniões sobre dieta, há uma sutil nuance estoica. Enquanto as pessoas hoje em dia se abstêm de certos alimentos porque querem perder peso ou se exercitam para melhorar a saúde ou a aparência física, os estoicos veriam esses resultados como coisas "preferidas", mas em última análise "indiferentes". Sua verdadeira razão para renunciar a certos alimentos ou suportar um exercício físico puxado seria fortalecer as virtudes de "autodisciplina" e "coragem", ou resistência.

As três disciplinas praticadas

Epicteto, o mais influente professor estoico do período imperial romano, também descreveu uma tripla distinção entre as áreas práticas do treinamento estoico que Marco Aurélio cita e aplica sistematicamente em suas *Meditações*. Pierre Hadot argumentou, com base em uma cuidadosa análise dos textos, que ele quis que estes fossem entendidos como aspectos dos três tópicos teóricos estoicos descritos acima, na medida em que são aplicados à arte de viver (Hadot, 1998, p. 73-100). Essas disciplinas práticas passaram a descrever três formas pelas quais os estoicos pretendem viver uma vida coerente e unificada, em harmonia consigo mesmo, com o homem e com toda a natureza.

1. **A Disciplina do Desejo (*orexis*) e da Aversão (*ekklisis*),** ou seja, das "paixões", exige que desejemos o bem e que trabalhemos para alcançá-lo, que tenhamos aversão ao mal e o evitemos, e que vejamos as coisas indiferentes com indiferença. O bem deve ser definido como estando unicamente no domínio das coisas sob seu controle, de suas volições ou ações, fazendo da sabedoria e de outras virtudes o bem mais elevado. Hadot fornece um argumento detalhado em apoio à surpreendente conclusão de que essa é a forma viva da Física Estoica, e trata da virtude de viver em harmonia com a Natureza do universo e o que é determinado pelo destino. Isso pode estar particularmente ligado

às virtudes da coragem e da autodisciplina, que se relacionam principalmente ao autocontrole em relação ao desejo irracional ou insalubre (desejo) e à aversão (medo), e ao alívio do sofrimento emocional por meio da terapia estoica das paixões.

2. **A Disciplina da Ação (*hormê*)** exige que atuemos de acordo com nossos deveres ou "ações apropriadas" (*kathêkonta*), para fazer a coisa certa em termos de nossas relações, no serviço da humanidade, com a inclusão da "cláusula de reserva" estoica, uma advertência tal como "o destino permitindo". Hadot conclui que essa é a forma aplicada da Ética Estoica, e diz respeito a viver de maneira filantrópica e em harmonia com a comunidade da humanidade. Ela parece mais ligada à virtude da justiça, que inclui equidade e benevolência com os outros.

3. **A Disciplina do Assentimento (*sunkatathesis*)** exige que identifiquemos as impressões iniciais pelo que elas são e que as avaliemos, particularmente em termos dos princípios das doutrinas estoicas relativas ao "bom" e ao "mau", antes de darmos o consentimento caso sejam verdadeiras. Hadot conclui que essa é claramente a forma aplicada da Lógica Estoica e trata da virtude de viver de acordo com nossa própria natureza racional. Essa disciplina pode estar ligada à virtude estoica da sabedoria, que é a perfeição do raciocínio, e é importante porque ajuda a proteger as outras duas.

Dito de maneira grosseira, podemos dizer que estas tratam de nossos "sentimentos", "ações" e "pensamento" – as três principais áreas de nossa experiência consciente sobre as quais podemos aprender a conseguir algum controle voluntário. Epicteto diz que, dessas três, a primeira, a Disciplina do Desejo, é a que os estudantes devem abordar com mais urgência, porque "paixões" irracionais, excessivas ou doentias são simplesmente incompatíveis com a obtenção de uma boa vida e nos impedem de progredir em Ética ou Lógica.

Poderíamos também descrever a primeira etapa do treinamento estoico como a disciplina do medo e do desejo, por meio da prática do autocontrole. É assim que nos dizem que Zenão iniciou a própria carreira filosófica, tornando-se um seguidor de Crates, que o ensinou a suportar dificuldades e a renunciar ao desejo de bens convencionais, adotando o modo de vida dos cínicos. Foi provavelmente só mais tarde que ele começou a estudar Física e Lógica em profundidade, frequentando outras escolas de filosofia ateniense.

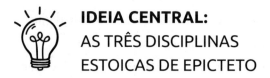

IDEIA CENTRAL: AS TRÊS DISCIPLINAS ESTOICAS DE EPICTETO

Tanto quanto sabemos, Epicteto foi o primeiro estoico a distinguir essas três disciplinas de "desejo e aversão", "ação" e "assentimento". Marco Aurélio e presumivelmente outros seguidores da escola de Epicteto adotaram a mesma distinção tripartite. Após uma análise textual e filosófica detalhada, o estudioso francês Pierre Hadot (1998) concluiu que esses eram grupos de exercícios práticos destinados a corresponder aos tópicos teóricos estoicos de Física, Ética e Lógica, respectivamente.

Outros estudiosos, como A.A. Long, um dos principais especialistas em Epicteto, concordam amplamente com essa interpretação (Long, 2002, p. 117). Hadot também sugeriu, provisoriamente, que poderiam corresponder às virtudes cardeais e a "viver de acordo com a Natureza" em três diferentes níveis. Os três "tópicos" do estoicismo, e particularmente essas três disciplinas, fornecem a estrutura em torno da qual o restante deste livro se baseia. Embora nos concentremos mais na Ética Estoica do que em sua Física e Lógica, vamos nos basear em alguns elementos desses tópicos teóricos para discutir as disciplinas correspondentes e os exercícios psicológicos encontrados na literatura estoica.

LEMBRE-SE: O ESTOICISMO NÃO ERA INSENSÍVEL

É uma concepção errônea comum que os estoicos reprimiam as emoções. Isso se deve, sem dúvida, apenas a problemas de tradução e interpretação. As "paixões" que eles falam em superar foram especificamente definidas como formas irracionais, excessivas e não naturais (ou seja, doentias) de medo e desejo, e os consequentes sentimentos de dor (ou seja, sofrimento emocional) e prazer (no sentido superficial "hedonista"). A observação de Marco Aurélio sobre estar "livre de paixões e ainda assim cheio de amor", ou "afeição natural", resume bem o ideal estoico (*Meditações*, 1.9). Os primeiros estoicos deixaram claro que o ideal não era ser frio como uma pedra ou estátua, e sua comunidade ideal foi fundada no amor mútuo e na amizade. O "amor" e o "afeto natural", como veremos, eram muito valorizados pelos estoicos, assim como uma variedade de paixões racionais, moderadas, "saudáveis" (*eupatheiai*), compostas principalmente de alegria racional, sentimentos de boa vontade ou afeição com os outros. Os estoicos procuraram usar a razão e o preparo para superar desejos e emoções prejudiciais à saúde, ao mesmo tempo que abriam espaço para as saudáveis.

PONTOS DE ATENÇÃO

Os principais pontos a serem lembrados deste capítulo são:

- O estoicismo tem uma longa história, mais de quinhentos anos, mas sua doutrina central permaneceu bastante constante, "viver de acordo com a Natureza".
- Viver de acordo com a Natureza significa agir com virtude, na medida em que isso esteja sob seu controle, enquanto aceita eventos externos, fora de seu controle, como determinados pelo conjunto da Natureza.
- O ensinamento estoico foi dividido em três disciplinas teóricas que correspondem a três disciplinas práticas, que exploraremos ao longo do restante deste livro.

⫸⫸⫸ PRÓXIMO PASSO

Tradicionalmente, a filosofia continha a promessa de um sentido mais profundo de realização e Felicidade na vida, o que motivava os estudantes a prosseguir seus estudos e os exercícios necessários para progredir em direção à virtude. O próximo capítulo apresentará a promessa da filosofia e explorará o objetivo final do estoicismo, a elevada condição do Sábio iluminado chamada *eudaimonia*, ou verdadeira Felicidade e bem-estar.

2.
Ética Estoica: a natureza do bem

Neste capítulo, você aprenderá:

➤ A essência da Ética Estoica: sua definição do bem supremo na vida como sendo "sabedoria prática", também conhecida como "virtude".

➤ Como os estoicos entendiam ser a virtude necessária e suficiente não apenas para se tornar uma "boa pessoa", mas também para se ter uma "vida boa" e alcançar a suprema "Felicidade" e realização (*eudaimonia*).

➤ Como os estoicos classificavam certas coisas como "indiferentes" em relação à Felicidade, mas ainda assim como tendo algum valor prático na vida.

➤ Como praticar uma técnica de meditação moderna, adaptada para a contemplação estoica do bem mais elevado.

Comece neste preciso momento tentando responder à pergunta: "Onde se encontra a natureza do bem e do mal?" (Epicteto, *Diatribes*, 2.2).

A tarefa principal na vida é distinguir os assuntos e pesá-los uns contra os outros, e dizer a si mesmo: "Os externos não estão sob meu controle; a volição está sob meu controle". Onde devo procurar o bem e o mal? Dentro de mim, naquilo que é meu próprio". Mas naquilo que é de outrem, nunca empregue as palavras "bem" ou "mal", ou "benéficas" ou "nocivas", ou qualquer coisa do gênero (Epicteto, *Diatribes*, 2.5).

Pois tudo o que faço é persuadir, entre vocês, jovens e velhos, a não cuidar preferencialmente de seu corpo ou de sua riqueza em detrimento do melhor estado possível de sua alma, como lhes digo: "A riqueza não traz a virtude, mas a virtude faz a riqueza e tudo mais que é bom para os homens, tanto individual como coletivamente" (Sócrates, na *Apologia de Platão*, 30a-b).

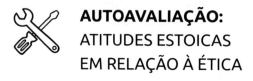
AUTOAVALIAÇÃO:
ATITUDES ESTOICAS
EM RELAÇÃO À ÉTICA

Antes de ler este capítulo, avalie quão fortemente você concorda com as seguintes declarações, usando a escala de cinco pontos (1-5) abaixo, e então repita sua avaliação uma vez que tenha lido e assimilado o conteúdo.

1. discorda fortemente,
2. discorda,
3. não concorda nem discorda,
4. concorda,
5. concorda fortemente.

1. "A sabedoria prática consiste em saber o que significa algo ser bom, mau ou indiferente quando se trata de alcançar a Felicidade e a realização."

2. "O que quer que seja externo à minha vontade é 'indiferente' no que diz respeito à minha Felicidade derradeira."
3. "Apesar de não serem importantes, é natural e racional 'preferir' algumas coisas externas a outras."

O que é importante na Ética Estoica?

Qual é a fonte final da Felicidade e realização humana? O que os estoicos querem dizer quando afirmam que alguém é uma boa ou má pessoa? O que eles querem dizer quando dizem que "bens" externos e corporais são meramente indiferentes? Como eles conciliam a necessidade de viver no mundo, lidando com propriedades e interagindo com outras pessoas, com sua visão rígida de que a virtude é o único bem verdadeiro? Essas são as questões abordadas neste capítulo sobre a antiga Ética Estoica, que abrirá o caminho para uma maior discussão das três disciplinas práticas de Epicteto.

Então, o que os estoicos realmente quiseram dizer com "Ética"? Precisaremos examinar o significado de algumas palavras gregas para responder a essa pergunta. Em primeiro lugar, a palavra "ética" (*êthikê*) tinha conotações muito diferentes para os filósofos antigos. Ela alude ao desenvolvimento do próprio caráter (*êthos*) e, portanto, se sobrepõe às abordagens modernas de desenvolvimento pessoal e terapia psicológica. Os estoicos viam sua Ética como comparável ao treinamento atlético ou militar, e também como se assemelhando a um ramo da medicina que trata a mente, e não o corpo.

Neste capítulo, vamos nos concentrar na questão central: "O que é a natureza do bem?". Cícero chama isso de "o núcleo" da própria filosofia estoica. A noção de que a essência da boa vida é a virtude, entendida como uma espécie de sabedoria prática, é certamente a marca característica do estoicismo. De fato, quando os autores antigos comparavam o estoicismo a outras escolas filosóficas, eles tipicamente se concentravam em suas doutrinas éticas únicas e intransigentes, em vez de sua Física ou Lógica.

A essência da Ética Estoica é a afirmação de que a sabedoria prática, ou "virtude", que basicamente significa a mesma coisa, é o único bem verdadeiro. O objetivo fundamental da humanidade foi, portanto, definido pelos estoicos como "viver de acordo com a virtude", que foi equiparado à vida segundo a Natureza, e sinônimo de viver sabiamente como um "filósofo" ou amante da sabedoria. A virtude é simultaneamente necessária e suficiente para viver uma boa vida e alcançar a *eudaimonia*, independentemente da desgraça externa ou das dificuldades físicas. Como escreveu Cícero:

> A crença dos estoicos sobre esse assunto é simples. O bem supremo, segundo eles, é viver de acordo e em harmonia com a natureza. Isso eles declaram ser o dever do homem sábio; e é também algo que está dentro de sua própria capacidade de realizar. A partir disso, deduz-se que o homem que tem sob seu poder o bem supremo também tem o poder de viver Feliz. Consequentemente, a vida do homem sábio é Feliz (*Discussões Tusculanas*, 5.28).

Poderíamos expressar a visão estoica dizendo que ser uma boa pessoa é tudo o que é preciso para ter uma boa vida e, portanto, ser feliz e realizado, qualquer que seja nossa sina exterior. A vida de um sábio iluminado não carece de nada de importância intrínseca, mesmo que ele seja privado de saúde, riqueza e reputação. A vida supostamente opulenta e hedonista do Grande Rei da Pérsia não é melhor, e na verdade é muito pior, segundo os estoicos, do que a vida de pobreza escolhida por seu herói Diógenes, o Cínico, que dormia à bruta e não possuía nada além de uma única peça de roupa barata e a pouca comida que ele podia guardar na bolsa. Além disso, a vida de Diógenes não teria sido "melhor" se a sorte lhe tivesse concedido maior riqueza e status. Portanto, acadêmicos disseram que "o bastião da ética estoica é a tese de que virtude e vício, respectivamente, são os únicos constituintes da felicidade e da infelicidade" (Long & Sedley, 1987, p. 357).

No entanto, essas opiniões radicais não valem nada se não transformarem nossas vidas. Epicteto, em seu estilo tipicamente brusco, adverte seus alunos a não ficarem satisfeitos com o aprendizado da natureza do bem como um conjunto de ideias abstratas, mas que é preciso aplicá-las vigorosamente a situações específicas e treinar-se sistematicamente para fazê-lo, pois todos nós já tivemos anos de prática pensando e fazendo o contrário. Temos que digerir essas ideias e permitir que elas permeiem nossas vidas, comparando-as com as ovelhas que comem capim e usam os nutrientes para produzir sua lã. Caso contrário, não somos verdadeiros filósofos: somos apenas comentadores das opiniões de outras pessoas. Qualquer idiota pode proferir um discurso como esse, diz Epicteto, num processo que nos dá um conveniente resumo da Ética Estoica:

> Entre as coisas que existem, algumas são boas, outras são más, e algumas são indiferentes: o bom então são virtudes e as coisas que participam das virtudes; e o mau, o oposto; e as coisas indiferentes são riqueza, saúde, reputação (*Diatribes*, 2.9).

Entretanto, ele acrescenta, suponha que no meio desta palestra sobre o bem, neste momento, ocorra um barulho súbito e assustador ou que alguns dos ouvintes comecem a rir e a ridicularizar-nos. Ficamos chateados porque nossa filosofia vem apenas dos nossos lábios, e não do âmago do nosso ser. Por essa razão, os estoicos enfatizam a necessidade de treinamento diário em filosofia como um modo de vida, utilizando exercícios do tipo descrito ao longo deste livro.

ESTUDO DE CASO: JULES EVANS E O ESTOICISMO MODERNO

Jules, que dirige o Projeto Bem-Estar no Centro para a História das Emoções, da Universidade Queen Mary, é coorganizador do Clube de Filosofia de Londres, e tem estado envolvido com os projetos da "Semana Estoica" na Universidade de Exeter. Em um artigo recente intitulado "How Ancient Philosophy Saved My Life", publicado em seu blog e no jornal *The Times* (8 de maio de 2012), ele descreve o "colapso" que o levou a buscar ajuda da terapia cognitivo-comportamental (TCC) e da filosofia estoica. Enquanto estudava literatura na universidade, Jules experimentou ataques de pânico, depressão e ansiedade cada vez maiores. Ao participar de um grupo de autoajuda baseado na TCC, ele foi capaz de superar seus ataques de pânico e de administrar melhor seus problemas emocionais.

Inspirado por seu sucesso, ele viajou para Nova York, como jornalista estagiário, para entrevistar Albert Ellis, o fundador da Terapia Racional-Emotiva Comportamental (Trec), o principal precursor da moderna TCC. Jules fez a última entrevista concedida por Ellis antes de sua morte. Ellis contou como ele se inspirou diretamente na filosofia grega antiga em seu trabalho pioneiro como psicoterapeuta nos anos 1950. Ele tinha sido particularmente inspirado pela famosa citação do *Manual de Epicteto*: "Os homens são perturbados não pelos acontecimentos, mas por suas opiniões a respeito deles". Isso se tornou a inspiração filosófica central para a Trec e para a maioria das formas subsequentes de TCC.

Como Jules aponta, quase todas as escolas da antiga filosofia greco-romana compartilharam uma abordagem "cognitiva" das emoções. Esta interpreta o sofrimento emocional como sendo em grande parte devido a nossas crenças individuais e padrões de pensamento, que são mutáveis por meio de reflexão filosófica e treinamento diligente em exercícios psicológicos relacionados. A filosofia antiga, em outras palavras, era inerentemente uma forma de terapia psicológica.

Jules concluiu que seus próprios problemas emocionais provinham, até certo ponto, de seus valores pessoais – dando demasiada ênfase à aprovação dos outros etc. Uma das lições que ele tirou da antiga filosofia socrática foi que "podemos retomar a posse de nós mesmos escolhendo valores intrínsecos, como sabedoria, em vez de valores extrínsecos, como status ou poder". Para os estoicos, a única coisa de suma importância na vida é a virtude, particularmente a sabedoria, e as coisas "externas" são de valor absolutamente secundário, porque são inerentemente sem importância quando se trata de alcançar a Felicidade e a liberdade do sofrimento emocional.

Como blogueiro e em seu livro *Philosophy for Life and Other Dangerous Situations* (Evans, 2012), Jules escreveu extensivamente sobre a relevância da filosofia antiga para a vida moderna, particularmente como um meio de melhorar a resistência emocional e o bem-estar pessoal. Ele resume a seguir três das lições que retirou do estoicismo e de outros ramos da filosofia helenística:

- Concentre-se no que você pode controlar e aceite o que não pode.
- Escolha sabiamente seus modelos, uma lição que ele retira das *Vidas paralelas*, de Plutarco.
- Monitore seus pensamentos e comportamentos; por exemplo, escrevendo-os em um diário de terapia pessoal.

Ele escreve: "Sócrates nos mostrou que todos temos o poder de nos curar e mudar nossos hábitos, em qualquer etapa da vida; talvez não nos tornemos sábios perfeitos como ele, mas acredito que possamos nos tornar um pouco mais sábios e felizes".

IDEIA CENTRAL: "SABEDORIA PRÁTICA" E "VIRTUDE"

Os estoicos acreditavam que os seres humanos eram animais inerentemente racionais e singularmente desassociados do deus Zeus. Assim, eles definiram o objetivo intrínseco da natureza humana como a perfeição da razão, referida como "sabedoria" (*sophia*), ou mais especificamente *phronêsis*, que significa "prudência", "sabedoria moral" ou "sabedoria prática". O ser humano ideal, alguém perfeitamente bom e racional, é chamado de "Sábio" ou "homem sábio" (*sophos*). Aqueles que aspiram a se tornar sábios são, portanto, chamados de "filósofos", amantes da sabedoria.

A sabedoria prática é a essência de toda virtude, de acordo com os estoicos. Consiste no conhecimento sobre a natureza do "bem" aplicado a diferentes aspectos da vida — portanto, todas as virtudes são essencialmente uma. Como notamos, o termo grego *aretê* é notoriamente complicado de traduzir. Geralmente é traduzido como "virtude", mas realmente se refere à excelência em termos de função natural ou caráter essencial, de uma maneira que é ao mesmo tempo sadia e louvável. Um cavalo forte e rápido tem *aretê*, por exemplo, embora não o chamaríamos de "virtuoso" em português.

Da mesma forma, a palavra grega *kakia*, traduzida como "vício", significa algo como "maldade" ou "miséria" em um cavalo fraco e enfermo. Como os seres humanos são naturalmente criaturas racionais e sociais, nossas duas virtudes mais importantes são a sabedoria e a justiça, a perfeição da razão e de nossa relação com os outros. As demais virtudes cardeais da "coragem" e da "autodisciplina" são necessárias para superar os medos e desejos irracionais ("paixões") que, de outra forma, interfeririam em viver sabiamente.

A sabedoria prática ou virtude, portanto, consiste em grande parte em fazer julgamentos de valor precisos. Mais importante ainda, isso significa julgar a própria virtude como "boa", e as coisas corporais e externas como "indiferentes". Posteriormente, os estoicos também definiram a prudência como "raciocinar bem na seleção e rejeição das coisas de acordo com a natureza". Isso provavelmente alude a selecionar entre coisas "indiferentes" com base em seu valor natural, e saber quais "preferir" em relação às outras, um aspecto mais "mundano" da sabedoria.

Em contraste, segundo a lenda, Pirro de Elis, o fundador do Ceticismo grego, era tão "indiferente" às coisas externas que tinha que ser afastado de caminhar de penhascos ou no caminho de carroças por seus seguidores. Isso é provavelmente uma caricatura, mas não era aplicada aos estoicos, que eram reconhecidos como filósofos mais pragmáticos, com interesse no mundo real e nos assuntos práticos. De fato, o próprio desprendimento dos estoicos das coisas "indiferentes" lhes permite fazer uso delas com mais prudência. De acordo com Sêneca, Crisipo "gracejou que o homem sábio não precisa de nada e ainda assim pode fazer bom uso de qualquer coisa, enquanto o tolo 'precisa' de inúmeras coisas, mas não pode fazer bom uso de nenhuma delas".

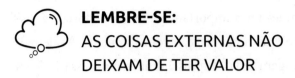
LEMBRE-SE:
AS COISAS EXTERNAS NÃO DEIXAM DE TER VALOR

Embora os cínicos pareçam ter acreditado que as coisas externas são completamente "indiferentes", os estoicos adotaram uma posição um pouco mais próxima da maioria das pessoas e atribuíram "valor" limitado aos bens externos, para fins de planejamento de ações no mundo. As coisas externas são completamente "indiferentes" ou irrelevantes em relação a viver a boa vida, ou ser Feliz e realizado. Entretanto, é natural que busquemos algumas em preferência a outras, desde que o façamos com sabedoria e virtude. Outras pessoas são externas à nossa mente, incluindo nossos verdadeiros amigos ou pessoas "sábias e boas", mas desejar que a humanidade floresça é a essência da filantropia estoica. Portanto, a virtude consiste em desejar bem aos outros, com a ressalva "se o destino permitir", como veremos em capítulos posteriores.

A natureza do bem

Musônio diz que a Natureza nos estabeleceu o objetivo de florescer, de nos tornarmos homens e mulheres "bons", e que "ser bom é a mesma coisa que ser um filósofo", um amante da sabedoria (*Palestras*, 16). Portanto, para os estoicos, ser sábio e ser bom é essencialmente a mesma coisa. Qual, então, é a natureza essencial do "bem" que o sábio contempla e que corresponde ao seu próprio estado de espírito? O que queremos dizer quando dizemos que algo é "bom" ou "ruim" ou "indiferente"? Zenão nos deu originalmente os seguintes exemplos, que fornecem um ponto de partida para os tradicionais conceitos estoicos de Ética:

- As coisas boas incluem "sabedoria, temperança, justiça, coragem e tudo o que é virtude ou participa da virtude".
- As coisas ruins incluem "tolice, intemperança, injustiça, covardia e tudo o que é vício ou participa do vício".
- Coisas indiferentes incluem tudo o mais, mas mais notavelmente: "vida e morte, boa reputação e má reputação, prazer e dor, riqueza e pobreza, saúde e doença" etc. (*Antologia*, 2.57-58).

O "bom" e o "mau" são apenas as virtudes cardeais tradicionais da filosofia socrática e seus opostos, os quatro vícios cardinais. Todos eles foram considerados diferentes formas de sabedoria prática (*phronêsis*), a coisa mais essencialmente boa para o homem. Como veremos, a palavra "indiferente" é um pouco traiçoeira, pois os estoicos, ao contrário dos cínicos, distinguem algumas coisas como tendo mais "valor" do que outras, e sendo "preferidas" no planejamento do futuro.

Entretanto, esse tipo de valor é totalmente incomensurável em relação ao "bem". A sabedoria e as outras virtudes são incomparáveis aos "bens" materiais e externos, porque a posse delas aperfeiçoa a natureza humana e assim nos permite cumprir o objetivo fundamental na vida, enquanto outros chamados "bens" não contam para nada nesse sentido. As "coisas indiferentes", portanto, incluem o que a maioria das pessoas normalmente julga como "boas" ou "más", muitas vezes resumidas como saúde, riqueza e reputação. Os cínicos e estoicos concordavam que a humanidade sofre principalmente de uma grande ilusão (*tuphos*, literalmente uma "névoa" ou "fumaça"), a suposição de que essas coisas superficiais são intrinsecamente boas ou ruins.

Esses exemplos foram baseados em várias definições estoicas diferentes do "bom", em termos de suas características essenciais, que se complementam e apontam na mesma direção. Talvez mais fundamentalmente, os estoicos definam o que é "bom" para nós como a realização de nosso potencial, ou a perfeição de nossa natureza. Segundo Cícero, o estoico Diógenes da Babilônia definiu "bom" como "o que é completo pela Natureza", e cita Catão: "Aqueles que são sábios, todos nós consideramos íntegros e completos" (*De Finibus*, 4.37).

Os primeiros estoicos também definiram o bom como "o que está perfeitamente de acordo com a Natureza para um ser racional, *qua rational*" (*Vidas*, 7.94). O bom para todos os seres vivos, tanto plantas quanto animais, é a perfeição de sua própria natureza. Como vimos, a palavra grega *aretê*, geralmente traduzida como "virtude", significa algo mais como "excelência" em termos da função natural de uma pessoa na vida. Os seres humanos são, inerentemente, seres racionais e sociais, cujo objetivo natural é, portanto, aperfeiçoar sua capacidade de sabedoria e justiça. Para os estoicos, esse é o objetivo da vida que a própria natureza nos deu, e o mandamento de Zeus, o pai da humanidade, é: levar seu trabalho inacabado à perfeição.

Catão, portanto, também descreve o bom para o homem como "maturidade" ou "oportunidade" (*eukairia*), um termo técnico estoico surpreendente, mas talvez revelador. A virtude, assim como a maturidade, não aumenta de valor com o tempo, porque se encontra em nossa natureza tendo alcançado seu fim e atingido a perfeição. "É por isso que, para os estoicos, uma vida feliz não é mais desejável ou digna se for longa ou curta" (*De Finibus*, 3.46). Ter alcançado a *eudaimonia* por se destacar de acordo com nossa natureza essencial, aperfeiçoando a razão e alcançando a sabedoria, é florescer e amadurecer naturalmente como um fruto.

Essa é uma doutrina estoica importante porque significa que prolongar a vida não necessariamente acrescentará virtude, e por isso a morte é indiferente em relação ao bem mais elevado. Em resposta àqueles que argumentam que preservar a própria vida é bom porque permite que a sabedoria seja exercida por um período mais longo, Catão é retratado como objetando de forma bastante contundente, mas um tanto enigmática: "Esse argumento não compreende que, enquanto o valor da boa saúde é julgado por sua duração, o valor da virtude é julgado por sua maturidade". Essa é outra emboscada estoica; uma que voltaremos a abordar no capítulo sobre a morte.

Os primeiros estoicos se referem a muitas qualidades adicionais tidas pela natureza do "bem", que Diógenes Laércio e Estobaeu resumiram de maneira bastante semelhante. Por exemplo: "Todas as coisas boas são benéficas, bem utilizadas, vantajosas, lucrativas, virtuosas e dignas; há uma afinidade nelas" (*Antologia*, 2.5d). Os estoicos parecem ter sustentado que essas características do bem são preconcepções compartilhadas por toda a humanidade, que a Natureza criou em nós livre de qualquer contradição.

Pois qual de nós não entende que um bem é vantajoso e digno de ser escolhido, e algo que devemos buscar e perseguir em todas as circunstâncias? Qual de nós não entende que a justiça é algo honroso e adequado? (*Diatribes*, 1.22)

Também compartilhamos o pressuposto básico do "mal", segundo o qual se trata de algo "prejudicial, a ser evitado, algo de que se livrar em todos os sentidos" (*Diatribes*, 4.1). Epicteto diz que o conflito surge entre nós, no entanto, quando tentamos aplicar concepções prévias abstratas a situações reais, tais como julgar se ações específicas são ou não boas e justas. No entanto, talvez as duas qualidades mais importantes do bem sejam que ele é por natureza:

- **benéfico** ou útil (*ôphelimos*, do qual deriva o nome "Ophelia"), em vez de prejudicial ou injurioso, "porque [por si só] é tal que nos beneficia" em termos de Felicidade (*eudaimonia*), sendo inerentemente bom e saudável como um estado de espírito por direito próprio – o "bem" é sua própria recompensa, a única

coisa verdadeiramente benéfica para o homem, e sua ausência, ou seu oposto, é o único verdadeiro mal.
- **Honrado** e belo (*kalos*), porque é intrinsecamente louvável, perfeitamente harmonioso e consistente consigo mesmo, "tem todas as características buscadas pela Natureza" e é suficiente em si mesmo para aperfeiçoar a vida e levá-la à plenitude.

Quando os estoicos falam da virtude como honrada, eles querem dizer principalmente que nós a louvamos natural e incondicionalmente em outras pessoas e, portanto, nos orgulhamos de tê-la também. Ao dizer que é "benéfica", eles querem dizer que, de maneira crucial, a virtude é sua própria recompensa. Ela mesma é a própria perfeição da natureza humana e a maior forma de bem-estar a que podemos aspirar, embora também tenda a trazer muitas outras vantagens na vida, se o destino permitir.

Ser "honrado" e "benéfico" são sem dúvida duas das características mais importantes do bem, tal como definido pelos estoicos. Deve-se deixar claro que a Ética Estoica equivale ao valor "moral" e "terapêutico" da sabedoria prática e das outras virtudes. O que é "moralmente bom", ou honroso, é idêntico ao que é "bom para nós" ou saudável. Além dessas qualidades mencionadas, Epicteto em particular, ele próprio um escravo liberto, refere-se à sabedoria e à virtude como "liberdade", no sentido de ser um homem livre, mas também livre de medos e desejos irracionais, de modo que a maldade ou o vício são descritos como "escravo", no sentido de ser escravizado pelo apego a coisas externas.

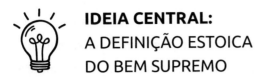

IDEIA CENTRAL: A DEFINIÇÃO ESTOICA DO BEM SUPREMO

Todas as escolas de filosofia antiga concordavam que o principal bem na vida é a *eudaimonia*, que traduzi como "Felicidade" ou "realização". Isso significava viver uma vida supremamente boa, sem sentir falta de nada e livre de qualquer mal. Entretanto, elas discordaram sobre a definição precisa de *eudaimonia* e sobre a melhor maneira de alcançá-la. Os estoicos foram únicos em argumentar que ser uma boa pessoa é completamente suficiente para viver a boa vida e alcançar a *eudaimonia*.

Os estoicos acreditam que, refletindo, todos nós compartilhamos o preconceito natural de que o que é absolutamente "bom" na vida humana deve ser tanto "benéfico" para nós, ou sadio e inerentemente "honrado", ou louvável. A maioria dos filósofos antigos concordava que o que é "bom" é "bom para nós" ou "benéfico". Esse sentido de *eudaimonia* como "bem-estar" interior implicava inevitavelmente conceitos e técnicas terapêuticas estoicas. No entanto, os estoicos também definiam o bom como "honrado" ou "belo" (*kalos*). Somente a pessoa boa e honrada é verdadeiramente bela, porque a verdadeira beleza reside em nosso caráter. O bom é também o que é genuinamente "louvável", o que admiramos em nós mesmos e nos outros.

Além disso, os estoicos argumentam que todos nós naturalmente assumimos que nosso bem supremo na vida é "desejável", e somos obrigados a buscá-lo quando realmente compreendemos sua natureza. Entretanto, a maioria das pessoas julga erroneamente as coisas externas como "boas" e, portanto, experimenta sentimentos de desejo por coisas fora de seu controle, o que as conduz à frustração e ao sofrimento.

A sabedoria prática ou a virtude, destacando-se em termos da natureza humana, é identificada como o único "bem" verdadeiramente incondicional e a chave para a *eudaimonia* pelos estoicos, porque atende a esses critérios de ser intrinsecamente benéfica, honrada, bela, desejável, louvável etc. A virtude nesse sentido é entendida como a habilidade prática, e o conhecimento moral, uma qualidade de nossa mente consciente (*hêgemonikon*), ou mais especificamente de nossos pensamentos e decisões voluntárias (*prohairesis*).

Nossas ações externas também podem ser chamadas de "boas" na medida em que incorporam a virtude. Outras pessoas, se bem que falando estritamente apenas de Zeus e do Sábio ideal, também são chamadas de "boas", porque têm virtude. Somente nossa própria virtude é boa para nós, mas o bem-estar e a virtude daqueles que amamos são naturalmente valiosos. De fato, a virtude da "justiça" consiste em desejar que outros também floresçam e alcancem uma boa vida, com a ressalva: "se o destino permitir". De acordo com os estoicos, o "afeto natural" pelos outros, portanto, é parte integrante de nossa própria felicidade suprema e realização na vida, e nosso interesse próprio é sinônimo de altruísmo ou um interesse qualificado no bem-estar dos outros, como veremos.

LEMBRE-SE:
SILOGISMO DEMONSTRANDO
QUE O BEM É VIRTUDE

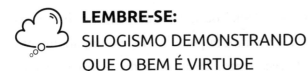

Cícero descreve um silogismo[8] estoico comum, ou argumento *"sorites"*,[9] derivado de Zenão, que sobrepôs uma premissa à outra para chegar à conclusão de que o bem, para o homem, é essencialmente sinônimo de virtude. Possivelmente funcionava como um breve resumo, mantido pronto para situações desafiadoras, que sintetizava linhas mais complexas de raciocínio filosófico:

1. O que é bom vale a pena escolher (ter).
2. O que vale a pena escolher vale a pena buscar (adquirir).
3. O que vale a pena buscar é digno de louvor.
4. O que é digno de louvor é honroso e virtuoso.
5. Portanto, o que é bom é honra ou virtude.

O argumento de Zenão pode conter a semente do que se tornou o tema dominante no estoicismo de Epicteto: que somente o que "está em nosso encargo" é, em última instância, bom no que diz respeito à nossa Felicidade e realização. Se o que é bom é, por definição, o que vale a pena escolher ter e buscar, isso pode ser tomado como implicação de que, racionalmente falando, somente o que está sob nosso controle

---

8. ***Silogismo*** é um termo filosófico com o qual Aristóteles designou a conclusão deduzida de premissas, a argumentação lógica perfeita. Para que se entenda melhor o significado de silogismo, acrescente-se que ele se compõe de duas proposições aceitas como verdadeiras, chamadas de premissas, que conduzem a uma conclusão. (N.T.)

9. ***Sorites*** é um tipo de silogismo em que o predicado de uma premissa se torna o sujeito da seguinte até que o sujeito da primeira premissa seja conectado ao predicado da última. (N.T.)

pode ser considerado nosso "bem" ou nosso dever. Como diria mais tarde o filósofo Kant: "Dever implica poder".[10] Esse é um argumento importante do ponto de vista tanto filosófico quanto psicológico, pois as pessoas muitas vezes colocam valor intrínseco em coisas fora de seu controle direto, e isso sem dúvida contribui para o sofrimento humano em muitas maneiras.

As virtudes e os vícios

Os conceitos de "virtude" (*aretê*) e "vício" (*kakia*) são absolutamente centrais para todo o edifício da filosofia estoica. Embora o termo *aretê* seja geralmente traduzido como "virtude", "excelência" seja talvez uma tradução mais adequada, pois está mais próxima do que queremos dizer com os pontos fortes de uma pessoa, suas características positivas, suas boas qualidades, o que a faz se sobressair etc. Esses termos, portanto, implicam tanto o que é honroso *versus* vergonhoso quanto o que mostra uma força positiva de caráter *versus* fraqueza interior ou mesmo doença.

Os estoicos acreditavam que a Natureza proporcionava ao homem um objetivo intrínseco, a boa vida ou a Felicidade, que atingimos ao progredir em direção à virtude. Assim, Cleantes disse que todos os humanos se inclinam naturalmente para a virtude e são como "meias linhas de verso iâmbico", permanecendo incompletos sem ela (*Antologia*, 2.5b). A virtude é, portanto, o que "completa" a natureza humana, e sem ela algo de valor intrínseco está sempre faltando dentro de nós,

---

10. "***Dever implica poder***" é um princípio ético que afirma que, se um agente é moralmente obrigado a fazer determinada ação, essa ação deve ser possível. Segundo Kant, "se a lei moral ordena que devemos agora ser homens melhores, segue-se de modo ineludível que devemos também poder sê-lo" (KANT, Immanuel. *A religião nos limites da simples razão*. Trad. Artur Morão. Lisboa: Edições, 2008. v. 70, p. 60.) (N.T.)

tornando a vida não preenchida. A virtude também pode ser entendida como harmonia ou consenso em três níveis: consigo mesmo, com a humanidade e com a natureza do universo. Em contraste, o vício é essencialmente um estado de inconsistência e desarmonia, sendo fundamentalmente alienado do seu verdadeiro eu, do restante da humanidade e do universo em que vivemos.

Como a natureza humana é essencialmente racional, segue-se que a mais alta forma de excelência, e a chave para viver harmoniosamente, é a perfeição da razão ou sabedoria, e o maior vício é a tolice ou a ignorância. O Sábio é, portanto, essencialmente o mesmo que o homem bom, e todos os homens maus são tolos.

> [A Sabedoria] não gerou por si só a raça humana; ela a tomou, inacabada, da natureza. Portanto, deve observar a natureza de perto e aperfeiçoar seu trabalho como se fosse uma estátua. Qual é o caráter do ser humano que a natureza deixou incompleto? E qual é a tarefa e a função da sabedoria? O que ela deve polir e aperfeiçoar? Se não há nada a ser aperfeiçoado, exceto certa operação da mente, a razão, então o bem final deve ser viver de acordo com a virtude. A virtude, afinal de contas, é a perfeição da razão (Cícero, *De Finibus*, 4.34).

Os estoicos geralmente aceitam que as diferentes formas de virtude, as formas pelas quais os seres humanos se sobressaem, podem ser classificadas em quatro grandes rubricas. São as tradicionais "virtudes cardeais" da filosofia socrática, como já vimos, e seus vícios opostos. Mais adiante estão as virtudes subordinadas identificadas pelos primeiros estoicos enquanto estas nos ajudam a definir o verdadeiro sentido daquelas.

Sabedoria (*sophia*) ou **prudência** (*phronêsis*), que se opõe ao vício da insensatez ou do descuido (*aphrosunê*):

- Inclui deliberação excelente, bom cálculo, perspicácia, bom senso, um sólido sentido de propósito e inventividade.

Justiça, legalidade ou integridade (*dikaiosunê*, às vezes "retidão"), que se opõe ao delito ou à injustiça (*adikia*):
- Inclui devoção aos deuses, bondade ou benevolência, serviço público e negociação justa.

Coragem ou fortaleza (*andreia*, literalmente "virilidade"), que se opõe à covardia (*deilia*):
- Inclui resistência, confiança, bravura, audácia e amor ao trabalho.

Autodisciplina ou **temperança** (*sôphrosunê*, às vezes "discrição"), que se opõe à intemperança ou ao excesso (*akolasia*):
- Inclui organização, regularidade, modéstia e autocontrole.

Sêneca, por exemplo, descreve-as como as respectivas virtudes de "prever o que deve ser feito", "dispor o que deve ser dado", "conter os medos" e "controlar os desejos" (*Carta*, 120). Epicteto também tinha um famoso lema, "suportar e renunciar" (*anechou kai apechou*, alternativamente "suportar e tolerar"), que pode muito bem corresponder às duas virtudes cardeais intimamente relacionadas de coragem e autodisciplina.

É possível que alguns estoicos pensassem que esses eram os dois primeiros aspectos da virtude que tinham que ser dominados pelos noviços durante sua formação prática em Ética no caminho para alcançar as mais nobres virtudes da sabedoria e da justiça. No entanto, Zenão aceitou a noção socrática de que todas as virtudes são uma só: "Dizem que as virtudes se seguem umas às outras e que quem tem uma as tem todas" (*Vidas*, 7.125-126). Ele disse que todas as virtudes são formas de conhecimento no que diz respeito ao que é verdadeiramente bom ou mau, enquanto os vícios são formas de ignorância moral. Os estoicos, portanto, também seguiram Sócrates na interpretação do vício como essencialmente uma falha em compreender a verdadeira natureza do bem e em aplicar o conceito adequadamente a situações específicas.

FAÇA AGORA:
CONTEMPLANDO AS VIRTUDES

A rigor, os estoicos acreditavam que somente o Sábio perfeito tinha alcançado a verdadeira virtude. No entanto, todos nós temos razão e, portanto, potencial de sabedoria. "A semente da virtude existe em cada um de nós" (Musônio, *Palestras*, 2). Assim, encontramos os estoicos, especialmente sob o Império Romano, referindo-se à contemplação das "virtudes" na vida cotidiana por parte daqueles que estão progredindo em direção à perfeição. Tente considerar, portanto, que lampejos de "virtude" podem existir em sua própria vida ou na vida dos outros. Tire alguns momentos para contemplar as seguintes questões:

1. Que virtudes ou pontos fortes potenciais a natureza lhe deu e como eles se aplicam às situações que você enfrenta, especialmente os desafios da vida?
2. Que qualidades pessoais ou pontos fortes de caráter você acha mais louváveis ou admiráveis em outras pessoas?
3. Como as virtudes se comparam umas com as outras? Algumas são mais importantes? Todas elas são de alguma forma relacionadas ou não?
4. Qual virtude você consideraria mais importante para o Sábio ideal ter a fim de viver uma vida completa e realizada?

5. Tire um momento para rever o dia anterior; que pontos fortes ou vislumbres de "virtude" você demonstrou? Que oportunidades foram oferecidas para mostrar outras?

Em geral, então, para quais aspectos da virtude você tem progredido mais e onde poderia se beneficiar ao desenvolver ainda mais seu caráter?

Indiferença estoica às coisas "indiferentes"

Se algo não é bom nem ruim no sentido estoico, é classificado como "indiferente". Com isso, a intenção é dizer que, no fundo, isso não pode ajudar nem prejudicar nosso desenvolvimento como seres racionais, que não é parte necessária da vida boa. Os estoicos diziam que algo "indiferente" não contribui nem para a Felicidade (*eudaimonia*) nem para a infelicidade, e o que quer que possa ser usado de maneira boa ou má é classificado como "indiferente". Devemos aprender, portanto, a ser "indiferentes às coisas indiferentes" (*Meditações*, 11.16). Como mencionado anteriormente, os exemplos clássicos de coisas indiferentes dados por Zenão foram, entre outros:

- Vida e morte
- Boa e má reputação
- Prazer e dor
- Riqueza e pobreza
- Saúde e doença

Saúde, riqueza e reputação, por si sós, não podem ajudar um homem tolo e injusto a alcançar a boa vida. Nem a doença, a pobreza ou a perseguição podem prejudicar o bem-estar do homem virtuoso. Essa lista inclui as coisas que a teoria estoica do desenvolvimento sugere que são naturalmente valorizadas pelos seres humanos desde o nascimento. A saúde física e a sobrevivência, em particular, são procuradas por todos os animais como fins em si mesmos. Entretanto, como diz Sêneca, os estoicos percebem que "a vida não é boa nem má; é o espaço tanto para o bem quanto para o mal", o que significa que a vida pode ser usada com sabedoria ou insensatez, virtuosamente ou ofensivamente (*Carta*, 99).

Como já vimos, o que é bom para mim também é o que naturalmente considero louvável. Entretanto, não importa quantos bens externos um homem maligno adquira, isso não o torna digno de louvor aos nossos olhos. Por exemplo, um notório tirano como o imperador Nero pode ser o homem mais rico e poderoso do mundo, mas nada disso, por si só, o ajuda a aproximar-se mais de ser um homem bom, e, de fato, sua riqueza e poder simplesmente lhe proporcionam mais oportunidades para se envolver no vício.

Da mesma forma, um homem sábio e bom como Sócrates pode ser reduzido à pobreza, preso e ridicularizado, e mesmo assim, mesmo que perca tudo o que a maioria chama de "bom", incluindo a própria vida, e apesar de todo o chamado "infortúnio" que lhe seja imposto, isso não o torna menos digno de louvor. De fato, a manutenção de suas virtudes na adversidade seguramente só o torna mais admirável e grandioso. Se as coisas externas não podem acrescentar ou tirar nada do bem ou do mal da virtude e do vício, então não são coisas intrinsecamente boas, pelo menos não no próprio sentido, e não contam como nada em relação à boa vida e ao nosso bem-estar definitivo ou *eudaimonia*.

Para usar a analogia de Sêneca, se um cavalo é fraco e temperamental, então, mesmo que esteja ornamentado com a farda mais dispendiosa que se possa imaginar, ainda assim não o consideraríamos um bom cavalo, porque essas coisas não alteram sua verdadeira natureza. De acordo com os estoicos, portanto, "bens" externos não se relacionam com nossa natureza essencial como seres racionais e sociais e apenas confundem pessoas tolas sobre o verdadeiro valor do caráter de um homem.

Portanto, isso [a virtude] é o único bem de um homem, e, se ele o tem, mesmo que seja despojado de tudo o mais, merece elogios; mas se ele não o tem, apesar da abundância de tudo o mais, ele é condenado e rejeitado (*Carta,* 76).

Os "bens" externos não são meramente de menor valor que a virtude, mas totalmente incomparáveis com ela: não contam para absolutamente nada em contraste. O homem perfeitamente bom e sábio se exporá, portanto, de bom grado ao perigo, à privação ou à hostilidade dos outros quando necessário, porque essas coisas jamais superarão a virtude. Por essa razão, os estoicos dizem que o homem bom "a todo custo" perseguirá a virtude e evitará o vício.

Cícero ilustra esse ponto com a metáfora de um conjunto de balanças, uma espécie de "equilíbrio moral", que ele atribuiu ao filósofo peripatético Critolau de Fasélis. Coloque a virtude em um dos lados da balança. Não importa quantos "bens" externos ou materiais sejam amontoados no outro lado, nunca serão suficientes para alterar o equilíbrio. Epicteto, portanto, aconselha seus alunos a ensaiarem literalmente a seguinte resposta às coisas materiais e externas: "Isto não é nada para mim!". É claro que esse nível de desprendimento pode parecer idealista. Portanto, é de grande importância para os estoicos poder apontar para inúmeros indivíduos "exemplares" que demonstraram tanta sabedoria prática, virtude e distanciamento das coisas externas. Em particular Diógenes, o Cínico, deu um exemplo típico de um homem que prezava a virtude acima de qualquer bem material. Entretanto, séculos mais tarde, entre os romanos, Catão foi apontado como seu próprio protótipo estoico:

Aos seus olhos, matar a fome era um banquete,
afastar o inverno com um teto era um poderoso palácio,

e abraçar a toga áspera à maneira
do cidadão romano de outrora era um manto precioso...
(Lucano, A Guerra Civil, 2).

A capacidade de perceber as coisas indiferentes como indiferentes e de estar satisfeito com o que a pouca natureza considera necessário é em si mesma parte da sabedoria, a virtude suprema. Por isso, Crisipo disse que, para um homem bom, perder todo seu patrimônio seria apenas como perder um centavo, e estar doente, não mais do que se tivesse tropeçado (Plutarco, *Contradições Estoicas*).

IDEIA CENTRAL: O CONCEITO ESTOICO DE "COISAS INDIFERENTES"

Os aristotélicos introduziram uma distinção hierárquica entre três tipos de coisas consideradas intrinsecamente "boas" na vida:

1. Bens da mente, tais como as virtudes;
2. Bens do corpo, principalmente a saúde física;
3. Bens externos ou "acidentais", tais como riqueza e reputação.

Felicidade e realização (*eudaimonia*) significa viver uma vida perfeitamente boa, completa em si mesma e sem carecer de nada, a qual os aristotélicos, como muitas pessoas, decidiram ser uma combinação desses "bens". De acordo com essa visão, a virtude pode ser importante ou mesmo essencial, mas não se pode dizer que alguém tenha uma vida boa e seja feliz a menos que também tenha um corpo saudável e bens externos, como riqueza suficiente e boa reputação.

Os antigos filósofos viam isso como algo próximo à atitude adotada pela maioria das pessoas comuns, exceto aqueles que buscam o prazer como a coisa mais importante na vida. No entanto, termos ou não uma vida boa e feliz é deixado um pouco nas mãos do destino porque, das três categorias de "bem", apenas a primeira está realmente sob nosso controle direto. Assim, o seguidor mais influente de Aristóteles, Teofrasto, aparentemente escreveu: "O acaso, e não a sabedoria, governa a vida dos homens", que Cícero chamou de "a afirmação mais desanimadora que qualquer filósofo já fez". Em contraste, até Epicuro escreveu: "Sobre um homem que é sábio, o acaso tem pouco poder".

Entretanto, seguindo os cínicos, os estoicos adotaram a postura radical de que fora da virtude e do vício só há "coisas indiferentes" (*ta adiaphora*), irrelevantes no que diz respeito à verdadeira realização ou *eudaimonia*. Para o sábio estoico, ser uma pessoa perfeitamente boa é suficiente para ter uma vida perfeitamente boa. Saúde, riqueza, reputação etc. literalmente não contam para nada a esse respeito. No entanto, essas coisas têm outro tipo de valor para os estoicos. De fato, algumas são naturalmente "preferidas" a outras – acontece que isso é a forma errada de avaliar a *eudaimonia*. A saúde é geralmente preferível à doença; e a riqueza, à pobreza, dependendo de como são usadas, mas nenhuma delas tem qualquer valor quando se trata de julgar se alguém viveu uma boa vida, de acordo com os estoicos.

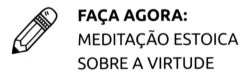

FAÇA AGORA:
MEDITAÇÃO ESTOICA SOBRE A VIRTUDE

Não há referência explícita alguma a técnicas de meditação desse tipo na literatura estoica sobrevivente. Entretanto, você pode considerar isso um complemento útil para as práticas estoicas tradicionais. Herbert Benson, professor de medicina da Harvard Medical School, desenvolveu uma técnica de meditação simplificada que foi considerada eficaz em vários estudos de pesquisa como um meio de relaxamento fisiológico. Isso envolve principalmente a repetição de uma palavra em sua mente cada vez que você expira. Parece que qualquer palavra serve; você poderia simplesmente repetir o número "um". Entretanto, você pode preferir repetir uma palavra que esteja relacionada à sua prática estoica. Os estoicos valorizavam particularmente a contemplação da natureza do bem, portanto, a palavra portuguesa "bom" ou talvez uma palavra grega como *aretê* (virtude) poderia se tornar seu "dispositivo concentrador", a coisa em que você focaliza sua atenção durante a meditação.

1. Adote uma posição confortável, feche os olhos e tire alguns minutos para relaxar; por exemplo, sente-se em uma cadeira, coloque ambos os pés no chão e as mãos apoiadas no colo.
2. Quando estiver pronto, concentre a atenção em sua respiração, respire naturalmente e repita mentalmente a palavra "bom", ou alguma outra palavra de sua escolha, cada vez que você expirar.
3. Repita isso por cerca de 10 a 20 minutos, ou mais, se preferir.

Não tente bloquear as distrações, simplesmente observe quando pensamentos ou sentimentos se interpõem ou quando sua mente divaga naturalmente, e retorne cuidadosamente a atenção ao exercício como se você estivesse dizendo "E daí?". A pesquisa de Benson sugere que essa atitude de aceitação descontraída em relação às distrações é um dos fatores mais importantes na meditação. Durante esse exercício, contemple quais aspectos de sua experiência consciente estão sob seu controle direto e quais não estão. Pratique a aceitação, com "indiferença" estoica, de quaisquer pensamentos ou sentimentos intrusivos ("impressões") que surjam espontaneamente em sua mente.

Indiferentes preferenciais e valor primário

Embora as coisas "indiferentes" não sejam intrinsecamente "boas", Zenão sugeriu que algumas são, no entanto, mais "valiosas" do que outras e "preferíveis" a estas. Os estoicos alegavam que o Sábio preferiria ter produtos de higiene pessoal para se limpar, quando necessário, a não os ter. No entanto, tais coisas não tornam a vida mais virtuosa, melhor ou mais realizada. O jargão do estoicismo se torna especialmente proeminente aqui, pois a linguagem comum parece obscurecer essa distinção. Os estoicos dizem que as coisas "indiferentes" têm "valor seletivo" (*axia eklektikê*) se estiverem de acordo com a natureza e têm "desvalor" (*apaxia*) se estiverem em conflito com a natureza, embora alguns sejam neutros até mesmo a esse respeito. As coisas com valor positivo são chamadas de "preferidas" (*proêgmena*), enquanto as coisas com valor negativo são "despreferidas" (*apoproêgmena*). Basicamente, os estoicos fazem uma distinção sutil, mas crucial, entre dois tipos diferentes de valor:

1. Um tipo é o valor das coisas verdadeiramente "boas" que contribuem diretamente para viver a boa vida: *somente as virtudes têm esse valor absoluto*.
2. Entretanto, "outro gênero representa certo potencial intermediário ou utilidade, o valor que a saúde, a riqueza e a reputação têm como potencialmente úteis para o homem sábio, quando usadas sabiamente" (*Vidas*, 7.105).

Por exemplo, nos dizem que Zenão classificou a vida e a saúde como exemplos de "indiferentes preferidos". Em outras palavras, a saúde é melhor que a doença e é natural buscá-la, dentro da razão, mas não à custa da sabedoria e da virtude. Os estoicos dizem que, embora as coisas naturalmente valorizadas desde o nascimento sejam "indiferentes" no que diz respeito a alcançar a Felicidade (*eudaimonia*) e viver consistentemente de acordo com a sabedoria prática, são enfaticamente "não indiferentes" quando se trata de nossas "ações apropriadas" em situações específicas da nossa sobrevivência ou bem-estar natural (*Antologia*, 2.7a).

Entretanto, o prazer e a dor são completamente "indiferentes", nem preferidos nem rejeitados, porque são meros efeitos colaterais, e não coisas úteis em relação à arte de viver sabiamente. Epicteto adverte seus alunos contra o uso das palavras "bom" e "ruim", ou mesmo "útil" e "prejudicial", para se referir a eventos "indiferentes". No entanto, Crisipo supostamente admitiu que, quando se fala de modo descuidado, pode ser permissível que alguém chame as coisas "preferidas e rejeitadas" de "boas e más", contanto que permaneçamos atentos às coisas de que estamos falando e não nos deixemos confundir pela sua verdadeira natureza, ao mesmo tempo que nos acomodamos à linguagem usual da maioria das pessoas. A percepção subjacente de que a sabedoria prática é incomparavelmente superior em valor às coisas externas é mais importante do que quaisquer palavras que utilizamos para nos expressar.

O conceito de "indiferentes preferidos" também está ligado ao que Zenão chamou de *kathêkonta*, as "ações apropriadas" ou "deveres" de um estoico, ou o que seria sensato fazer em qualquer situação específica. Não é suficiente dizer que, em geral, devemos agir virtuosamente, com sabedoria, justiça, coragem ou autodisciplina. Como nos orientamos e sabemos exatamente o que fazer em uma situação concreta? Por exemplo, Epicteto enumera algumas das principais esferas de "ação apropriada" discutidas pelos estoicos, como segue (*Diatribes*, 3.21):

1. Comer e beber de forma apropriada a um ser humano.
2. Vestir-se de forma apropriada a um ser humano.
3. Casar-se e ter filhos.
4. Levar a vida de um cidadão em uma sociedade.

5. Suportar sábia e virtuosamente insultos e comportamentos tolos de outros seres humanos, embora possam ser insensatos e malévolos.

Os professores estoicos consideravam seu dever dar orientações sobre casos específicos. Em suas *Diatribes*, portanto, podemos ver Epicteto dando indicações às pessoas que assistiam às suas palestras com relação a problemas concretos que estão enfrentando. Entretanto, dar conselhos específicos requer julgamentos complexos de probabilidade, que introduzem incerteza, enquanto a doutrina ética central de que a virtude é o único bem pode ser compreendida de forma absolutamente segura. Os estoicos, portanto, variaram significativamente nos detalhes de sua orientação ética prática. Por exemplo, Cícero nos diz que os estoicos Antípatro e Diógenes discordam se é ou não moralmente "apropriado" que um homem que está vendendo sua casa dê explicações voluntárias sobre todos os defeitos do imóvel a todos os interessados em potencial.

Como veremos quando viermos a discutir mais detalhadamente a "disciplina da ação" estoica, as ações apropriadas de um estoico podem ser entendidas como aquelas que são levadas a cabo de acordo com o "valor" natural atribuído a algo para meu próprio bem-estar e o de outros, com os quais me preocupo. Entretanto, qualquer tolo pode fazer a coisa certa pelas razões erradas. Progredimos rumo às "ações perfeitas" (*katorthômata*) do Sábio apenas na medida em que começamos a selecionar as coisas de forma mais consistente, de acordo com a sabedoria e a virtude.

De acordo com Marco Aurélio, como veremos, isso requer treinamento para que possamos executar todas as nossas ações, não apenas de acordo com seu valor natural, mas também aceitando o resultado com equanimidade, quer as coisas corram como "preferimos" ou não, pois essa é a base da virtude. De fato, o "valor seletivo" só se aplica ao nosso futuro, onde ainda há a oportunidade de mudar as coisas. Uma vez que os acontecimentos já nos atingiram, essa distinção não se aplica mais. Não temos escolha a não ser aceitar o que é demasiado tarde para mudar; não vale a pena dizer que você "preferiria" não ter ficado doente, porque não pode mudar o passado. Os estoicos procuram eliminar esse tipo de ruminação inútil por classificarem nosso passado como imutável e, portanto, completamente "indiferente". Assim, o Sábio geralmente prefere experimentar a saúde ao invés da doença, mas, uma vez que adoeceu, ele aceita de bom grado o fato de que isso aconteceu. Como Crisipo dizia, se nossos pés pudessem alcançar a sabedoria, eles desejariam ser lançados na lama, pois essa é tanto sua função natural na vida quanto seu destino inevitável.

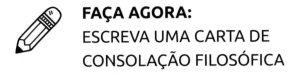

**FAÇA AGORA:
ESCREVA UMA CARTA DE
CONSOLAÇÃO FILOSÓFICA**

As pessoas frequentemente consolam outras que sofreram algum aparente infortúnio dizendo-lhes "Não é o fim do mundo". Mas por que não? Que argumentos filosóficos poderiam ser mobilizados para convencer nossos amigos sobre isso? Leia algumas das antigas cartas de consolo, como as de Sêneca para Políbio, Marcia e sua mãe, Hélvia. Algumas de suas cartas a Lucílio também são desse tipo (*Cartas*, 63; 93; 99). Tente fazer uma breve lista dos principais argumentos que ele emprega para tranquilizar, encorajar e consolar. O que você acha do raciocínio dele e da força persuasiva de suas observações?

Se possível, tente escrever você mesmo uma breve carta de consolação, dirigida a um amigo imaginário. Faça-a de natureza igualmente "filosófica", inspirando-se no material deste capítulo e em qualquer outra matéria que você tenha lido ou aprendido sobre o estoicismo. Pode ser útil rever essa carta uma vez que você tenha concluído a leitura de todo o livro, para ver se você poderia mudar alguma coisa. Por enquanto, porém, concentre-se apenas no argumento estoico de que a boa vida vem somente da virtude, e que a fortuna externa de alguém é irrelevante ("indiferente") com relação a viver uma existência completa e realizada. Como você convenceria alguém que aparentemente passou por um grande infortúnio, como luto, persecução, privação ou traição? Se você acha isso difícil, tente imaginar como parafrasearia partes das cartas de consolação de Sêneca, talvez adaptando-as a situações semelhantes da vida moderna.

 LEMBRE-SE:
OS ESTOICOS DISCORDAVAM SOBRE ESTE TEMA...

A doutrina dos "indiferentes preferidos" é uma área na qual os estoicos discordam entre si, alguns argumentando que certas coisas são intrinsecamente preferidas, outros afirmando que o valor das coisas externas varia de acordo com as circunstâncias. Alguns estoicos, como Aríston de Quios, aparentemente se inclinavam mais para o cinismo, que via todas as coisas como totalmente "indiferentes". Outros, como Panécio e Posidônio, inclinavam-se mais para a visão aristotélica de que certos "bens" externos ou materiais são importantes para a *eudaimonia*.

No entanto, todos os estoicos rejeitavam firmemente o epicurismo, vendo o prazer corporal e o evitar a dor como totalmente "indiferentes" no que diz respeito a uma boa vida. A maioria dos estoicos tradicionais concordava que a virtude era o único verdadeiro bem e suficiente por si só para a boa vida, independentemente de nossa saúde, riqueza ou reputação. Eles normalmente aceitariam que é natural e racional "preferir" o que quer que sirva ao nosso próprio bem-estar físico e ao de nossos amigos e entes queridos, desde que a busca por isso esteja de acordo com a sabedoria e a virtude. Os filósofos que se afastaram demais da visão estoica convencional parecem ter quebrado os laços, tornando-se seguidores de outra escola.

PONTOS DE ATENÇÃO

Os principais pontos a serem lembrados deste capítulo são:

- O objetivo da filosofia é a Felicidade (*eudaimonia*), a qual é alcançada principalmente por meio da sabedoria prática, ou virtude, que traz harmonia interna com os outros e com a Natureza como um todo.
- A filosofia é essencialmente o "amor à sabedoria", ou conhecimento do que é bom, do que é mau e do que é "indiferente" no que diz respeito a viver uma vida Feliz.
- O principal bem para o homem é essa sabedoria prática, ou virtude, que é boa no sentido de ser tanto "honrada" quanto "benéfica".
- Algumas coisas indiferentes são "preferíveis" a outras, mas nenhuma delas conta significativamente para alcançar a Felicidade ou a boa vida, de acordo com os estoicos.

››› PRÓXIMO PASSO

Tendo examinado a natureza das coisas "boas" e "indiferentes", deveríamos explorar mais de perto o que se entende por *eudaimonia* ou "Felicidade", e o próximo passo é tradicionalmente explorar a teoria estoica das "paixões", porque se pensava que a Felicidade era impossível ao mesmo tempo que se experimentava a angústia emocional.

Isso nos leva ao domínio da psicoterapia estoica, ou a "terapia das paixões", que era parte integrante da antiga Ética, e da "promessa geral da filosofia", a motivação que os estudantes estoicos tinham para perseverar em sua longa e desafiadora busca pela sabedoria.

3.

A promessa da filosofia ("terapia das paixões")

Neste capítulo, você aprenderá:

➤ Sobre o antigo conceito estoico de "perfeita Felicidade" ou *eudaimonia,* a promessa da filosofia.

➤ Que os estoicos procuraram substituir "paixões" insalubres, ou medos e anseios patológicos, por "paixões saudáveis" opostas, tais como alegria racional e sentimentos benevolentes e afetuosos em relação aos outros.

➤ Como as "paixões" insalubres se baseiam, em última instância, em julgamentos e ações voluntárias, que seguem as reações automáticas iniciais que os estoicos chamam de protopaixões.

"Parece que o bem mais inquestionável é a felicidade." (Sócrates)

"Desde que não seja composto de bens questionáveis." (Eutidemo)

"Por quê, qual constituinte da felicidade poderia ser questionável?" "Nenhuma; a menos que incluamos nela beleza, força, riqueza, fama ou qualquer outra coisa desse tipo." (Xenofonte, *Memoráveis*, 4.2)

"O que você quer, Paixão? Diga-me isto."

"O que eu quero? Razão! Para fazer tudo o que eu quero."

"Um desejo real; mas me diga de novo. O que eu desejo, Paixão?"

O que eu quiser, eu quero que se realize. (Cleantes, citado em Galeno, *Sobre Hipócrates e Doutrinas de Platão*, 5.6)

 AUTOAVALIAÇÃO: ATITUDES ESTOICAS EM RELAÇÃO À FELICIDADE (*EUDAIMONIA*)

Antes de ler este capítulo, avalie quão fortemente você concorda com as seguintes declarações, usando a escala de cinco pontos (1-5) abaixo, e então repita sua avaliação uma vez que tenha lido e assimilado o conteúdo.

1. discorda fortemente,
2. discorda,
3. não concorda nem discorda,
4. concorda,
5. concorda fortemente.

1. "A felicidade, ou a boa vida, consiste em viver de acordo com a virtude."
2. "O distúrbio emocional vem da valorização excessiva das coisas fora de nosso controle direto."
3. "Embora nossas reações emocionais iniciais possam ser automáticas, podemos escolher se damos continuidade ou não a elas."

Qual é a antiga "promessa da filosofia"?

O que a filosofia estoica exige de nós? Que promessa nos é dada em troca? Quais são as causas dos desejos irracionais e dos distúrbios emocionais para os quais as pessoas buscam um remédio na filosofia? E os sentimentos positivos como alegria, tranquilidade e amor?

Antes de ir mais longe na teoria e na prática, é tradicional primeiro explorar o que motiva as pessoas a se tornarem estudantes da filosofia estoica. O estoicismo é um caminho difícil de seguir, mas nos é dito que seus benefícios devem, de certa forma, ser de senso comum – com um pouco de ajuda, devemos ser capazes de pelo menos vislumbrá-los desde o início. Embora apenas o sábio perfeito desfrute de *eudaimonia*, Sêneca afirma que, a menos que abracemos a filosofia e o amor à sabedoria, a vida não é sequer suportável, porque senão é dado livre curso aos distúrbios emocionais.

De fato, o motivo inicial para a maioria das pessoas estudar a filosofia estoica é simplesmente o alívio de seu próprio sofrimento, embora o objetivo final seja a excelência como ser humano.

Assim, a promessa da filosofia consiste tanto na suprema Felicidade e realização (*eudaimonia*) do Sábio quanto no progresso gradual do aspirante em direção à superação de desejos e emoções desestabilizadoras (*apatheia*), processo algumas vezes chamado de "terapia estoica das paixões". Segundo os antigos estoicos: "A escola de filósofos é uma clínica médica" (*Diatribes*, 3.23).

Curiosamente, os estoicos parecem atribuir a exortação à filosofia ao próprio Zeus, que nos promete alívio do sofrimento. Musônio Rufo ensinou que Zeus nos "ordena e encoraja" a estudar filosofia. Segundo ele, em poucas palavras, a lei de Zeus ordena que o ser humano seja bom, o que significa ser filósofo, amante da sabedoria, ser virtuoso e magnânimo, elevar-se acima da dor e do prazer e libertar-se da animosidade em relação aos outros.

Epicteto segue seu professor, e frequentemente coloca palavras semelhantes na boca de Zeus, começando com a primeira de suas *diatribes*. Na verdade, ele se afasta de sua conversa com os alunos para descrever um diálogo imaginário entre ele e Zeus, que é retratado como dizendo que nos deu uma pequena parte de si mesmo, nossa "faculdade governante", o que nos dá o poder de fazer escolhas e tomar decisões na vida. É nosso dever cuidar dessa faculdade divina acima de tudo, pois ela é nossa única posse verdadeira, e nos é concedida total liberdade ao empregá-la. Se pudermos aprender a valorizar a sabedoria acima de todas as outras coisas, "Zeus" nos assegura que nunca seremos contrariados, nunca ficaremos transtornados ou reclamando e nunca ficaremos zangados ou subservientes com nenhuma outra pessoa.

O ponto que Epicteto pretendia ressaltar é que os princípios básicos do estoicismo podem ser aprendidos a partir da reflexão sobre a natureza humana. Eles são fundamentalmente de bom senso, pois Zeus plantou a semente da virtude dentro de todos nós, e por isso o objetivo da vida está em nossa própria natureza. Em outro momento, ele pergunta a seus alunos se Zeus ou a Natureza ainda não lhes havia dado suas ordens, com clareza suficiente, desde o dia em que nasceram. A natureza nos deu o que é nosso, nosso julgamento e nossa vontade, para usarmos livremente, de acordo com a virtude. Ela colocou tudo o mais fora de nosso controle direto, sujeito a obstáculos e interferências. "Guarde por todos os meios o que é seu, mas não se agarre ao que é do outro."

Embora as palavras variem, na maioria das vezes Epicteto retrata Zeus como ressoando a mesma mensagem estoica básica: "Se você deseja alguma coisa boa, obtenha-a de si mesmo" (*Diatribes*, 1.29). A própria natureza nos ensina que, se quisermos a verdadeira Felicidade e a boa vida, devemos buscá-las dentro de nós mesmos, e não em coisas externas.

Se pudermos fazer isso de forma consistente, diz Epicteto, alcançaremos a liberdade perfeita e nos libertaremos do sofrimento emocional.

Felicidade ou realização, *eudaimonia*, era conhecida nos tempos antigos como "a promessa da filosofia". Como já vimos, todas as escolas de filosofia concordavam basicamente que esse era o seu objetivo, mas discordavam sobre o significado exato do termo. Na verdade, suas diferentes definições de *eudaimonia* distinguiam uma escola da outra. Zenão descreveu-a muito sinteticamente como uma vida "fluida ou serena, uma vida de emancipação, uma vida sem obstáculos no que buscamos alcançar". Ele deixou claro que isso se consegue vivendo em harmonia com a Natureza e de acordo com a virtude. Entretanto, "a vida é combate", e o estoico alcança a serenidade armando-se para enfrentar o que quer que lhe seja infligido pelas vicissitudes dos acontecimentos, ou seja, a "Roda da Fortuna". A promessa da filosofia era, portanto, a promessa tanto da Felicidade quanto da resiliência emocional necessária para mantê-la em face dos contratempos.

Em que consiste a promessa? Em que, se os céus quiserem, a filosofia assegurará que o homem que obedeceu às suas leis nunca deixará de estar preparado para todos os riscos da fortuna: que ele terá e controlará, dentro de si mesmo, todas as garantias possíveis para uma vida satisfatória e feliz. Em outras palavras, que ele será sempre um homem Feliz (Cícero, *Discussões Tusculanas*, 5.7).

Em outro texto, Cícero retrata a Felicidade em termos da "cidadela interior" do estoicismo: "Queremos que o homem Feliz seja seguro, inexpugnável, cercado e fortificado, para que ele esteja não apenas em grande parte, mas completamente livre do medo" (*Discussões Tusculanas*, 5.41). Um dos argumentos filosóficos mais importantes dos estoicos era que é impossível imaginar alguém que seja, por um lado, um homem sábio e bom, tendo atingido a *eudaimonia* perfeita, e, por outro, ainda atormentado por distúrbios emocionais ou desejos patológicos. Os estoicos se referem a isso como as "paixões" (*pathê*); eles acreditavam que elas eram a causa raiz de todo sofrimento humano e essencialmente tóxicas para a *eudaimonia*.

A capacidade de superar medos e desejos insalubres é chamada de *apatheia*, o que significa estar "sem paixão", ou melhor, sem paixões problemáticas. É de onde vem nossa palavra "apatia", mas não é isso que ela significa. Como diz Keith Seddon, um autor estoico moderno, "O estoico será *apathês*, sem paixão (não apático, mas desapaixonado), porém não totalmente sem sentimento" (Seddon, 2006, p. 140). Os estoicos também se referem ao Sábio como alguém que alcançou "tranquilidade" (*ataraxia*) e "liberdade" (*eleutheria*) da "escravidão" pelas paixões.

Entretanto, esses esforços para superar as "paixões" causaram muita confusão e levaram à concepção errônea generalizada de que os estoicos são de alguma forma "insensíveis" ou procuram reprimir seus sentimentos. Isso se baseia em grande parte em um mal-entendido causado por problemas de tradução e interpretação moderna – simplesmente não é o que eles queriam dizer. Essa má interpretação foi repetidamente abordada pelos próprios estoicos antigos. Portanto, vamos fazer uma pausa para refletir sobre o que eles realmente disseram.

Eles [os fundadores do estoicismo] dizem que o homem sábio também não tem paixão [*apathê*, de onde vem nossa palavra "apatia"], porque não é vulnerável a ela. Mas o homem mau é chamado "apático" em um sentido diferente, ou seja, o mesmo que "de coração duro" e "insensível" (*Vidas*, 7.117).

Zenão pretendia dizer que o sábio não era escravizado por seus sentimentos de medo ou desejo, mas aqui nos é dito explicitamente que isso não é o mesmo que ser "indiferente" e "insensível", que é a falsa impressão que muitas pessoas têm hoje do estoicismo. O estoico romano Lélio foi retratado, séculos depois em um diálogo de Cícero, como dizendo que seria realmente o maior erro possível tentar eliminar sentimentos naturais e saudáveis como os da amizade, porque até mesmo os animais sentem afeição por seus filhos, fato que os estoicos viam como o fundamento do amor e da amizade humana (*Lélio, ou Diálogo sobre a amizade*, 13).

Não estaríamos apenas nos desumanizando ao eliminar tais sentimentos naturais, diz ele, mas nos reduzindo abaixo da natureza animal para algo mais como um mero tronco de árvore ou uma pedra. Portanto, devemos fazer ouvidos de mercador a qualquer um que insensatamente sugere que a boa vida implica ter "a dureza do ferro" em relação às nossas emoções. Epicteto ensinou posteriormente a seus alunos que não devemos estar livres de paixões (*apathê*) no sentido de sermos insensíveis "como uma estátua", porque os estoicos se preocupam com sua família e seus concidadãos, para quem continuam a ter "afeição natural" e um senso de parentesco ou "afinidade". Finalmente, diz Sêneca, da mesma forma:

> Há infortúnios que atingem o sábio – sem incapacitá-lo, é claro –, como a dor física, a enfermidade, a perda de amigos ou filhos, ou as catástrofes de seu país quando este é devastado pela guerra. Admito que ele é sensível a essas coisas, pois não lhe imputamos a dureza de uma pedra ou de ferro. Não há virtude em aturar aquilo que não se pode sentir (*Sobre a constância do Sábio*, 10.4).

Há um estranho problema, como Sêneca aponta aqui, com a noção de que o Sábio estoico é completamente desprovido de emoção. Ele lembra uma história sobre Diógenes, o Cínico, a quem um espartano perguntou se estava sentindo frio, ao exercitar-se desnudo e abraçando uma estátua de bronze no inverno. Diógenes disse que não estava, e o espartano respondeu: "O que há de tão impressionante no que você está fazendo então?".

Como Sêneca sugere, as virtudes estoicas de "coragem" e "autodisciplina" parecem pressupor que o Sábio realmente experimenta algo semelhante a medo e desejo – caso contrário, ele não tem qualquer sentimento a superar. Um homem corajoso não é alguém que não experimenta nenhum traço de medo, mas alguém que age corajosamente apesar de sentir medo. Um homem que tem grande autodisciplina ou comedimento não é alguém que não sente nenhum indício de desejo, mas alguém que supera seus anseios, abstendo-se de agir sobre eles.

O Sábio conquista suas paixões tornando-se mais forte que elas, e não eliminando todos os traços de emoção de sua vida. O ideal estoico é, portanto, não ser "desapaixonado" no sentido de ser "apático", "de coração duro", "insensível" ou "como uma estátua de pedra". Ao contrário, é experimentar o afeto natural por nós mesmos, por nossos entes queridos e outros seres humanos, e valorizar nossa vida de acordo com a natureza, o que indiscutivelmente nos expõe a experimentar certas reações emocionais naturais à perda ou à frustração.

Os estoicos chamam essas de "protopaixões", e, como veremos mais tarde, o Sábio sente essas emoções nascentes, mas não as segue, nem se detém nelas, como as pessoas normalmente fazem. Assim, Sêneca explica em outro livro que, enquanto os epicuristas querem dizer "uma mente imune ao sentimento" quando falam de *apatheia*, essa "insensibilidade" é na verdade o oposto do que os estoicos querem expressar. "Essa é a diferença entre nós estoicos e os epicuristas; nosso sábio supera todo desconforto, mas o sente; o deles, nem sequer o sente" (*Carta*, 9). A virtude do Sábio consiste em sua capacidade de suportar sentimentos penosos e elevar-se acima deles enquanto continua a manter suas relações e interação com o mundo, a preocupar-se suficientemente sobre si próprio e os outros, mas não o suficiente para se preocupar com ansiedade.

De fato, os primeiros escritos estoicos definiam as "paixões" que procuravam superar como consistindo em formas irracionais, excessivas e insalubres de medo e desejo. Diz-se que elas são "não naturais" no sentido de prejudicar nossa busca natural de realização na vida. É um pouco menos sabido que foram contrastadas com uma gama de "paixões saudáveis" (*eupatheiai*), que, embora não perseguidas diretamente pelos estoicos, foram tidas como "supervenientes", como uma espécie de recompensa adicional na sequência de uma vida virtuosa.

Como vários dos principais estudiosos do estoicismo enfatizaram: "A inclusão de 'bons sentimentos' no repertório mental dos estoicos mostra que a filosofia deles não contemplava a extirpação de todas as emoções" (Long, 2002, p. 245). De fato, sentimentos saudáveis como amor e "afeição natural" pelos outros desempenham um papel importante no estoicismo, mas muitas vezes negligenciado. Quando Marco Aurélio descreveu o estoico ideal como "livre de paixões e ainda assim cheio de amor", claramente quis dizer que as "paixões" em questão são sentimentos nocivos ou prejudiciais, a serem distinguidos do que os estoicos chamam de "afeição natural" ou amor racional pelos outros.

O problema das paixões significava inevitavelmente que uma espécie de antiga terapia psicológica era parte integrante do estoicismo como um modo de vida. De fato, o tema da *eudaimonia* naturalmente liga a Ética Estoica à terapia psicológica. A maioria das filosofias antigas equiparava o "bom" da vida com o que é "bom para nós", "benéfico" ou "útil" (*ôphelimos*), no sentido de contribuir para nossa saúde e nosso bem-estar fundamentais, não fisicamente, mas mental e moralmente, em termos de nosso caráter. Portanto, pode-se dizer que a "autoajuda" era um aspecto integral da Ética Estoica, e isso não só se assemelha à terapia moderna, mas também foi apresentado de modo bastante explícito como uma forma de medicina ou terapia mental por autores antigos.

Os estoicos, portanto, mais do que qualquer outra escola, concentraram-se na filosofia como um modo de vida, e em formas específicas de treinamento para superar suas paixões insalubres e progredir em direção ao ideal sublime da virtude. Algumas pessoas têm argumentado que o estoicismo é puramente uma filosofia, com ênfase ética, e não deve ser confundido com uma terapia psicológica. Entretanto, essas duas coisas foram vistas como equivalentes por Zenão e seus seguidores. O estoicismo, portanto, combina bem a ética, o desenvolvimento pessoal e a terapia psicológica.

ESTUDO DE CASO: A ESCOLHA DE HÉRCULES

Zenão, o fundador do estoicismo, foi inspirado a estudar filosofia depois de ler o segundo livro de *Memoráveis* (de Sócrates) por Xenofonte. No primeiro capítulo da obra, Sócrates reconta a famosa alegoria de Pródico, conhecida como "A escolha de Hércules". Como seus precursores, os cínicos, os estoicos viam Hércules, o maior dos filhos de Zeus, como um modelo exemplar, demonstrando a autodisciplina e a resistência necessárias para se tornar um verdadeiro filósofo. O próprio Zenão foi talvez comparado a Hércules, e sabemos que seu sucessor Cleantes foi apelidado de "um segundo Hércules", por causa de sua autodisciplina. A história simboliza o grande desafio de decidir quem realmente queremos ser na vida, que tipo de vida queremos viver, a promessa da filosofia e a tentação do vício.

Dizem-nos que Hércules, ainda jovem, se encontrava em uma bifurcação isolada na estrada, onde se sentou para contemplar seu futuro. Incerto sobre qual caminho tomaria na vida, ele se viu confrontado por duas deusas. Uma delas, uma mulher muito bela e sedutora, chamava-se *Kakia*, embora afirmasse que seus amigos a chamavam de "Felicidade" (*Eudaimonia*). Ela se colocou à frente para garantir que falasse primeiro, prometendo a Hércules que o caminho com ela era "o mais fácil e agradável", um atalho para a Felicidade. Ela garantiu que ele estaria livre de dificuldades e desfrutaria do luxo, além dos sonhos mais extravagantes da maioria dos homens, vivendo como um rei pelo trabalho dos outros.

Hércules foi então abordado pela segunda deusa, *Aretê*, uma mulher simples e humilde, embora naturalmente bela. Para surpresa dele, ela lhe disse que seu caminho exigiria muito trabalho e que seria "longo e difícil". Hércules enfrentaria o perigo, seria testado por muitas dificuldades, talvez mais do que qualquer homem que tivesse vivido antes, e teria que suportar grandes perdas e sofrimentos. "Nada do que é realmente bom e admirável", disse *Aretê*, "é concedido aos homens pelos deuses sem algum esforço e dedicação."

No entanto, Hércules teria a oportunidade de enfrentar cada adversidade com coragem e autodisciplina, e mostrar sabedoria e justiça apesar do grande perigo. Ele ganharia a verdadeira Felicidade cumprindo seu potencial natural como herói e ponderando sobre o reconhecimento de seus próprios atos louváveis e dignos de honra.

Hércules, é claro, escolheu o caminho de *Aretê*, ou "Virtude", e não foi seduzido por *Kakia,* ou "Vício". Ele enfrentou perseguição contínua pela deusa Hera e foi forçado a executar os lendários Doze Trabalhos, incluindo matar a Hidra e finalmente entrar no Hades, o próprio Submundo, para capturar o monstro Cérbero com as próprias mãos. Ele morreu em extrema agonia, envenenado por roupas encharcadas com o sangue da Hidra.

No entanto, Zeus ficou tão impressionado com sua grandeza de alma que o elevou ao status de deus de pleno direito. Quer tenha ou não essa história em particular inspirado a conversão de Zenão à vida de filósofo, ela certamente influenciou as gerações posteriores de estoicos. Eles a trataram como uma metáfora para a boa vida: que é melhor enfrentar as dificuldades, elevar-se acima delas e assim se sobressair, do que abraçar a vida fácil e passiva, mas ter a alma encolhida e deteriorada como resultado.

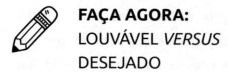 **FAÇA AGORA:**
LOUVÁVEL *VERSUS*
DESEJADO

Este é um simples exercício de "esclarecimento de valores" para você refletir sobre a própria filosofia de vida. Entenda que não há uma resposta inerentemente certa ou errada; essas perguntas se destinam apenas a ajudá-lo a olhar as coisas a partir de uma perspectiva diferente.

1. Pegue um pedaço de papel e trace uma tabela com duas colunas.
2. No topo da primeira coluna, escreva a palavra "louvável". Abaixo, faça uma lista de coisas que você considera realmente louváveis em outras pessoas, o que você realmente admira nelas. Considere seus heróis, reais ou fictícios, vivos ou mortos, sua família, amigos, colegas etc.
3. Uma vez terminado, escreva a palavra "desejado" no topo da segunda coluna. Abaixo, liste todas as coisas que você mais deseja na vida. Considere as coisas de que você mais gosta e as que mais teme perder, assim como as coisas em cuja busca você gasta mais tempo e energia.
4. Finalmente, pergunte-se até que ponto essas duas colunas diferem uma da outra. As coisas que você mais deseja e procura na vida são as mesmas que você acha mais louváveis nos outros? Por que elas não são as mesmas?

Como isso pode afetar sua percepção de si mesmo se você deseja, e alcança, coisas que não acha louváveis em geral? Se você achar que as coisas que atualmente deseja na vida não são aquelas que realmente admira nos outros, talvez queira considerar o que aconteceria se desejasse para si mesmo as coisas que você considera mais louváveis.

O conceito estoico de Felicidade (Eudaimonia)

Eudaimonia é, portanto, a antiga promessa da filosofia. A palavra *eudaimonia* é geralmente traduzida como "Felicidade", embora isso não capte corretamente o significado filosófico. Ela se refere mais à qualidade geral da vida de alguém do que ao seu estado de espírito. As alternativas modernas de tradução incluem, portanto, "boa sina", "prosperidade", "bem-aventurança", "bem-estar" ou "florescimento" etc. Um antigo dicionário de termos filosóficos atribuídos a Platão, mas provavelmente escrito por seus seguidores imediatos, definiu-a da seguinte forma:

- O bem composto de todos os bens;
- Uma faculdade que é suficiente para viver bem;
- A perfeição no que diz respeito à virtude;
- O suficiente para um ser vivo. (*Definições*, *Eudaimonia*)

Entretanto, refere-se basicamente à condição abençoada ou superior de alguém que está vivendo uma boa vida. Enquanto para outras escolas filosóficas poderia implicar em alguém que goza de boa sorte externa, para os estoicos, ser uma boa pessoa e ter uma boa vida são sinônimos. As coisas corporais e externas são, portanto, completamente irrelevantes ("indiferentes") no que diz respeito à *eudaimonia*. Felicidade e infelicidade consistem em como respondemos aos acontecimentos e no uso que deles fazemos.

Tomada literalmente, a palavra *eudaimonia* na verdade significa "ter um bom *daimon*", a centelha divina ou espírito interior – ainda hoje falamos de "estar em bons espíritos". Em termos teológicos, Crisipo, portanto, interpretou *eudaimonia* como a vida fluida que vem harmonizar completamente nosso *daimon*, nosso espírito mais íntimo, com a vontade de Zeus, colocando nossos julgamentos completamente de acordo com nosso destino. Séculos mais tarde, Marco Aurélio interpretou a palavra de maneira semelhante, referindo-se à perfeição da centelha divina interna ou da faculdade governante, de acordo com a natureza.

A *eudaimonia* filosófica é uma condição na qual uma pessoa de excelente caráter vive de forma ótima, florescendo, progredindo admiravelmente e desfrutando continuamente da melhor capacidade de raciocínio disponível para os seres humanos. Os estoicos, em particular, consideraram a realização completa de tal condição quase impossível, mas que valeria a pena lutar por ela, para que nenhum ser humano que compreendesse as atrações desejasse contentar-se com menos (Long, 2002, p. 193).

Na verdade, eles disseram que o sábio perfeito, que tinha atingido a *eudaimonia*, deve ser tão raro quanto a fênix – o que é sem dúvida muito raro! Por outro lado, como disse Pierre Hadot, os antigos estoicos teriam de bom grado chamado o mundo de "uma máquina para fazer sábios" (Hadot, 1998, p. 161). Os estoicos acreditavam que a natureza queria que florescêssemos e nos aperfeiçoássemos, e foi-nos dada a vida para chegarmos a um estado de realização, destacando-se em consonância com a virtude. A natureza plantou dentro de cada um de nós a capacidade de sonhar, por assim dizer, e visualizar um ser humano ideal, chamado pelos estoicos de "Sábio" ou "homem sábio", e assim navegar em direção a esse objetivo distante.

Então, que diferença existe, se é que existe, entre *eudaimonia* e virtude na filosofia estoica? Bem, os estoicos certamente consideram a virtude tanto necessária quanto suficiente para a *eudaimonia*. No entanto, Crisipo disse que, mesmo que alguém aja com sabedoria e virtude, sua vida ainda não é Feliz, pois a Felicidade "sobrevém" a esse alguém quando essas ações se tornam sólidas e consolidadas, mediante um saber firmemente enraizado (*Antologia*, 5.907).

Como veremos, os estoicos também se referem a certas "paixões saudáveis", que automaticamente "se desdobram" na virtude. Zenão disse que as coisas boas incluem as várias virtudes, mas também, em certos casos, "paixões saudáveis" (*eupatheiai*), tais como "alegria, bom ânimo, confiança e bons augúrios". Séculos depois, Musônio Rufo ensinou que, quando agimos virtuosamente e de acordo com nossa própria natureza, "Uma disposição alegre e uma alegria constante acompanham automaticamente esses atributos" (*Palestras*, 17). Para algumas pessoas, é uma surpresa saber que o estoicismo foi concebido como uma filosofia de vida fundamentalmente jovial ou alegre!

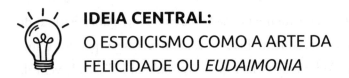

IDEIA CENTRAL:
O ESTOICISMO COMO A ARTE DA FELICIDADE OU *EUDAIMONIA*

Este livro é sobre o estoicismo como a "arte filosófica de viver", ou arte de alcançar a Felicidade. A "Felicidade" não é uma palavra que as pessoas tendem a associar ao estoicismo, por isso, pode ser uma surpresa que tenha sido a promessa da filosofia, o objetivo global de todo o seu sistema filosófico. Como vimos, a *eudaimonia* é particularmente difícil de traduzir, embora a maioria dos filósofos antigos concordasse que ela era o objetivo da vida. *Eudaimonia* é a suprema Felicidade ou a plenitude alcançável pelo ser humano, um estado elevado ou até mesmo divino. Estamos usando letra maiúscula porque "felicidade" não é um sinônimo perfeito, e essa palavra é notoriamente complicada de traduzir. Às vezes, a deixaremos sem tradução, portanto, um pouco como a palavra em sânscrito "Nirvana" nos livros sobre budismo. "Nirvana" é na verdade uma boa analogia, porque "*eudaimonia*" carrega o mesmo sentido de uma condição humana unicamente superior, é a suprema realização na vida e o objetivo de toda filosofia.

É mais do que um sentimento, no entanto, e o estoicismo dificilmente poderia ser chamado de uma filosofia de "sentir bem". Era tradicionalmente definido como a soma de todas as coisas boas, as coisas necessárias para a "boa vida" ou "viver bem". Entretanto, os estoicos insistiam que, uma vez feita uma espécie de "conversão" filosófica (*epistrophê*), veríamos através da cortina de fumaça (*tuphos*) dos valores convencionais e saberíamos equacionar completamente a *eudaimonia* com a vida de acordo com a virtude, elevando-se acima tanto da sina externa quanto do infortúnio. Vimos que Zenão também se referiu a isso como a vida "fluindo suavemente", a vida de perfeita serenidade e liberdade alcançada pelo Sábio ideal. Para os estoicos, ser uma pessoa sábia e boa é simultaneamente necessário e suficiente para desfrutar de uma vida extraordinariamente boa, ou *eudaimonia*, seja qual for a sina que nos ocorra. Poderíamos dizer que a verdadeira Felicidade vem de dentro ou, como Epicteto disse: "Se você quer alguma coisa boa, obtenha-a de você mesmo".

FAÇA AGORA:
AVALIAÇÃO DE CONTROLE EM DUAS COLUNAS

Vamos tentar uma experiência simples, que poderíamos chamar de "avaliação de controle". Lembre-se de que os estoicos estavam especificamente preocupados com os aspectos da vida que estão sob nosso controle direto, aqueles sempre sob nosso controle, onde nossas decisões nunca podem ser frustradas.

1. Escolha uma situação ou problema específico que o esteja incomodando.
2. Desenhe duas colunas intituladas "controlo" e "não controlo".
3. Agora tente listar todos os aspectos da situação que estão sob seu controle direto na coluna intitulada "controlo".
4. Liste todos os aspectos que estão fora de seu controle direto na outra coluna ("não controlo").
5. Pense cuidadosamente sobre isso. Volte e reveja, se necessário. Os estoicos diriam que somente as coisas verdadeiramente sob nosso controle direto ("nosso encargo") são nossos pensamentos voluntários e intenções de agir. Tudo o mais pode potencialmente se suceder contra nossos desejos.

Imagine que você está metaforicamente desenhando um círculo ao redor de sua esfera de controle, definindo os limites de sua vontade – aqui é onde sua liberdade e poder existem em qualquer situação. Quanto tempo você passa se preocupando com os aspectos que não estão sob seu controle direto e quanto se concentra nos aspectos que dependem completamente de você? O que aconteceria se você se concentrasse mais nos aspectos que estão sob seu controle direto, fazendo o melhor que pudesse? E se você aceitasse que aqueles que estão fora de seu controle direto podem ou não acontecer como você deseja? Tente aplicar esse exercício repetidamente a diferentes situações. Que lições gerais você pode tirar da experiência?

A teoria estoica das "paixões"

Os estoicos tinham uma teoria psicológica bastante específica, então essa é uma área onde o jargão grego é inevitável. Em particular, a palavra "paixão" é usada em um sentido especial. Segundo Cícero, Catão, esforçando-se para traduzir o estoicismo grego para o latim, diz que as "paixões" tornam a vida da maioria das pessoas uma penúria, e que ele se sentiu tentado simplesmente a traduzir esse termo como "doença", mas achou que "perturbação emocional" ou transtorno faria mais sentido como um termo genérico (*De Finibus*, 3.35). Na verdade, nossa palavra moderna "patologia", o estudo do sofrimento, vem da mesma raiz grega que "paixão", palavra que ainda denota sofrimento em frases como "A Paixão de Cristo".

Quando os estoicos falam das "paixões" comuns vividas pela maioria das pessoas, querem dizer que essas paixões são tipicamente desejos e emoções perturbadoras de um tipo irracional, insalubre e exagerado. Elas são contrastadas com as "paixões salutares" experimentadas pelo Sábio.

No entanto, especialmente entre os estoicos romanos, parece ter sido aceito que aqueles que fazem progresso, aspirantes a estoicos, podem experimentar vislumbres desses desejos e dessas emoções saudáveis, embora careçam de perfeita sabedoria.

No entanto, a maioria das pessoas comuns é considerada "doente" ou "louca" pelos estoicos porque sua vida é atormentada por medo e desejos prejudiciais. Assim como existem enfermidades no corpo, doenças físicas, também existem enfermidades da mente, que, conforme afirmam os estoicos, baseiam-se em juízos de valor errôneos. Por exemplo, os estoicos sustentam que julgar erroneamente as coisas superficiais, considerando-as intrinsecamente "boas", "úteis" ou desejáveis, é a base do desejo excessivo por prazer, riqueza, fama etc.

Podemos também sofrer de julgamentos irracionais sobre o que é "ruim", "prejudicial" ou repugnante, tais como medo ou ódio por coisas realmente "indiferentes" em relação ao nosso bem-estar derradeiro, incluindo dor, dificuldades, pobreza ou escárnio etc. Em outras palavras, a maioria das pessoas comuns carece de satisfação e paz de espírito, pois seus valores são confusos e internamente conflituosos. Desperdiçamos a vida perseguindo uma ilusão de Felicidade baseada em uma mistura de hedonismo, materialismo e egoísmo – valores insanos e autodestrutivos assimilados do mundo insensato ao nosso redor.

Essas "paixões" estão, portanto, intimamente ligadas, e possivelmente sejam até mesmo idênticas, a nossos julgamentos e inclinações comportamentais. Por exemplo, nos dizem que a paixão da avareza, um desejo excessivo por riqueza, consiste no julgamento de que o dinheiro é intrinsecamente "bom", combinado com a intenção de obtê-lo. Os primeiros estoicos descreveram três aspectos intimamente relacionados a essas "paixões" desestabilizadoras:

1. Julgamentos irracionais sobre o que é bom ou ruim.
2. Atividade mental não natural (ou não saudável).
3. Impulsos excessivos à ação, ou intenções de obter o que é "bom" e evitar o que é "ruim".

As pessoas tentam justificar todo tipo de comportamento mórbido ou censurável dizendo ser "natural" sentir e agir dessa forma. Em contraste, os estoicos descrevem as "paixões" como fundamentalmente "contra" nossa natureza fundamental como seres racionais e, portanto, em conflito com o objetivo estoico supremo de viver em "acordo com a natureza".

No livro *Sobre as Paixões*, Zenão aparentemente as classificou em quatro categorias: dor, medo, desejo e prazer. As passagens estoicas compiladas pelos antigos comentaristas, Diógenes Laércio e Estobeu, acrescentam outras subdivisões, que estão incluídas abaixo para ajudar a esclarecer o significado.

1. **"Dor"** (*lupê*), às vezes traduzida como "sofrimento", ou "tristeza": uma "contração irracional" da alma, devido à falha em evitar algo

considerado "ruim" ou em obter algo considerado "bom". A "dor" irracional toma a forma de sentimentos pouco saudáveis de piedade, inveja, ressentimento, tristeza, angústia etc.

2. **"Medo"** (*fobos*): a "expectativa (irracional) de algo negativo" ou prejudicial. O "medo" irracional toma a forma de sentir pavor, nervosismo, preocupação, vergonha, choque, pânico etc.
3. **"Desejo"** (*epithumia*), que significa "fome" ou "luxúria": Um "esforço irracional" por algo julgado falsamente como bom ou benéfico. O "desejo irracional" toma a forma de um anseio fútil, ódio, raiva, luxúria sexual; assim como o amor ao prazer, o amor à riqueza, o amor à fama etc.
4. **"Prazer"** (*hêdonê*), como no "hedonismo": uma "euforia irracional sobre o que parece valer a pena escolher", ou seja, o que é falsamente julgado como bom ou benéfico. O "prazer" irracional (insalubre) toma a forma de autoindulgência, decadência, ficar verbalmente enredado (ou seduzido por bajulação), alegria sádica no infortúnio de outra pessoa etc.

O "medo" e o "desejo" são aparentemente mais fundamentais porque a "dor" resulta quando falhamos em obter (ou perdemos) o que desejamos e quando falhamos em evitar o que tememos; enquanto o "prazer" resulta em obter o que desejamos ou evitar o que tememos (o prazer do "alívio").

Quando os estoicos falam sobre a paixão chamada "dor", têm claramente em mente a dor emocional, "sofrimento" ou "aflição", em vez da sensação física de dor. Cícero explica que, para os estoicos, o termo grego *hêdonê* ("prazer") pode se referir tanto a sensações agradáveis na mente quanto a sensações agradáveis no corpo. A paixão irracional do "prazer" é realmente o "prazer sensual da mente exultante", como ele coloca, que é "ruim" ou "prejudicial" porque se baseia em uma supervalorização das coisas corporais ou externas.

Em contraste, as meras sensações corporais de prazer e dor são classificadas como inofensivas e "indiferentes" pelos estoicos. Observe também que os exemplos de "prazer" da lista de estoicos são obviamente sentimentos prejudiciais, e não o que poderíamos chamar de "prazer" saudável. Esses sentimentos incluem o prazer egoísta que vem de ser seduzido por bajuladores, prazer sádico ou malicioso na desgraça dos outros, ou prazeres autoindulgentes, que corrompem e enfraquecem a mente. Sêneca refere-se a eles como prazeres "vazios", e poderíamos até chamá-los de "tóxicos" ou "patológicos".

Finalmente, note que os desejos irracionais, ou anseios, incluem sentimentos de luxúria sexual, mas também sentimentos de raiva ou ódio, que os estoicos interpretam como o desejo de que outro sofra danos. De fato, a raiva muitas vezes parece ser a paixão com a qual os estoicos estavam mais preocupados. Na verdade, temos um livro inteiro de Sêneca, intitulado *Sobre a Ira*, acerca da abordagem estoica da prevenção e terapia dessa paixão específica.

**IDEIA CENTRAL:
PAIXÕES "BOAS" E "MÁS"**

Os estoicos procuraram superar "paixões" (*patheiai*), desejos e emoções, que consideravam irracionais, excessivas e "não naturais" (ou insalubres). Essas paixões vão fundamentalmente contra nossa natureza essencial como seres racionais porque se baseiam na ignorância sobre a verdadeira natureza do bem. Na obra *Catão, o velho, ou Diálogo sobre a velhice*, Cícero traduz o termo estoico "paixão" como "perturbação emocional" ou "doença" – então estamos basicamente falando de medos e anseios "patológicos". Zenão os colocou em quatro categorias frequentemente traduzidas como "medo", "desejo", "dor" e "prazer". A maioria das pessoas é escravizada por essas "paixões" na medida em que teme ou deseja coisas externas, além de seu controle direto.

Entretanto, os estoicos procuraram substituí-las por paixões "boas" ou "saudáveis" (*eupatheiai*). Essas são "cautela" em vez de medo irracional, "alegria" em vez de prazeres insalubres e indulgentes, e "querer" o que é verdadeiramente bom em vez de desejar coisas que são, em última instância, "indiferentes". Segundo os estoicos, não há alternativa racional para a quarta "paixão", o sofrimento emocional voluntário. Embora a maioria das pessoas anseie ou tema inúmeras coisas na vida, o Sábio deseja apenas uma coisa. Ele sente um desejo racional na forma de um "desejo" por virtude, sendo todas as virtudes essencialmente formas de sabedoria prática. Ele também experimenta aversão racional sob a forma de "precaução" ou cuidado para não se deixar cair na tolice e no vício.

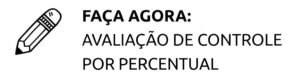

FAÇA AGORA:
AVALIAÇÃO DE CONTROLE
POR PERCENTUAL

Essa é uma versão mais rápida do exercício de "avaliação de controle" mencionado acima, que você pode considerar mais fácil de fazer em resposta a situações de sua vida diária.

1. Novamente, escolha uma situação ou problema específico que o esteja incomodando.
2. Avalie o controle que você tem sobre toda a situação, de 0-100 por cento.
3. Se você não classificou como 100%, por que não? Que aspectos não estão sob seu controle?

4. Se você não classificou como 0%, por que não? Que aspectos estão sob seu controle?
5. O que aconteceria se você se concentrasse mais em dar o melhor de si nos aspectos sob seu controle e, ao mesmo tempo, aceitasse que os outros aspectos podem não correr como você deseja?

O que mais você pode aprender com esse exercício? Tente aplicá-lo a uma variedade de situações da vida diária e assim treinar-se para estar mais consciente dos limites de sua liberdade e vontade. Em todas as situações, a resposta pode ser bastante semelhante, porque, sem dúvida, apenas seus próprios pensamentos e suas ações voluntárias são seus para controlar sem nenhum possível impedimento.

Reações emocionais automáticas

Os estoicos reconheciam que as paixões começam com um "movimento involuntário" inicial da alma, uma reação "reflexiva" emocional que não podemos realmente controlar. Sêneca realmente explica que nada que desperta a mente espontaneamente, sem seu consentimento voluntário, pode ser chamado de "paixão" no sentido estoico. A ruborização, as lágrimas, as mudanças na respiração etc. são meramente reações emocionais de reflexo a alguma impressão, e não paixões estoicas, e por isso os estoicos as chamaram de "protopaixões". Uma vez que elas acontecem, os estoicos não têm outra escolha senão aceitá-las como algo fora de seu controle direto, mas podem optar por não as prolongar indefinidamente. Em sua consolação a Políbio, que estava de luto pela perda de seu irmão, por exemplo, Sêneca escreveu:

"A natureza exige de nós alguma tristeza, ao passo que mais do que isso é o resultado da vaidade. Mas nunca exigirei de você que não se entristeça de forma alguma" (*Consolação a Políbio*, 18.4-5).

A razão nos guia para uma resposta equilibrada, que é a marca do afeto natural, e não de uma mente desequilibrada, permitindo que nossas reações emocionais automáticas sigam seu curso sem optar por ruminar morbidamente sobre os acontecimentos. Ele acrescenta: "deixe suas lágrimas fluírem, mas deixe-as também cessarem, deixe os suspiros mais profundos serem tirados de seu peito, mas deixe-os também encontrarem um fim" (*Consolação a Políbio*, 18.6).

Outro bom exemplo de uma reação emocional automática é o rubor. Sêneca diz que um jovem filósofo, propenso a isso, provavelmente continuará a corar mesmo que atinja a perfeita sabedoria e se torne um Sábio iluminado. Pois nenhuma quantidade de sabedoria permite eliminar as fraquezas físicas ou mentais que surgem de causas naturais; "qualquer coisa inata ou arraigada em uma pessoa pode ser apaziguada pela prática, mas não superada" (*Carta*, 11). A filosofia não tem domínio absoluto sobre nossa natureza física, e mesmo um Sábio pode inicialmente corar ou gaguejar sob certas circunstâncias, embora recupere a compostura posteriormente. A sabedoria não oferece remédio algum para isso, pois não é uma ação voluntária.

Uma das mais claras discussões sobre o papel das *protopaixões* é encontrada no livro de Sêneca *Sobre a Ira*, no qual ele descreve as etapas da paixão da seguinte forma:

1. A *protopaixão*, ou "primeiro movimento" da mente, surge involuntariamente como uma "preparação para a emoção", uma reação automática desencadeada por impressões externas ou sensações corporais, tais como susto em resposta a um ruído repentino e assustador; é tão impossível evitar isso quanto evitar reflexos como piscar quando um dedo é levado em direção a um de nossos olhos, muito embora Sêneca acredite que o trei-

namento constante talvez enfraqueça algumas dessas reações com o passar do tempo.

2. No "segundo movimento", damos "consentimento" à impressão inicial perturbadora fundindo-a com o juízo de valor de que se trata de algo absolutamente "bom" ou "ruim", "útil" ou "prejudicial", do qual se seguem outros julgamentos sobre o que é apropriado fazer ("é apropriado que eu me vingue, pois fui ferido") – normalmente esse "consentimento" voluntário acontece tão habitualmente que mal percebemos sua ocorrência, mas pode ser contrariado suspendendo o julgamento ou concentrando-se em um julgamento oposto, como a imagem do que um Sábio faria na mesma situação.

3. No "terceiro movimento", perdemos o controle, surge a "paixão", que anula a razão, permitindo que sejamos "levados" a desejos e emoções excessivos, irracionais e insalubres, que procuram ter seu caminho a todo custo, mesmo às custas da sabedoria e da virtude.

Um antigo escritor chamado Aulo Gélio conta uma história relacionada em suas *Noites Áticas*, escritas no século 2 a.C. Durante uma viagem tempestuosa no mar, um filósofo estoico anônimo foi visto empalidecendo e ficando nervoso. Uma vez em terra, Gélio perguntou como um estoico, que "supostamente não tem emoções", ficara tão pálido com a tempestade. O estoico se explicou tirando uma cópia de *Diatribes* de Epicteto e lendo uma passagem do quinto livro, hoje perdido. Segundo Gélio, Epicteto diz que, quando um som aterrador nos surpreende, como um trovão ou um edifício em queda, ou quando somos repentinamente confrontados por notícias de algum perigo iminente, até mesmo a mente do Sábio é inevitavelmente perturbada, porque a impressão inicial se força em nossa mente, e o Sábio pode ficar pálido e contrair-se automaticamente por um momento. Isso não se deve ao julgamento de que algo intrinsecamente "ruim" esteja prestes a acontecer, mas por causa de reações muito rápidas, involuntárias e orgânicas.

No entanto, o Sábio não dará seu "consentimento" a essas impressões aterrorizantes, fazendo os correspondentes juízos de valor. Ele as rejeita completamente, julgando que não há motivo para continuar tendo medo. Podemos imaginá-lo dizendo a si mesmo: "Mesmo que eu me sinta pálido, sei que é apenas meu corpo reagindo às ondas agitadas, e não há perigo real para que eu tenha medo". Essa é a diferença principal entre o Sábio e as pessoas comuns. A pessoa tola concorda com suas impressões iniciais de perigo ou dano iminente, "confirmando-as com seu julgamento", e conclui que está certa em se acovardar no medo. O Sábio, ao contrário, é afetado apenas superficial e momentaneamente, mas permanece consistente em seu julgamento filosófico de que as coisas que parecem aterrorizantes são realmente "indiferentes" e não merecem ser temidas. São "terrores vazios", como alguém que usa uma máscara assustadora que pode nos assustar no início, até percebermos que é apenas uma máscara e nada verdadeiramente aterrorizante.

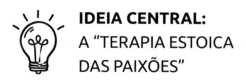 **IDEIA CENTRAL: A "TERAPIA ESTOICA DAS PAIXÕES"**

Os estoicos argumentavam que é impossível imaginar o Sábio ideal sofrendo de distúrbios emocionais por medo irracional ou por desejos nocivos. Ele deve, portanto, ter atingido a *apatheia* ou a liberdade das "paixões" irracionais, embora ainda possa experimentar breves reações emocionais automáticas sem levá-las em frente. Por essa razão, uma espécie de "terapia psicológica das paixões", que Epicteto chamava de "disciplina do desejo e da aversão", é essencial para a prática do estoicismo. Isso tem confundido algumas pessoas, que erroneamente assumem que a terapia psicológica é um conceito completamente moderno. De fato, a prática da filosofia como "medicina" ou terapia para a mente era comum à maioria das antigas escolas de filosofia e estava particularmente associada aos estoicos.

Um bom exemplo é dado pelo antigo gênero de escrita conhecido como "consolação". Eram ensaios retóricos e filosóficos cuidadosamente estruturados, destinados a ajudar o receptor a lidar emocionalmente com um sério "infortúnio", na maioria das vezes o luto. Ofereciam tranquilidade e motivação, mas também estratégias filosófico-terapêuticas, exercícios contemplativos e argumentações persuasivas, destinadas a moderar a angústia emocional. Embora filósofos de diferentes escolas tenham composto essas consolações, elas estão particularmente associadas ao estoicismo e ainda hoje dispomos de vários exemplos de Sêneca. Todavia, a terapia psicológica estoica também foi aplicada em outros contextos:

- Sêneca escreveu muitas cartas para um (possivelmente fictício) estudante de estoicismo chamado Lucílio, para quem ele atua como uma espécie de mentor filosófico pessoal, um pouco como a relação entre um *coach* ou terapeuta moderno e seu cliente.
- Epicteto fazia *Diatribes* a grupos de estudantes, que foram transcritas, e as apresentava oferecendo-lhes conselhos práticos sobre problemas específicos da vida, de uma forma que poderia ser (vagamente) comparada a uma moderna sessão de terapia.
- Marco Aurélio escreveu um diário pessoal registrando seu emprego de exercícios psicológicos estoicos, tais como contemplar sistematicamente as virtudes dos outros ou sua própria mortalidade, o que ficou conhecido como *Meditações*.

Esses são os três principais livros remanescentes dos escritos estoicos, todos provenientes do período tardio, ou "imperial romano", da escola estoica. Eles demonstram as diferentes formas que a terapia estoica poderia assumir.

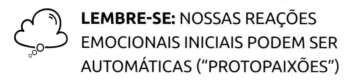 **LEMBRE-SE:** NOSSAS REAÇÕES EMOCIONAIS INICIAIS PODEM SER AUTOMÁTICAS ("PROTOPAIXÕES")

Embora o sábio estoico ideal deva estar livre de "paixões" nocivas, ele pode ocasionalmente experimentar sentimentos perturbadores de maneira automática, tais como ficar alarmado por um barulho repentino e alto. As "paixões" nocivas são baseadas em juízos de valor que estão sob controle voluntário, são sentimentos com os quais nos permitimos concordar ao "consentir" com nossas impressões iniciais.

Em contraste, os estoicos se referem a certos sentimentos automáticos iniciais como "protopaixões" (*propatheiai*), as reações emocionais involuntárias que precedem os medos e desejos patológicos. Os estoicos aceitam esses sentimentos como reações reflexas, pois estão fora de seu controle direto e não são moralmente nem boas nem más em si mesmas. Exemplos incluem choro involuntário, tremor, gagueira, piscar, suar, corar, bocejar ou ser assustado subitamente. Isso se deve mais a estímulos externos ou processos corporais do que ao nosso consentimento voluntário em julgar valor.

Entretanto, podemos controlar o que acontece a seguir, nossa resposta voluntária a essas reações emocionais automáticas iniciais, quer "consintamos" e as acompanhemos ou, em vez disso, nos afastemos delas. O Sábio pode levar um susto, mas não continua a se preocupar com isso, enquanto a maioria das pessoas se deixa "levar" por suas impressões de ansiedade. Os estoicos observavam que a angústia de outros animais corre naturalmente seu curso. Depois de assustados, os animais relaxam gradualmente; depois de uma morte, sua angústia acaba se dissipando. Nossas reações automáticas também desaparecem naturalmente com o tempo, uma vez que as impressões iniciais não estão mais "frescas" na mente, contanto que não perpetuemos nossos sentimentos, pactuando com eles e dando nosso consentimento a juízos incorretos de valor.

LEMBRE-SE: A TOLICE PRECISA DE INÚMERAS COISAS

A maioria das pessoas deseja e teme inúmeras coisas externas na vida. Entretanto, o Sábio deseja apenas uma coisa, a virtude, e ele é precavido em relação a apenas uma coisa, o vício. Ele é o mesmo em todas as circunstâncias porque o que é mais importante está dentro dele, e não em eventos externos, constantemente em mudança. Por exemplo, o Conde de Shaftesbury, um antigo adepto do estoicismo moderno, descreve sentimentos pouco saudáveis de "prazer" ou "euforia", que são impulsivos e perturbadores, insaciáveis e que levam ao remorso e até à repulsa subsequente, e para os quais "mil coisas são necessárias", pois dependem de inúmeras fontes externas. Ele os contrasta com a alegria racional do Sábio, que é serena e gentil, pura e simples, incapaz de excessos, levando ao contentamento e à autonomia, e para a qual "nada é necessário além daquilo que depende de nós mesmos", porque vem da confidência de que se é uma pessoa boa, agindo com virtude (Shaftesbury, 2005, p. 151).

E quanto às paixões "boas" ou "saudáveis"?

É importante enfatizar o papel dos sentimentos joviais e de afeto no estoicismo, pois isso ajuda a retificar a concepção errônea de que o estoicismo é apático. De fato, os antigos estoicos aspiravam substituir as paixões más ou nocivas, como definidas acima, por "boas" ou "saudáveis", naturalmente associadas à sabedoria e à virtude. Diógenes Laércio diz que boas paixões como "alegria" e "felicidade" não são virtudes em si mesmas, mas temporariamente "sobrevêm" como consequências delas. Embora, estritamente falando, apenas o sábio perfeito tenha essas "boas paixões", os estoicos tendem a falar dos que progridem como tendo vislumbres delas. Elas se enquadram apenas em três categorias, porque não existe uma forma voluntária, racional e saudável de dor ou sofrimento emocional:

1. **"Alegria" ou "deleite"** (*chara*) é um sentimento de "euforia" racional (emoção positiva) em relação à virtude, sendo o verdadeiro bem, que é a alternativa ao prazer irracional; a "alegria" saudável pode tomar a forma de deleite, bom ânimo ou paz de espírito (tranquilidade).
2. **"Cautela" ou "discrição"** (*eulabeia*) é um sentimento de aversão racional ao vício como verdadeiramente ruim e prejudicial, sendo essa a alternativa ao medo irracional; a "cautela" saudável pode tomar a forma de um senso de dignidade e autorrespeito ou um senso de pureza e integridade.
3. **"Desejo" ou "vontade"** (*boulêsis*) é o sentimento de desejo racional pela virtude como algo genuinamente bom e benéfico, sendo essa a alternativa ao desejo irracional; o "desejo" saudável pode tomar a forma de afeto, gentileza e benevolência, ou seja, o desejo de que nós mesmos e os demais floresçamos em harmonia com a virtude.

Sêneca explica que a alegria estoica vem da reflexão sobre nossas próprias ações virtuosas, algo que todos nós somos capazes de experimentar, embora em pequenos vislumbres em comparação com a alegria assegurada que se instala dentro do Sábio perfeito (*Carta*, 76). Entretanto, ele enfatiza que, ao contrário dos epicuristas, que fazem dos sentimentos de prazer (e da ausência de dor) o principal bem da vida, os sentimentos de "alegria" não são o motivo dos estoicos para agir de forma virtuosa. Não é garantido que os estoicos a experimentem em todas as circunstâncias, especialmente quando agem prontamente sem oportunidade de reflexão, além de que sentimentos semelhantes podem surgir de outras causas (não virtuosas). De fato, mesmo privado desse sentimento, não hesitará em enfrentar a adversidade com honra, considerando essas ações apropriadas como seu dever e sua própria recompensa.

De fato, os estoicos foram explícitos quanto ao fato de que a virtude deve ser sua própria recompensa, caso contrário, surgem brechas no edifício da moralidade que o tornam vulnerável ao colapso sob pressão. Os bons sentimentos ou "paixões saudáveis" são uma espécie de "bônus", mas não podem ser o motivo principal para a ação, pois não estão totalmente sob nosso controle. Estoicos têm que estar dispostos a agir com coragem e integridade apesar de seus sentimentos, e não por causa deles, mesmo quando medos e desejos os chamam na direção oposta.

Em outras palavras, quando o chamado às armas ressoa, o herói estoico não pode ficar esperando um "caloroso sopro" de emoção positiva para se apressar para a batalha. Embora um sentimento especial de alegria muitas vezes acompanhe o seu percurso, a virtude é sua própria recompensa e a única coisa que vale a pena desejar por seu próprio mérito.

**LEMBRE-SE:
ALEGRIA E TRANQUILIDADE
ESTOICA**

Portanto, os estoicos assumem que a tranquilidade deve ser parte da *eudaimonia*, mas é realmente uma consequência da obtenção da sabedoria e de outras virtudes, e não o objetivo primário em si. Em contraste, Irvine faz da alegria racional e da tranquilidade o objetivo principal de sua versão moderna do estoicismo porque acredita que isso atrairá leitores modernos, afirmando que é "incomum, afinal de contas, que os indivíduos modernos tenham interesse em se tornar mais virtuosos, no sentido antigo da palavra" (Irvine, 2009, p. 42).

Entretanto, os antigos estoicos definiam a virtude como sabedoria prática, algo que é indiscutivelmente ainda tão relevante hoje como era há 2.300 anos. Filosofia significa o "amor à sabedoria", e não o "amor à alegria e à tranquilidade". Alegria e tranquilidade "acompanham automaticamente" a sabedoria e a virtude do Sábio, como disse Musônio Rufo. O risco, em parte, é que as pessoas que prezam sentimentos agradáveis acima da virtude tentem alcançá-los por métodos indolentes, e assim caiam de novo no vício.

Dito de maneira grosseira, sentimentos como alegria e tranquilidade só são verdadeiramente bons e saudáveis na medida em que são consequências da sabedoria prática e da virtude e não resultem de outras causas. Não é realmente coerente com o estoicismo persegui-los por seu próprio mérito, a todo custo ou à custa da sabedoria e da virtude. E se você pudesse de alguma forma ganhar tranquilidade perfeita e duradoura, por exemplo, empanturrando-se de tranquilizantes todos os dias ou fazendo uma lobotomia? Você provavelmente não louvaria isso como uma vida "boa" se outra pessoa o fizesse.

A tranquilidade também é uma espécie de "beco sem saída" como meta, porque não leva a outras coisas boas nem se sustenta como a sabedoria prática o faz. A sabedoria é a capacidade de saber como usar tudo de forma benéfica, podendo inclusive refletir e avaliar a si mesma.

Entretanto, se o objetivo de vida é viver de acordo com a natureza, e de acordo com a virtude, deve estar presente alguma forma de proteção ou terapia para medos e desejos patológicos. O estoicismo, portanto, contém uma terapia psicológica, precursora da moderna TCC; embora o verdadeiro objetivo seja a virtude, a tranquilidade é uma espécie de bônus.

 PONTOS DE ATENÇÃO

Os principais pontos a serem lembrados deste capítulo são:

- A promessa da filosofia, segundo os estoicos, é que, vivendo de acordo com a sabedoria e a virtude, seguindo a Natureza, poderemos alcançar a Felicidade e a realização perfeita (*eudaimonia*).
- Embora *eudaimonia* inclua certos sentimentos, como alegria e tranquilidade, esses não são o objetivo central da prática estoica, mas meramente efeitos colaterais positivos da virtude.
- O sábio estoico experimenta "paixões saudáveis" que estão enraizadas em sua sabedoria prática, tais como alegria, cautela, benevolência e afeto.
- Os antigos estoicos admitiram que as reações emocionais automáticas ("protopaixões"), como gaguejar ou ruborizar, têm que ser aceitas, pois estão além de nosso controle, mas acreditavam que podemos mudar o que acontece a seguir, reter nosso "consentimento" para as impressões iniciais que nos perturbam.

≫≫≫ PRÓXIMO PASSO

Tendo aprendido sobre a Ética Estoica e a teoria das paixões, é hora de começar a olhar com mais detalhes o arsenal de exercícios psicológicos estoicos, começando com a "disciplina do desejo e da aversão", o aspecto da prática estoica mais relacionado ao estudo da Física, que é central para a terapia das paixões.

4.
A disciplina do desejo (aceitação estoica)

Neste capítulo, você aprenderá:

➤ Que a "disciplina do desejo" foi uma forma de terapia para paixões baseada em exercícios psicológicos extraídos da Física Estoica.

➤ Como contemplar o momento presente, e que o estoicismo é essencialmente uma filosofia do "aqui e agora".

➤ Como praticar a atitude de aceitação chamada Amor Fati, ou "amor ao destino", de acordo com a teoria estoica do determinismo causal.

Preocupo-me apenas com o que é meu, o que não está sujeito a impedimentos, o que é por natureza livre. Isso, que é a verdadeira natureza do bem, eu tenho; mas que tudo mais seja como Deus nos concedeu, não faz diferença para mim (Epicteto, *Diatribes*, 4.13).

Tudo o que está de acordo com você está de acordo comigo, ó Mundo! Nada que ocorre na hora certa para você vem cedo ou tarde demais para mim. Tudo o que suas estações produzem, ó Natureza, é fruto para mim. É de você que todas as coisas vêm; todas as coisas estão dentro de você, e todas as coisas se movem em sua direção (Marco Aurélio, *Meditações*, 4.23).

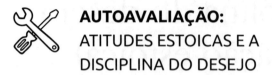

AUTOAVALIAÇÃO: ATITUDES ESTOICAS E A DISCIPLINA DO DESEJO

Antes de ler este capítulo, avalie quão fortemente você concorda com as seguintes declarações, usando a escala de cinco pontos (1-5) abaixo, e então repita sua avaliação uma vez que tenha lido e assimilado o conteúdo.

1. discorda fortemente,
2. discorda,
3. não concorda nem discorda,
4. concorda,
5. concorda fortemente.

1. "Todas as coisas são determinadas por estrita determinação causal, incluindo minhas próprias ações."
2. "Quando fundamentamos nossa atenção no 'aqui e agora', e damos um passo de cada vez, as dificuldades muitas vezes se tornam mais fáceis de suportar."
3. "Em vez de desejarmos que eventos fora de nosso controle aconteçam como desejamos, devemos desejar que aconteçam como eles acontecem."

O que é a disciplina do desejo?

Por que devemos "aceitar" o que quer que nos suceda na vida, e o que os estoicos queriam dizer com isso? Qual é a diferença entre "aceitar" e simplesmente "desistir" e nos resignar passivamente às coisas ruins? Essas questões são tratadas pela primeira das três disciplinas estoicas de Epicteto, a disciplina do desejo (*orexis*) e da aversão (*ekklisis*). Também pode ser descrita como a disciplina ou terapia das "paixões", porque envolve a prevenção ou a cura de desejos nocivos e medos irracionais. Por isso, muitas vezes iremos nos referir a ela como a "disciplina do desejo" ou a "terapia das paixões".

De acordo com Epicteto, o objetivo dessa disciplina não é ser frustrado em nossos desejos nem ceder ao que evitaríamos, nossas aversões, e isso é conseguido aprendendo a acolher nosso destino com equanimidade. Essa atitude filosófica em relação aos acontecimentos está encapsulada em uma das máximas mais marcantes e importantes do *Manual de Epicteto*:

"Não procure que os eventos aconteçam como você deseja, mas deseje que os eventos aconteçam como eles acontecem, e sua vida correrá sem sobressaltos" (*Encheirídion*, 8).

Essa passagem parece ser uma alusão à vida em serenidade "fluida" que Zenão definiu originalmente como o objetivo do estoicismo, que é um dos significados de "viver de acordo com a natureza". A disciplina do desejo está, portanto, particularmente associada à conquista da serenidade, que consiste em superar o sofrimento emocional (*apatheia*).

Hadot também descreve a disciplina do desejo como uma recusa a desejar qualquer outra coisa além do que é determinado pela Natureza do universo, nosso destino (Hadot, 1998, p. 129). Ele a interpreta como a virtude de viver em harmonia com toda a Natureza, por meio da aceitação estoica. Marco Aurélio diz que a disciplina tem a ver com o aconselhamento de Epicteto para abster-se completamente dos desejos e não temer nenhuma das coisas que "não são nosso encargo", ou que não estão sob nosso controle. Parece estar, portanto, certamente relacionado ao famoso lema de Epicteto "suportar e renunciar". Ele quis dizer que o estoico novato deveria começar treinando-se a si mesmo a cada dia:

1. **Suportar** o que teme irracionalmente, ou acha aversivo, com coragem e perseverança.
2. **Renunciar**, ou abster-se daquilo pelo que anseia irracionalmente, por meio da discricionariedade e da autodisciplina.

A maioria das pessoas anseia por prazer sensorial, saúde, riqueza, reputação e outras coisas "indiferentes", que julgam ingenuamente serem intrinsecamente "boas" e necessárias para a Felicidade, e temem e evitam seus opostos: dor física e desconforto, doença, pobreza e escárnio. O desejo de riqueza e o medo da morte são às vezes retratados como as paixões mais importantes a serem superadas. Sêneca coloca isso em linguagem marcante quando diz que a promessa da filosofia é que o brilho do ouro não deslumbrará nossos olhos mais do que o brilho de uma espada, e que assim poderemos "espezinhar com grande coragem o que todos os homens desejam e temem" (*Carta*, 48).

Como vimos, os cínicos adotaram um estilo de vida muito austero, abraçando voluntariamente a pobreza completa e extremas dificuldades físicas. Embora os estoicos achassem isso admirável, talvez até um "atalho para a virtude", consideravam que não era necessário ou apropriado para a maioria das pessoas. Eles também estavam preocupados que algumas práticas cínicas se tornassem problemáticas quando feitas para "espetáculo". Assim, Epicteto aconselha seus alunos a esconderem certos aspectos de seu treinamento, sempre que possível. Além disso, do ponto de vista estoico, não precisamos realmente renunciar a todas as coisas "indiferentes" completamente, contanto que permaneçamos emocionalmente desligados delas.

Epicteto não quer dizer que devemos nos torturar. Antes que, se quisermos viver sabiamente, precisamos fortalecer o autocontrole, nos treinando de maneira razoável de modo a suportar dificuldades e renunciar aos prazeres que são nocivos ou aos quais estamos excessivamente apegados. Entretanto, alguns estoicos, como Sêneca, recomendam que periodicamente pratiquemos viver da maneira mais simples possível e suportar um estilo de vida mais rigoroso, dormir em um colchão de campismo, beber apenas água e comer apenas a comida mais básica, para construir nossa resistência e autocontrole. Ele aconselha seu aluno estoico a passar três a quatro dias por mês vivendo como se estivesse empobrecido, reduzindo as condições para "um verdadeiro colchão de palha, cobertor de soldado e pão duro e áspero" (*Carta*, 18). No mundo antigo, muitas pessoas viviam assim normalmente, e os soldados em campanha talvez tenham passado por condições semelhantes. Se isso ainda soa como autopunição, considere que, para os estoicos modernos, simplesmente fazer exercícios físicos, manter uma dieta saudável ou acampar por uma semana em uma tenda pode proporcionar formas bastante "normais" e "saudáveis" de desenvolver resistência e abstinência.

Epicteto também salienta que essa primeira disciplina é a mais importante para os novos alunos do estoicismo, pois trata das paixões, que causam perturbação quando nos damos conta de ter sofrido um infortúnio porque desejos ou aversões entram em conflito com nosso destino. Não podemos pensar claramente quando estamos sob o domínio de desejos ou emoções violentas, então, é claro, a filosofia prática tem que começar com uma espécie de terapia das paixões, para limpar o terreno para a Ética e, posteriormente, para a Lógica.

Os alunos da escola de Epicteto foram aconselhados a deixar de lado a discussão sobre as outras duas disciplinas até que tivessem avançado com a disciplina do desejo. Como observado anteriormente, isso ecoa a trajetória filosófica de Zenão, que começou como cínico, concentrando-se quase exclusivamente na obtenção do autodomínio. O fato de estarmos incomodados e a vida não correr bem por causa de nossos desejos e emoções perturbadoras é um sinal de alerta de que não compreendemos completamente a doutrina básica da Ética Estoica: que a virtude é o único bem verdadeiro, e que aquilo que não "depende de nós" é, em última análise, indiferente. Enquanto eu tiver a sensação de que as coisas estão indo contra mim, de que estou falhando em obter o que desejo ou de que estou obtendo coisas às quais sou avesso, isso mostra que estou subordinado às minhas paixões e ainda continuo sendo apenas um novato. O Sábio, ao contrário, tem liberdade perfeita porque só deseja o que está dentro de seu controle, e por isso nunca se opõe a ele, e sua vida corre bem.

Hadot chamou o objetivo dessa disciplina preliminar de *"amor fati"*, que significa aceitação de seu destino – uma frase que ele tomou emprestada do filósofo alemão do século 19 Friedrich Nietzsche. Nietzsche escreveu a famosa máxima "Da escola militar da vida – o que não me mata só pode me fortalecer", o que também soa como uma descrição da disciplina estoica do desejo. Viver em harmonia com o próprio destino dessa maneira é deixar de ser afastado da natureza como um todo e tornar-se um verdadeiro "Cidadão do Cosmos".

Alguém que segue a disciplina do desejo e aceita o papel que a vida lhe atribuiu não é mais "um estrangeiro em sua pátria", mas sim "um homem digno do mundo que o criou" (*Meditações*, 12.1). Quer percebamos ou não, estamos todos vivendo as vidas que nos são destinadas, quer de boa vontade, quer com relutância. Zenão ilustrou isso com uma metáfora marcante: o homem sábio é como um cão amarrado a uma carroça, correndo ao seu lado e acompanhando-a com suavidade, enquanto um homem tolo é como um cão que luta contra a trela, mas se vê arrastado ao longo da carroça de qualquer maneira. Sêneca também disse que Zeus é como um general; e a humanidade, seu exército. Devemos seguir sua liderança quer queiramos, quer não, mas "é um péssimo soldado aquele que segue seu comandante resmungando e gemendo" (*Carta*, 108).

Outra metáfora atribuída a Crisipo foi que a vida humana é como o pé de alguém caminhando na lama, presumivelmente descalço ou em sandálias abertas. Se o pé tivesse mente própria e entendesse sua função na vida, então aceitaria de bom grado seu destino, mergulhando-se voluntariamente de novo e de novo em direção ao chão lamacento, suavemente e sem hesitação. Finalmente, o famoso Hino a Zeus, escrito por Cleantes, dizia: "Os dispostos são levados pelo destino, os relutantes são arrastados". Epicteto encorajou seus alunos a contemplar regularmente as palavras dessa oração. Entretanto, como o jornalista e autor Oliver Burkeman observa em sua discussão sobre a relevância do estoicismo para a vida moderna, essa aceitação filosófica não significa resignação passiva, e não se esperaria de um estoico que se encontra em uma relação abusiva que a tolere, mas que tome medidas para deixá-la.

Mais tarde aprenderemos mais sobre a disciplina estoica de ação, mas, em poucas palavras, os estoicos naturalmente "prefeririam" deixar as situações abusivas e tomar as medidas apropriadas para se protegerem, porque seu futuro é incerto. No entanto, uma vez ocorrido o abuso, a sabedoria consistiria em aceitar os fatos, a realidade da situação, sem desejar morbidamente que as coisas pudessem ser diferentes, porque não podemos mudar o passado.

Como veremos, a "disciplina do desejo", ou "terapia das paixões", está intimamente relacionada à Física Estoica. A princípio, isso pode parecer estranho, mas há muitos exemplos de exercícios contemplativos na literatura estoica que aparentemente se baseiam na filosofia natural e na teologia e ainda desempenham um papel importante na formação de nossos desejos e aversões. No relato de Hadot, a disciplina do desejo abrange, portanto, vários exercícios psicológicos importantes relacionados à Física Estoica:

1. A concentração da atenção no "aqui e agora" como o *locus* do nosso controle e, portanto, do bem supremo.
2. "Definição física" de eventos externos e o "método de divisão" ou análise em elementos.
3. Aceitar eventos como determinados pela necessidade causal ou destino ou, alternativamente, recebê-los com alegria racional como sendo a Vontade de Deus.
4. "A visão de cima" e as meditações cosmológicas relacionadas.
5. Contemplação da homogeneidade ("uniformidade") e impermanência de todas as coisas externas.
6. Possivelmente também a contemplação da "recorrência eterna" de todas as coisas, como é encontrado em Nietzsche.

Voltaremos a alguns desses exercícios mais tarde porque eles se referem a exercícios cosmológicos mais complexos. Entretanto, neste capítulo, focaremos as principais práticas estoicas de contemplar o "aqui e agora" e praticar o *amor fati*, aceitando de bom grado o destino, como se determinado pela necessidade causal.

 ESTUDO DE CASO: NAUFRÁGIO DO ZENÃO

Zenão, o fundador do estoicismo, era um comerciante fenício do porto de Cítio, no Chipre. Quando ele tinha trinta anos, assim conta a história, estava viajando da Fenícia para o porto grego de Pireu com uma carga de corante púrpura (*porphura*) altamente valiosa, feita do caramujo marinho do gênero murex, quando naufragou e perdeu toda a sua fortuna. Ele acabou em Atenas, onde se tornou um seguidor do famoso cínico Crates e passou os vinte anos seguintes estudando com alguns dos principais filósofos da época. Em vez de considerar sua perda como uma catástrofe, portanto, nos dizem que ele afirmou: "É bem feito de você, Fortuna, assim me levar à filosofia", e até brincou: "Tive uma boa viagem desta vez, agora que estou naufragado" (*Vidas*, 7.4-5). Para os estoicos, a sabedoria moral do tipo procurada por Sócrates e Zenão não tem preço, e é incomparavelmente mais valiosa do que até mesmo a maior fortuna.

Alguns autores antigos contestam esse fato, mas quer seja historicamente correto ou não, o que importa é talvez o exemplo de um absoluto "amor à sabedoria" e a correspondente atitude de indiferença filosófica à perda ou "desgraça" externa. Os cínicos viviam um pouco como mendigos, então é possível que, tendo perdido uma fortuna no mar, Zenão tenha achado natural adotar sua vida simples, desprovido de quaisquer bens, exceto um bastão, um manto e uma mochila para comida. Como os cínicos costumavam dizer, a pobreza pode ser um melhor professor de filosofia do que livros ou palestras.

Daí em diante, a metáfora de um navio em mares agitados passou a ser amplamente empregada na literatura estoica para simbolizar o desafio de enfrentar a adversidade na vida. Por exemplo, aludindo a um naufrágio aparentemente ruinoso como o sofrido por Zenão, Epicteto diz a seus alunos que eles deveriam se treinar para responder a impressões como "Seu navio está perdido" simplesmente declarando os fatos "Meu navio está perdido", sem acrescentar nenhum juízo de valor ou reclamar. Mesmo que as metafóricas "ondas" da fortuna possam varrer nosso corpo e todos os nossos bens, nunca poderão superar e arruinar a faculdade governante de nossa mente, a sede da sabedoria e da virtude, a menos que permitamos que o façam.

IDEIA CENTRAL:
LIVRE-ARBÍTRIO E DETERMINISMO (COMPATIBILISMO)

Cícero diz que os estoicos não queriam dizer nada remotamente supersticioso pelo termo "destino", mas sim o conceito filosófico da Natureza ou "Física". O "destino" estoico é basicamente a sequência ou cadeia de causalidade que produz tudo no universo: "nada já aconteceu que não fosse acontecer e, da mesma forma, nada vai acontecer sem que a Natureza não contenha causas que trabalhem para que isso mesmo aconteça" (*Sobre Divinação*, 1.125-6). Na verdade, os estoicos eram filósofos "compatibilistas" que acreditavam que todos os eventos na vida são rigidamente determinados por uma "cadeia de causas", remontando ao início do universo, mas que isso não é mutuamente exclusivo com os fatores da liberdade humana.

Isso pode parecer intrigante para muitas pessoas, mas ainda hoje é uma posição filosófica influente porque se argumenta que a suposição popular de que o livre-arbítrio e o determinismo são incompatíveis é baseada em um mal-entendido de palavras. Quando falamos de alguém ter "liberdade" na vida cotidiana, normalmente queremos dizer apenas que nada o impede de agir de acordo com os próprios desejos. Não há inconsistência lógica entre essa noção básica de "liberdade" e a noção de que nosso próprio caráter e nossos desejos são o produto de causas anteriores, com base na suposição de que todas as coisas na vida são determinadas por uma estrita necessidade causal.

É apenas quando vamos mais longe e tentamos afirmar que devemos ser não apenas "livres para" agir, mas também "livres de" causas anteriores, que introduzimos a problemática e a incoerente noção de livre-arbítrio metafísico, algo que os estoicos rejeitariam. O tipo de "liberdade" com que os estoicos se preocupavam é o tipo que vem da disciplina prática, ou do desenvolvimento de resistência e comedimento suficientes para vencermos o domínio por nossas paixões irracionais.

 FAÇA AGORA:
MERGULHE NO "AQUI E AGORA"

Mais tarde, veremos outros exercícios que trabalham com "atenção plena" e atenção ao "aqui e agora" em maior profundidade. No entanto, por enquanto, basta começar a experimentar dando maior atenção ao momento presente das seguintes maneiras:

- Ao longo do dia, pratique focar sua atenção no momento presente, em vez de deixá-la vagar em devaneios, relembrar o passado ou se preocupar com o futuro.
- Se você tiver que pensar em outra coisa, tudo bem, mas tente manter um olho no momento presente, notando como você está usando o corpo e a mente – tente estar ciente de cada segundo que passa.
- Se ajudar, imagine que você está vendo o mundo pela primeira vez, ou que este é seu último dia de vida, e concentre a atenção em como você realmente pensa e age de momento em momento.
- Lembre-se de que o passado e o futuro são "indiferentes" para você, e que o bem supremo, *eudaimonia*, só pode existir dentro de você agora mesmo, no momento presente.

Comece fazendo o esforço de passar mais do seu dia consciente do "aqui e agora", particularmente de seus pensamentos e suas ações. Avalie esse processo. Quais são os "prós e contras" de fazer isso? Como você poderia aproveitar ao máximo as vantagens e tolerar qualquer desvantagem percebida?

LEMBRE-SE:
O "ARGUMENTO PREGUIÇOSO"

A maioria das pessoas responde à teoria estoica do determinismo – a ideia de que absolutamente tudo na vida necessariamente acontece como acontece – dizendo: "De que adianta fazer qualquer coisa, então, se tudo está decidido?". Crisipo descartou isso como uma falácia lógica grosseira chamada "O Argumento Preguiçoso" (*argos logos*), porque justifica ser preguiçoso e, sem dúvida, implica na própria preguiça. Os eventos não estão determinados a acontecer de determinada maneira independentemente do que se faz, mas sim em conjunto com o que se faz. Seus próprios pensamentos e ações são necessários como parte de toda a "cadeia de causas" que forma o universo. O resultado dos eventos ainda depende muitas vezes de suas ações.

As coisas só são "fadadas" como consequência das causas que as precedem, da mesma forma que um fósforo seria obrigado a se acender quando você o risca se nada impedir que isso aconteça. Os estoicos entendem que o destino funciona "por meio" de nós, de modo que, ainda que existam coisas na vida que pareçam exigir um grande esforço de nossa parte para alcançar, quer façamos ou não, o esforço está ligado ao resultado. Você está lendo estas palavras, de acordo com os estoicos, porque a necessidade causal o levou a esse ponto específico.

O que acontece depois dependerá, em parte, do que você escolher fazer a seguir, porque você é uma engrenagem minúscula, mas essencial, na vasta maquinaria do universo. Entretanto, suas próprias escolhas são as consequências de uma enorme cadeia de causalidade, posta em movimento inúmeros bilhões de anos antes mesmo de você nascer, no início do universo.

Contemplando o "aqui e agora"

Na sua análise acadêmica das *Meditações*, Hadot refere-se a uma cena do conhecido filme *Sociedade dos Poetas Mortos* (1989). O personagem de Robin Williams, professor de literatura inglesa, faz seus alunos observarem de perto uma fotografia antiga mostrando um grupo de antigos alunos da escola, há muito falecidos (Hadot, 1998, p. 171). Ele pede a um deles que leia em voz alta o poema "To the Virgins, to Make Much of Time" (1648), de Robert Herrick, que foi inspirado pelo tema filosófico da impermanência e da mortalidade na poesia romana antiga:

Recolhei os botões de rosa enquanto podeis,
o Velho Tempo ainda está a voar;
E esta mesma flor que hoje sorri
amanhã estará a morrer.

Ele compara isso com o ditado *Carpe diem* ("Aproveite o dia!"), uma citação do poeta romano Horácio, que se baseou tanto no estoicismo quanto no epicurismo. A contemplação das gerações falecidas e a transitoriedade da própria vida foi uma estratégia psicológica comumente utilizada pelos filósofos e poetas helenistas para nos encorajar a valorizar o momento presente, ou o "aqui e agora".

Essa ênfase no "aqui e agora" foi um importante exercício psicológico no estoicismo, particularmente nas *Meditações* de Marco Aurélio. Relaciona-se com as três disciplinas estoicas, uma vez que apenas os nossos julgamentos, desejos e ações estão verdadeiramente "ao nosso encargo" em qualquer momento.

Tudo, exceto a sua própria atividade, é indiferente à faculdade de pensamento. Tudo o que é a sua própria atividade, porém, está ao seu alcance. Além disso, mesmo entre essas últimas atividades, a faculdade de pensamento preocupa-se apenas com o presente; pois mesmo as suas atividades passadas ou futuras são agora indiferentes a ela (*Meditações*, 6.32).

Contudo, o conceito do "aqui e agora" parece estar especialmente ligado à Física Estoica e à nossa relação com a Natureza. Hadot nota particularmente dois benefícios que decorrem do foco estoico no momento presente:

1. As dificuldades se tornam mais suportáveis, sendo reduzidas a uma sucessão de momentos fugazes, facilitando a aceitação de nosso destino.
2. Maior atenção é trazida à qualidade (virtuosa ou viciosa) de nossas próprias ações atuais (Hadot, 1998, p. 132).

Marco Aurélio descreve explicitamente esse primeiro método, dizendo: "Lembre-se de que não é o futuro nem o passado que pesa sobre você, mas sempre o presente, e esse presente lhe parecerá menor se você o circunscrever definindo-o e isolando-o" (*Meditações*, 8.36). Isso é um pouco como dizer: "Eu só preciso passar por este momento uma vez". Ao nos concentrarmos no que nos é presente em vez de nos preocuparmos com o futuro, podemos dar um passo de cada vez e superar obstáculos que de outra forma poderiam parecer esmagadores.

A estratégia estoica de ver o momento presente isoladamente, dessa forma, parece estar intimamente relacionada a outra técnica, que Hadot chamou de "definição física". Isso envolve cultivar o desapego sereno de um filósofo ou cientista natural. Devemos praticar a descrição de um objeto ou evento puramente em termos de suas qualidades objetivas, despojados de qualquer retórica emotiva ou juízos de valor, para chegar a uma "representação objetiva" (*phantasia kataléptikê*). (Discutimos isso em outro lugar, no tópico "disciplina de juízo".) Contudo, especialmente nos escritos de Marco Aurélio, isso também pode envolver uma espécie de "método de divisão", no qual o evento se decompõe por meio da análise, serenamente dissecado em seus componentes ou aspectos individuais.

Esse é um aspecto fundamental de evolução da Física Estoica, ou "filosofia natural", em um exercício psicológico ou terapêutico. Por exemplo, Marco observa que, se dissecarmos uma dança sedutora ou uma peça musical em seus componentes individuais, nesse espírito de análise objetiva, ela perde seu poder de encantar a mente. Quando nos vemos sobrecarregados por preocupações, devemos, da mesma forma, abordar aspectos individuais dos eventos, um de cada vez, visualizando-os de forma objetiva. De fato, devemos nos concentrar imediatamente nas partes de qualquer processo, exceto a virtude e outros bens, e dividi-las até chegarmos ao ponto em que possamos olhar as coisas de forma desprendida.

O segundo benefício de fundamentar a atenção no momento presente é que ela intensifica a experiência de autoconsciência. Caso contrário, tendemos a nos deixar levar por nossos pensamentos sobre o passado ou o futuro e perder o contato com o momento presente. Sêneca descreve isso em uma passagem extraordinária na qual observa astutamente que a maior parte do sofrimento humano está relacionada à ruminação sobre o passado ou à preocupação com o futuro, e que ninguém confina sua preocupação ao momento presente.

"Bestas selvagens fogem dos perigos quando os encontram. Uma vez que escapam, estão livres da ansiedade. Mas nós somos atormentados tanto pelo futuro quanto pelo passado" (*Carta*, 5).

Entretanto, para os estoicos, o bem só pode existir no "aqui e agora", porque é aí que nossas ações voluntárias se originam. No entanto, tudo na vida conspira para fazer nossos pensamentos divagarem a partir de sua própria origem. Quanto mais isso acontece, menos atentos e mais descuidados nos tornamos. A maioria das pessoas tenta buscar a Felicidade de uma forma circular, por meio de coisas externas que esperam obter no futuro. Em contraste, os estoicos tentam concentrar a atenção em se tornar bons agora, no momento presente, porque esse é o caminho direto e único para a *eudaimonia*. Baseando nossa atenção no "aqui e agora", não distraídos pelo passado ou futuro, podemos enfrentar adequadamente o desafio de aceitar coisas "indiferentes" com equanimidade, enquanto cultivamos sabedoria e justiça em nossas ações. A terapia estoica das paixões requer, portanto, atenção contínua e intensa à nossa experiência de momento a momento.

IDEIA CENTRAL:
O "AQUI E AGORA"

O estoicismo antigo era muito claramente uma filosofia do "aqui e agora", embora muitas pessoas hoje associem mais essa noção às filosofias orientais, particularmente ao budismo. De fato, a expressão inglesa moderna "aqui e agora" vem na verdade de uma figura de linguagem comum em latim: *hic et nunc*[11]. O exercício de viver centrado no momento presente é enfatizado nas *Meditações* de Marco Aurélio. Para os estoicos, o passado e o futuro são "indiferentes", porque não estão sob nosso controle; o "bem" e o "mal" só podem residir verdadeiramente no momento presente. Os seres humanos superam outros animais em sua capacidade, por meio da linguagem e da razão, de lembrar o passado ou planejar o

---

11. Em inglês, "here and now", e a base latina: "hic et nunc" (Aqui e Agora). (N.T.)

futuro. Entretanto, isso nos leva a negligenciar a razão de nossa disposição no momento presente, em que a virtude se origina potencialmente.

Os estoicos, portanto, treinam-se para focalizar a atenção no momento presente, muitas vezes lembrando que potencialmente podem morrer no dia seguinte e devem, portanto, "aproveitar o dia" e procurar florescer e alcançar a Felicidade no "aqui e agora". Em outras palavras, a coisa mais importante do universo está situada dentro de você, bem aqui no momento presente.

 FAÇA AGORA:
DIVIDIR E CONQUISTAR

Tente usar este exercício com várias situações diferentes para ver se você pode alterar sua resposta emocional, dissecando as coisas em suas partes componentes, dividindo sua experiência e vendo-a de uma maneira mais distante.

1. Feche os olhos e passe alguns minutos imaginando uma situação recente, na qual você sentiu fortes anseios ou emoções, que você julga que seria racional e saudável alterar.
2. Tome tempo para descrever os eventos para si mesmo verbalmente, sem nenhum juízo de valor, inferências ou linguagem emotiva; em vez disso, imagine que você é como um cientista fazendo anotações sobre o que pode observar sobre a situação a partir de uma perspectiva distanciada e imparcial.
3. Divida a situação em suas partes componentes e tente pensar nelas uma a uma, separadamente umas das outras, dividindo as coisas em seus elementos individuais; por exemplo, o cheiro de alguns alimentos, os diferentes ingredientes no prato, as cores etc.

4. Considere cada um desses elementos por sua vez, independentemente dos outros, e pergunte-se em resposta a cada um deles: "Isso realmente justifica esses sentimentos?".
5. Concentre-se em aceitar cada elemento como "indiferente", completamente irrelevante no que diz respeito à *eudaimonia*.

Se os componentes individuais de uma situação, tomados um de cada vez, independentemente um do outro, são suportáveis, então por que você deveria ser dominado por eles tomados em conjunto? Continue a praticar a análise das coisas dessa maneira, decompondo-as ainda mais, se necessário, até que se torne mais familiar e habitual fazê-lo.

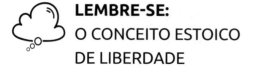

LEMBRE-SE: O CONCEITO ESTOICO DE LIBERDADE

Foi um famoso "paradoxo" estoico acreditar que o Sábio é absolutamente livre, mesmo quando preso ou exilado por um poderoso tirano. Isso era frequentemente posto à prova porque os antigos filósofos eram frequentemente aprisionados, exilados ou mesmo executados! A liberdade do homem verdadeiramente sábio consiste em seguir a própria natureza racional, fazendo o que está dentro de seu controle, de acordo com a sabedoria e a virtude. Sua mente é como um fogo ardente, que consome qualquer coisa lançada nela. Cada obstáculo às suas ações torna-se apenas uma oportunidade para ele demonstrar a magnanimidade e as outras virtudes. Ele simplesmente vive sabiamente, adaptando-se aos acontecimentos de maneira harmônica com a razão, e nada pode impedi-lo disso. O que se coloca no caminho se torna o caminho. Apenas mais uma oportunidade de exercer a virtude, que é tudo o que ele de fato tem vontade de fazer na vida.

De acordo com os estoicos, um homem é livre se seus desejos não forem frustrados. Entretanto, se desejarmos apenas o que está sob nosso controle, então nunca poderemos ser frustrados, e nossa liberdade está garantida, independentemente das circunstâncias. Em contraste, se desejamos coisas que estão potencialmente fora de nosso controle, então nos tornamos escravos da fortuna e de nossas paixões. Talvez pior, se outra pessoa controla o que desejamos, então nos tornamos efetivamente escravos dessa pessoa. Os estoicos costumavam comentar exemplos de homens sábios desafiando os tiranos. A maioria das pessoas pode ser controlada por tiranos que podem ser capazes de ameaçar suas vidas ou confiscar suas propriedades, aquilo que elas desejam manter. Entretanto, o sábio perfeito as vê como "indiferentes", e assim o tirano não pode tomar nada que o sábio deseje, nem o expor a nada que ele receie.

Amar seu destino e a aceitação jovial

Epicteto descreve para seus alunos um processo em três etapas, que se relaciona com a disciplina do desejo. Ele começa enfatizando a necessidade de os estoicos se treinarem rigorosamente para aderir a seus princípios, tendo certas frases constantemente prontas para qualquer situação. Estas devem ser escritas, lidas, analisadas e discutidas até que tenham sido memorizadas e compreendidas. Devemos então nos preparar para todas as catástrofes possíveis que podem ocorrer na vida, coisas que a maioria das pessoas teme, e nos antecipar a elas.

Então, se uma dessas coisas chamadas "indesejáveis" acontecer, imediatamente o pensamento de que não era inesperado será a primeira coisa a aliviar o sofrimento. Pois em todos os casos é uma grande ajuda poder dizer: "Eu sabia que o meu filho, que eu tinha gerado, era mortal". [Um famoso ditado, atribuído a vários sábios], pois é isso que você dirá, e da mesma forma, "eu sabia que eu era mortal", "eu sabia que era vulnerável ao exílio", "eu sabia que poderia ser enviado para a prisão" (*Diatribes*, 3.24).

Discutimos a importância que os estoicos dão à antecipação dessas coisas no capítulo sobre "premeditação da adversidade", mas por enquanto vamos considerar o que Epicteto recomenda a seus alunos quando o evento previsto realmente acontece. São três as etapas recomendadas:

1. Diga a si mesmo que você já antecipou que esse infortúnio específico poderia acontecer com você, por exemplo: "Eu sabia que meu filho era mortal".
2. Lembre a si mesmo que o que não é seu encargo é, portanto, "indiferente" no que diz respeito à *eudaimonia*, por exemplo: "Isto é externo, portanto, não me prejudica verdadeiramente".
3. Epicteto diz que o terceiro passo é o "mais determinante": diga a si mesmo que, portanto, isso lhe foi enviado como destino pela Natureza ou pela vontade de Deus e determinado pela cadeia de causas que constitui o todo, ou então: "Se esta é a vontade da Natureza, assim seja".

A disciplina do desejo culmina em nossa aceitação voluntária dos acontecimentos como sendo determinados por toda a Natureza, quer a maioria os julgue "bons" ou "maus".

Os estoicos sem dúvida enfatizam o objetivo de cultivar a "indiferença às coisas indiferentes" e, no entanto, também falam em acolher todos os eventos externos com devoção ou mesmo alegria – o que parece uma contradição intrigante. Hadot explica isso da seguinte forma:

> Como tal evento [externo] não depende de mim, em si mesmo é indiferente, e, portanto, podemos esperar que os estoicos o recebam com indiferença. Indiferença, porém, não significa insensibilidade. Pelo con-

trário: como tal evento é a expressão do amor que o Todo tem por si mesmo, e como é útil e querido pelo Todo, nós também devemos desejá-lo e amá-lo. Dessa forma, minha vontade se identificará com a vontade divina que quis que esse evento acontecesse. Ser indiferente às coisas indiferentes – ou seja, às coisas que não dependem de mim – significa na verdade não as diferenciar: significa amá-las igualmente, assim como a Natureza ou o Todo as produz com igual amor (Hadot, 1998, p. 142).

Marco fala da necessidade de "encontrar satisfação" nos eventos externos que nos acontecem, que devemos "recebê-los com alegria", "aceitá-los com prazer", "amá-los" e "querer" que aconteçam como determinado pelo nosso destino. Hadot compara isso ao conceito de *amor fati* de Nietzsche, que significa "amor ao destino".

> Minha fórmula para o que é grande na humanidade é *Amor Fati*: não desejar outra coisa que não seja aquilo que acontece; seja passado, futuro ou por toda a eternidade. Não apenas aturar o inevitável – muito menos escondê-lo de si mesmo, pois todo idealismo é mentir para si mesmo diante do necessário –, mas amá-lo (Nietzsche, *Ecce Homo*, 10).

Nietzsche descreve essa atitude como estreitamente relacionada a algo parecido com outro exercício baseado na Física Estoica, a contemplação do Todo ou a "visão de cima":

> Tudo o que é necessário, quando visto de cima e da perspectiva da vasta economia do todo, é, em si mesmo, igualmente útil. Devemos não apenas aturá-lo, mas amá-lo. [...] *Amor Fati*: essa é a minha natureza mais íntima (*Nietzsche contra Wagner*, Epílogo).

Em outro trecho, Nietzsche disse que, ao nos satisfazermos completamente com qualquer coisa, mesmo que seja por um instante, dizemos "sim" a toda a existência e a nós mesmos, aceitamos e afirmamos toda a eternidade em uma única ação atemporal. Isso talvez se assemelhe a um comentário crítico atribuído a Crisipo: "Se alguém tem sabedoria por um instante, não será menos feliz do que aquele que a tem por toda a eternidade" (em Plutarco, *Sobre as concepções comuns*, 8.1062a).

**IDEIA CENTRAL:
O *AMOR FATI*
DE NIETZSCHE**

Pierre Hadot toma emprestado o termo latino *amor fati*, que significa amor ao próprio destino, do filósofo alemão do século 19 Friedrich Nietzsche. Nietzsche era professor de filologia clássica, o estudo da linguagem, e provavelmente ele mesmo cunhou essa expressão. Embora os estoicos não pareçam ter usado a frase, Hadot sentiu que ela captou extremamente bem sua atitude filosófica em relação à vida.

É claro que a filosofia de Nietzsche não é a mesma do estoicismo, embora mencionemos algumas outras semelhanças no devido tempo. O conceito de *amor fati* encapsula a atitude estoica de aceitação fundamental para a disciplina do desejo. O Sábio tem um senso natural de "piedade" ou reverência em relação ao universo como um todo e, embora faça o que julga apropriado em qualquer situação, às vezes exigindo grande coragem ou autodisciplina, aceita qualquer resultado com completa equanimidade. Parece absurdo dizer que o Sábio aceitaria alegremente até mesmo a morte do filho. Entretanto, provavelmente seria mais correto dizer que ele experimenta uma espécie de aceitação jovial da vida como um todo, mesmo que isso inclua eventos individuais que a maioria das pessoas julgaria como "ruins" ou mesmo "catastróficos".

 FAÇA AGORA:
EXERCÍCIOS DE ACEITAÇÃO ESTOICA

Tire alguns minutos para tentar praticar a aceitação radical, desejando que as coisas sejam como realmente são, e não como você gostaria que fossem. Pode ser bem racional e saudável preferir que as coisas sejam de certa maneira no futuro, se o destino permitir.

Entretanto, você não pode mudar o passado distante ou mesmo o que acabou de acontecer. Você só pode tentar influenciar o futuro, num grau incerto, mudando pensamentos e ações atuais. Portanto, concentre-se em aceitar que o passado não pode mais ser mudado e que o futuro pode não ser como você gostaria. Pratique os seguintes experimentos de pensamento:

1. Imagine que o universo foi projetado para lhe apresentar desafios de tempos em tempos, quiçá uma forma de terapia prescrita por Zeus, para que você possa progredir rumo à Felicidade, aceitando-os e respondendo adequadamente, de acordo com a virtude.
2. Da mesma forma, imagine que você escolheu e criou sem consciência seu próprio destino, em sua totalidade, para ajudar a si mesmo a aprender e crescer como indivíduo.
3. Contemple a ideia de que os acontecimentos, e sua resposta a eles, não poderiam ter sido de outra forma, mas foram estritamente determinados pelas leis da Natureza a serem exatamente como foram; como dizem os estoicos, não temos pena da inca-

pacidade de falar dos bebês porque a vemos como natural. De igual modo, não vale a pena se aborrecer mais com o infortúnio, exigido pelo destino, do que se aborrecer por não ter asas como um pássaro.

4. Diga a si mesmo que nada na vida importa, em última análise, exceto sua resposta voluntária aos acontecimentos, que por definição você pode escolher a qualquer momento; aceite tudo o mais, tudo o que é corpóreo ou externo, como "indiferente", absolutamente trivial, em comparação com sua capacidade de elevar-se acima deles "magnanimamente", algo que começa com essa mesma atitude de aceitação em si.

Tente encontrar outras maneiras de se ajudar a desenvolver uma atitude de aceitação filosófica e pratique-a regularmente ao longo do dia.

**LEMBRE-SE:
ACEITAÇÃO NÃO
É RESIGNAÇÃO**

A maioria das pessoas confunde aceitação com resignação. Os antigos estoicos não eram de modo algum "capachos". Seu modelo mítico foi Hércules, que superou os "Doze Trabalhos" com lendária coragem e perseverança. Perseu, o rei antígono da Macedônia seguidor e aluno favorito de Zenão, era um dos líderes militares mais poderosos da época e deu a vida defendendo seu reinado. Catão tornou-se um herói romano, particularmente para os últimos estoicos, depois de marchar pelos restos devastados do exército republicano através dos desertos da África para fazer sua última resistência em Útica contra as legiões do tirano Júlio César. O imperador Marco Aurélio foi indiscutivelmente o líder militar e político mais poderoso de sua época e conduziu seus exércitos em batalha reiteradamente para proteger Roma de incursões bárbaras. A literatura estoica está repleta de referências a outros homens heroicos de ação. Na verdade, os estoicos estão empenhados em tomar "ações apropriadas" no mundo, como veremos quando viermos a discutir a "disciplina da ação".

 PONTOS DE ATENÇÃO

Os principais pontos a serem lembrados deste capítulo são:

- A disciplina do desejo e da aversão está particularmente relacionada à terapia estoica das paixões e à aceitação das coisas fora de nosso controle como nosso destino e parte da Natureza como um todo.
- A contemplação do "aqui e agora" é parte integrante da prática estoica, particularmente em relação à disciplina do desejo.
- *Amor fati*, ou a aceitação voluntária e até alegre de seu destino, também é um elemento fundamental na prática estoica.

PRÓXIMO PASSO

Tendo discutido as "paixões" irracionais, no próximo capítulo veremos com mais detalhes as atitudes estoicas em relação a sentimentos salutares de amor e amizade. A dimensão social do estoicismo foi mencionada por Epicteto para explicar por que os estoicos não são simplesmente duros ou insensíveis como pedra ou ferro, alegando que se baseou no conceito fundamental de "afeto natural", a base da filantropia estoica.

5.

Amor, amizade e o Sábio ideal

Neste capítulo, você aprenderá:

➤ Que o estilo de vida estoico não é desprovido de emoção e como os estoicos procuraram cultivar "afeto natural" e amizade com o restante da humanidade.

➤ Que os estoicos definem a verdadeira beleza como algo que reside em nosso caráter, e não em nossa aparência externa.

➤ Como os estoicos contemplam o hipotético ideal Sábio, e as "virtudes" de figuras exemplares, a fim de emular suas atitudes e conduta.

Nenhuma escola tem mais bondade e gentileza; nenhuma tem mais amor pelo ser humano, nem mais atenção ao bem comum. O objetivo que ela nos atribui é ser útil, ajudar os outros e cuidar não só de nós mesmos, mas de todos em geral e de cada um em particular (Sêneca, *Da Clemência*, 3.3).

E se você encontrar um homem que nunca se assusta com perigos, nunca é afetado por medos, é feliz na adversidade, calmo no meio da tempestade, vendo a humanidade de um nível superior, e os deuses do seu próprio nível, não é provável que um sentimento de veneração por ele venha a encontrar o seu caminho? (Sêneca, *Carta*, 41).

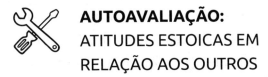

AUTOAVALIAÇÃO: ATITUDES ESTOICAS EM RELAÇÃO AOS OUTROS

Antes de ler este capítulo, avalie quão fortemente você concorda com as seguintes declarações, usando a escala de cinco pontos (1-5) abaixo, e então repita sua avaliação uma vez que tenha lido e assimilado o conteúdo.

1. discorda fortemente,
2. discorda,
3. não concorda nem discorda,
4. concorda,
5. concorda fortemente.

1. "O que torna uma pessoa verdadeiramente bela é o caráter, e não a aparência física."
2. "Para verdadeiramente amar alguém, é preciso aceitar plenamente que pode perdê-lo um dia."
3. "É importante contemplar o que uma pessoa perfeitamente sábia faria e no que acreditaria ao enfrentar diferentes problemas na vida."

O estoicismo e a filosofia do amor

A opinião popular sobre os antigos estoicos é que eles aspiravam a ser friamente racionais, como um robô, ou "Dr. Spock" da série *Jornada nas Estrelas*. No entanto, e se isso se revelasse um conceito errado? E se a superação de nossas "paixões" irracionais e nocivas implicasse o desenvolvimento de emoções racionais e saudáveis em seu lugar? A Ética Estoica foi baseada na experiência natural do "afeto familiar" que os seres humanos e outros animais sentem pelos próprios descendentes. Podemos até abordá-la a partir dessa perspectiva, como proporcionando, em alguns aspectos, uma filosofia de amor, afeto natural e amizade.

Como vimos, a palavra "filosofia" (*philosophia*) significa "amor à sabedoria", e os estoicos tomaram essa expressão literalmente. Filosofia pode ser traduzida como "amor", "afeto" ou "amizade" – é disso que se trata este capítulo. À medida que nós, seres humanos, amadurecemos, naturalmente desenvolvemos maior afinidade com nossa própria natureza racional. Procuramos preservar o caráter, e não apenas a vida, e florescer tanto mental quanto fisicamente. Esse processo é deixado incompleto pela Natureza, e por isso o objetivo da vida é terminar o trabalho deliberadamente, progredindo em direção à perfeita sabedoria e virtude do Sábio Estoico ideal.

Os estoicos se referem a essa excelência e florescimento como aquilo que é verdadeiramente belo e amável. Zenão disse em sua *República* que somente aqueles que têm sabedoria e outras virtudes podem ser considerados verdadeiros cidadãos, amigos, parentes e homens livres, e que aqueles que não têm sabedoria estão condenados a ser "hostis, inimigos e estranhos entre si e escravos uns dos outros: pais e filhos, entre irmãos, entre familiares" (Laércio, *Vidas*, 7.32-33).

Entretanto, os aspirantes a estoicos, apesar de sua tolice e imperfeição, pretendem inequivocamente amar a virtude como o bem supremo na vida. Além disso, quando encontramos pessoas que têm virtude, como diz Cícero, nosso "afeto natural" é despertado pela "luz brilhante da bondade e da excelência" em seu caráter. Mesmo que nunca os tenhamos encontrado pessoalmente e só tenhamos ouvido falar deles em histórias, somos atraídos pelos sábios e bons, e fazemos progresso moral imitando seu exemplo.

Para os estoicos, os únicos seres perfeitamente virtuosos são Zeus e o Sábio ideal. No entanto, embora a maioria das pessoas não satisfaça, estritamente falando, os exigentes critérios estoicos para a virtude, pode oferecer vislumbres de virtude. Os estoicos, particularmente os do período imperial romano, acreditavam claramente que podemos aprender ao contemplar exemplos de "virtude" em pessoas comuns, mesmo em nossos inimigos ou filósofos de escolas opostas. O afeto natural, portanto, estende-se a toda a humanidade, mesmo aos tolos e perversos, porque temos a razão em comum e as "sementes da virtude". Os estoicos, portanto, desejam que todos os seres humanos floresçam, se iluminem e vivam harmoniosamente, se o destino assim o permitir. Por exemplo, como já vimos, Marco Aurélio diz repetidamente a si mesmo para "amar a humanidade" e elogia seu tutor estoico Sexto de Queroneia por estar "livre da paixão e ainda cheio de amor" ou "afeição natural" pelos outros (*Meditações*, 1.9).

Epicteto disse a seus alunos que a concepção errônea comum de que os estoicos pretendem ser insensíveis, ter coração de ferro ou de pedra é minada pela "disciplina da ação", particularmente pela forma como os estoicos se envolvem com suas relações familiares e sociais. A escola rival de Epicuro, que negava qualquer comunhão intrínseca entre a humanidade, tradicionalmente buscava tranquilidade e liberdade da angústia emocional (*apatheia*), evitando a responsabilidade social e limitando-se a um círculo íntimo de amigos.

Os estoicos, ao contrário, acreditavam que somos essencialmente criaturas sociais, com "afeto natural" por todas as pessoas e "afinidade" com elas. Isso forma a base da "filantropia" estoica, o amor racional de nossos irmãos e concidadãos no universo, ou "cidade cósmica" – o verdadeiro significado de "cosmopolitismo". Uma boa pessoa "demonstra amor por seus semelhantes, bem como bondade, justiça, gentileza e preocupação pelo próximo" e pelo bem-estar de sua cidade natal (Musônio, *Palestras*, 14).

É claro que outras pessoas são "externas" a mim, e, portanto, sua virtude não é meu encargo, não depende de mim e não pode contribuir diretamente para minha Felicidade ou *eudaimonia* – em última análise, é assunto deles, e não meu. Entretanto, entre as coisas externas, que são classificadas como "indiferentes", a virtude dos outros aparentemente constitui um caso especial. Os estoicos estavam normalmente dispostos a chamar as outras pessoas de "boas", embora em um sentido diferente daquele em que algo é "bom" ou "útil" para mim, e eles nunca se cansam de dar exemplos de homens "bons".

A bondade em outras pessoas desperta naturalmente nosso afeto e nossa amizade, não porque seja de alguma vantagem material para nós, mas porque é a imagem espelho de nosso próprio potencial de virtude, e tão apreciada por seu próprio mérito. Por exemplo, o estadista romano Lélio, o Sábio, conhecido por sua amizade exemplar com Cipião Africano, o Jovem, havia estudado filosofia estoica com os sábios Diógenes da Babilônia e Panécio. Em *Lelio, ou Diálogo sobre a amizade*, Cícero o retrata dizendo que "nada mais no mundo inteiro está tão completamente em harmonia com a Natureza" como uma verdadeira amizade, um profundo acordo nos sentimentos e valores de duas pessoas, apoiados pela boa vontade e afeto mútuo.

Próximo a alcançarmos sabedoria e bondade nós mesmos, diz "Lélio", ter sábios e bons amigos é a coisa mais preciosa em todo o mundo, a mais valiosa de todas as coisas "externas". Sêneca também escreveu que mesmo o sábio estoico "quer ter um amigo, um vizinho e um companheiro", apesar de estar contente e autossuficiente sem eles (*Carta*, 9). Ele é capaz de ficar sem um amigo, mas prefere não ficar. De fato, o Sábio prefere ter o maior número possível de amigos por causa de sua afeição natural pela humanidade, embora não precise deles para a própria Felicidade.

Como seres sociais, é em nossas relações que temos mais oportunidades de florescer. De fato, os estoicos argumentavam que nosso próprio interesse pessoal, como seres racionais, coincide com o bem-estar dos outros. Nós florescemos como indivíduos, alcançando as virtudes da sabedoria e da justiça, mas estas nos colocam em maior harmonia com o restante da humanidade. Os animais lutam de forma natural por coisas externas, como a alimentação, quando é escassa. Em contraste, ninguém pode tirar sabedoria e virtude de nós, e elas não se esgotam quando compartilhadas com outros. Os estoicos veem as coisas pelas quais a maioria das pessoas luta com desapego e indiferença e podem se dar ao luxo de amar até mesmo aqueles que são insensatos e perversos.

A filantropia estoica, portanto, não é apenas superficial, mas devemos "amar a humanidade" do fundo do nosso coração, e ter alegria em fazer o bem aos outros pelo seu próprio mérito, considerando que a virtude é sua própria recompensa. Beneficiamos mais as outras pessoas ajudando-as a viver em harmonia, sem conflitos, e levando nossa sociedade um passo mais perto do sonho de Zenão de uma República Estoica ideal, uma comunidade perfeita de amigos iluminados. Classificar a virtude como o principal bem na vida permite que os estoicos desejem até mesmo o bem de seus inimigos, porque, se fossem sábios e justos, não seriam mais inimigos. De fato, embora nosso afeto deva ser naturalmente reservado à beleza da virtude, os estoicos o estendem às pessoas que carecem de sabedoria e podem até mesmo agir como inimigos, pois todos nós temos a faculdade da razão e, portanto, as sementes da virtude.

É um privilégio especial do homem amar até mesmo aqueles que cambaleiam. E esse amor vem logo após a reflexão de que eles são semelhantes a você e que erram involuntariamente e por ignorância, e que dentro de pouco tempo tanto eles quanto você estarão mortos; e acima de tudo, que o homem não lhe fez mal algum; pois ele não tornou sua "faculdade governante" pior do que era antes (*Meditações*, 7.22).

De certa forma, os estoicos veem as pessoas tolas e maldosas como se fossem crianças pequenas fazendo birra. Eles não entendem realmente o que estão fazendo, e não faz sentido ficarmos zangados com eles.

> O que é ter afeto natural? Não aquele voltado apenas para as relações, e sim para toda a humanidade; ser verdadeiramente *philanthrôpos* [filantropo, amante da humanidade], não zombar, nem odiar, nem se impacientar com essas pessoas, nem as abominar, nem as ignorar; ter compaixão e amar aqueles que são verdadeiros canalhas, aqueles que estão mais enfurecidos contra si próprios em particular, e no momento em que estão mais enfurecidos? (Shaftesbury, 2005, p. 1).

Shaftesbury comparou a filantropia estoica à atitude amorosa de uma mãe ou enfermeira com crianças doentes aos seus cuidados. De fato, para os antigos estoicos, o "afeto natural" (*philostorgia*) dos pais por seus descendentes é de profunda importância. Por exemplo, Musônio disse que, por meio do estudo do estoicismo, em vez de se tornarem de alguma forma insensíveis, as mães podem adquirir um amor mais profundo e mais filosófico por seus filhos: "Quem, mais do que ela, amaria os filhos mais do que a vida?" (*Palestras*, 3).

Em certo sentido, tornar-se um estoico é aprender o que significa ter afeição natural por nossos amigos e pela família, de acordo com a sabedoria e a virtude. Entretanto, como vimos, os estoicos também a expandem para a atitude chamada "filantropia" ou amor de toda a humanidade. Essa noção, de que o estoicismo ensina um sentido mais profundo e abrangente do amor e afeto dos pais definitivamente entra em conflito com a concepção popular equivocada dos estoicos como robôs sem emoção, não é mesmo?

IDEIA CENTRAL:
"AFEIÇÃO NATURAL" E "AFINIDADE" OU "APROPRIAÇÃO"

No estoicismo, amor e amizade são conceitos importantes, particularmente do tipo chamado *philostorgia*, experimentados entre familiares próximos e às vezes traduzidos como "afeição natural" ou "afeição familiar". Os estoicos procuraram imitar Zeus, o pai da humanidade, com sua perfeita sabedoria, justiça e afeição natural por nós, seus filhos, que era para eles um "deus da amizade" e um "protetor da família". À medida que sua afinidade com a razão perfeita cresce, o afeto natural dos filósofos se expande em "filantropia" ou amor à humanidade. *Oikeiôsis* é um termo técnico estoico relacionado para o qual não há tradução fácil para o português. Significa literalmente trazer algo ou alguém para sua casa. Portanto, pode ser traduzido como "apropriação", significando tomar posse de algo. Entretanto, também é traduzido como "afinidade", e significa o vínculo afetivo que estamos predispostos a ter com nossos próprios descendentes e outros parentes de sangue. Podemos argumentar que é possível pensar nisso como um processo natural de identificação psicológica com aqueles pelos quais temos afeto.

Nascemos com uma afinidade instintiva por nosso próprio corpo e, se nos reproduzimos, por nossa própria descendência. À medida que adquirimos a razão, tornamo-nos capazes de uma afinidade ou identificação progressivamente maior tanto com nossa própria faculdade de razão quanto com a humanidade como um todo. Entretanto, a maioria das pessoas permanece alienada ou em conflito com a própria natureza verdadeira e com o restante da humanidade. Os estoicos aspiram a desenvolver um senso de parentesco com o restante da humanidade, na medida em que todos nós possuímos a razão e a semente da virtude. Crisipo, portanto, escreveu que o homem sábio e bom, que vive em perfeita harmonia com a razão e a Natureza, não está alienado de nada, enquanto o homem tolo e moralmente mau não tem afinidade com nada.

Quanto mais esse sentimento de afinidade e afeição natural se expande para incluir toda a humanidade e, em última instância, a Natureza como um todo, mais racional e saudável se torna. O sábio estoico ideal, portanto, vive em harmonia e afinidade com a própria natureza verdadeira, com o restante da humanidade e com a Natureza como um todo. Marco Aurélio, portanto, diz repetidamente que o propósito da vida humana é a comunhão, e que devemos demonstrar genuína afeição natural aos outros que encontramos na vida, mesmo àqueles que se opõem a nós.

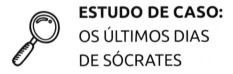

ESTUDO DE CASO: OS ÚLTIMOS DIAS DE SÓCRATES

O exemplo estoico mais importante de um quase sábio é sem dúvida Sócrates. Xenofonte, cujo relato inspirou Zenão a estudar filosofia, chamou Sócrates de "o exemplo perfeito de bondade e felicidade" (*Memoráveis*, 4.8). Sua morte é abordada no capítulo sobre a contemplação da morte, mas também vale a pena considerar sua conduta no tribunal. Em 399 a.C., com cerca de setenta anos, Sócrates foi julgado em Atenas por duas acusações: corromper a moral da juventude e ensinar a impiedade, talvez o ateísmo – tudo isso negado por ele.

As acusações, que pareciam totalmente absurdas para os amigos de Sócrates, podem ter sido uma fachada. Falando sem rodeios, talvez ele tenha simplesmente feito muitas perguntas, sacudido o barco e se tornado um incômodo para os ricos e poderosos de sua época. O júri condenou Sócrates, aparentemente por uma pequena maioria. A lei ateniense permitia que o acusado e seu promotor propusessem punições alternativas, dentre as quais o júri então escolhia uma. Sócrates, depois de brincar que deveria ser "condenado" a refeições gratuitas, finalmente se ofereceu para pagar trinta moedas de prata, uma quantia substancial de dinheiro. A maior parte da soma foi oferecida por seus amigos e apoiadores, pois ele mesmo não era rico e não cobrava honorários pelo ensino de filosofia.

O que impressionou os estoicos foi o exemplo que Sócrates deu, de um homem que enfrentava seu destino com perfeita equanimidade e compromisso inabalável com seus princípios. Sua defesa no tribunal, relatada na *Apologia* de Platão, foi extraordinariamente incondicional. Em vez de defender sua vida, ele usou a oportunidade para defender o modo filosófico de vida. Ele falou livremente e deu palestras ao júri sobre sabedoria e virtude, em vez de, como os homens normalmente faziam, desfilar esposa e filhos chorosos diante do júri e implorar por misericórdia. Talvez irritado com isso, o júri votou a favor da pena de morte indicada por seus acusadores e o condenou a cometer suicídio forçado, bebendo um veneno à base de cicuta. É possível que se esperasse que ele fugisse para o exílio, mas ele permaneceu e bebeu o veneno, apesar dos protestos de seus seguidores. Ele se tornou imediatamente uma espécie de mártir filosófico, cuja morte enviou ondas de choque através do mundo antigo. Sócrates deu um exemplo eterno de alguém que amava mais a sabedoria do que a riqueza, a reputação e até mesmo a própria vida, e assim garantiu o futuro da filosofia racional na sociedade ocidental, por milênios vindouros.

LEMBRE-SE:
O ESTOICISMO COMO UMA FILOSOFIA DE "AMOR" E ALTRUÍSMO

Se o antigo estoicismo parece austero ou frio, pode ser útil lembrar o papel central que o amor desempenha em seu sistema filosófico. Em particular, o amor e o afeto que as pessoas naturalmente tendem a ter pelos próprios filhos e pela família próxima (*philostorgia*) é tomado como base para a atitude filantrópica que os estoicos aspiram cultivar em relação a toda a humanidade.

Podemos até abordar o estoicismo a partir dessa perspectiva e vê-lo fundamentalmente como uma "filosofia de amor", uma tentativa de entender como nosso amor-próprio natural e afeto familiar são transformados pela razão no amor estoico da sabedoria e da humanidade: *filosofia* e *filantropia*. Os estoicos assumem que minha intenção de ajudar os outros, seja em termos de coisas externas ou de virtude, me beneficia inerentemente, porque constitui uma forma de virtude e de florescimento. Nesse sentido, não há diferença entre o interesse próprio e o altruísmo. O que é saudável e "benéfico" para mim é sinônimo do que é "honrado" e louvável, incluindo justiça, benevolência e afeição natural em relação aos outros.

Filantropia estoica e "afinidade" pelos outros

Epicteto disse que, "quando uma criança nasce, não está mais em nosso poder não a amar ou cuidar dela"; é natural que os pais se preocupem, por exemplo, se o filho for ferido (*Diatribes*, 1.11; 1.23). Nosso afeto natural por aqueles próximos a nós não é eliminado pelo estoicismo, mas sim expandido e transformado de acordo com a sabedoria e a virtude. Como diz Sêneca, os estoicos veem toda a humanidade como parte de toda a Natureza, semelhantes uns aos outros e a Deus, como se fossem membros de um único corpo e compartilhando uma afinidade, que forma a base do amor mútuo e da amizade.

Marco Aurélio também diz que, se pensamos em nós mesmos como partes separadas da humanidade e não como membros de um único organismo, não poderemos amar os outros de todo o coração nem ter prazer no bem-estar da humanidade como algo bom em si mesmo. Esse afeto natural pelo restante da humanidade, porque compartilhamos a razão e o potencial de virtude, é referido como "amor fraternal" (philadelphia, como a cidade) ou "amor à humanidade" (*philanthrôpia* = filantropia).

Segundo Hadot, a disciplina estoica de ação, particularmente nos escritos de Marco Aurélio, culmina no amor a toda a humanidade e um senso quase místico de unidade com os outros.

> Não se pode, portanto, dizer que "amar o próximo como a si mesmo" é uma invenção especificamente cristã. Ao contrário, poderia ser sustentado que a motivação do amor estoico é a mesma que a do amor cristão. [...] Mesmo o amor aos inimigos não falta no estoicismo (Hadot, 1998, p. 231).

O ideal estoico do amor também pode ser comparado ao conceito de *karunã* ou compaixão por todos os outros seres "scencientes" no budismo, embora o estoicismo, como o cristianismo, esteja principalmente preocupado com outros seres racionais, um amor de toda a humanidade.

No entanto, nosso afeto primordial pelos outros só se torna bom quando associado à sabedoria e à virtude. Quando o amor tem a participação do vício e a falsa impressão de que o prazer corporal ou o ganho externo são intrinsecamente "bons", ele é aparentemente degradado em "luxúria" ou "desejo" animalesco (*epithumia*), uma das paixões irracionais incompatíveis com nossa Felicidade e nosso bem-estar derradeiro.

Os estoicos dizem que o homem sábio experimentará o amor e definem o próprio amor como o esforço para fazer uma amizade a partir do semblante da beleza. Se há amor no mundo sem inquietação, sem desejo, sem ansiedade, sem um suspiro, então que assim seja! Pois está livre de toda luxúria (*Discussões Tusculanas*, 4.72).

O amor implica um desejo benevolente de que os outros floresçam naturalmente, como um fruto maduro, e alcancem a Felicidade de acordo com a virtude. Talvez essa tenha sido a motivação de Zenão e seus sucessores, que deram aulas e escreveram muitos livros sobre filosofia para o benefício de outros. Entretanto, o progresso dos outros em direção à virtude é um evento externo, além do controle direto, que os estoicos qualificam com a "cláusula de reserva". Por exemplo: "Desejo que você prospere e alcance a Felicidade, se o destino permitir".

Como podemos ajudar os outros? Zenão ensinou sobre a virtude, que é considerada o maior benefício, embora os estoicos reconheçam que nem todos estão prontos a aprender. Por exemplo, em *Catão, o velho, ou Diálogo sobre a velhice*, Cícero explica que, uma vez que compreendemos nosso parentesco essencial com o restante da humanidade, somos movidos por um desejo racional de beneficiar o maior número possível de pessoas, especialmente educando-as sobre a sabedoria prática, o que é bom e o que é mau.

Para os estoicos, liderar pelo exemplo, como fez Zenão, e melhorar a nós mesmos a fim de ajudar os outros, fornecendo um modelo a seguir, é mais importante do que dar sermões. Entretanto, os estoicos também reconheceram que, quando lidamos com a maioria das pessoas, às vezes devemos agir ou falar "como se" estivéssemos de acordo com os valores convencionais, tratando as coisas "indiferentes" como intrinsecamente boas ou ruins. Quando vemos alguém chorando de tristeza, de acordo com Epicteto, devemos mostrar simpatia externamente, enquanto nos precavemos contra concordar interiormente com seus juízos de valor errôneos (*Encheirídion*, 16). Um sábio pode ver a mesma "catástrofe" com suprema indiferença. É razoável, no entanto, "preferir" coisas materiais e externas para nós mesmos e para outras pessoas, desde que não as confundamos com a Felicidade.

A virtude capital que mais obviamente lida com a esfera social, com nossas relações, é a "justiça" (*dikaiosunê*). Os estoicos usam essa palavra para abranger tanto o trato justo com os outros quanto o agir com benevolência com esses, desejando que prosperem de acordo com a virtude, "se o destino permitir", distribuindo as coisas externas de maneira justa com eles. Sêneca, portanto, diz que viver com justiça exigirá que um estoico "considere seu amigo tão querido quanto a si mesmo, pense que um inimigo pode ser transformado em amigo, estimule o amor ao primeiro e modere o ódio ao segundo" (*Carta*, 95). Quando agimos com sabedoria e justiça com os outros, e realmente acreditamos no que estamos fazendo, naturalmente sentimos boa vontade com eles.

Entretanto, as "emoções saudáveis" requerem constância, e isso só é possível se nossa atitude subjacente de benevolência for, em certo sentido, incondicional e não vacilar apenas porque os outros mudam seu comportamento, mesmo que ajam mal ou como inimigos. Essencialmente, embora amar os outros esteja sob nosso controle, ser amado em troca não pode ser controlado, o que significa que os estoicos devem amar os outros, quer sejam ou não amados por eles.

Vamos lá, vamos ver agora se você pode amar sem interesse. "Obrigado, meu bom semelhante (irmão, irmã, amigo), por me dar um papel tão generoso, que eu possa amar embora não amado" (Shaftesbury, 2005, p. 108).

Epicteto diz, portanto, que as pessoas só podem ser verdadeiramente amigas e se amarem umas às outras se colocarem o próprio interesse principalmente no bem-estar de seu próprio caráter ou vontade pelo cultivo da sabedoria, da justiça e das outras virtudes. Entretanto, quando desejamos, antes de tudo, tornar-nos justos, equânimes e benevolentes em todas as nossas relações, desejamos implicitamente também que os outros prosperem.

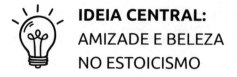

IDEIA CENTRAL: AMIZADE E BELEZA NO ESTOICISMO

A República Estoica ideal de Zenão seria composta por sábios vivendo em amizade e harmonia. As palavras usadas para "amizade" também significam "amor" ou "afeto" entre amigos, e a amizade íntima parece ter sido o propósito até mesmo do amor sexual no estoicismo. Zenão também disse que somente os Sábios perfeitos são capazes de verdadeira amizade, e os não Sábios estão fadados a ser inimigos. No entanto, não está claro se ele queria que isso fosse tomado literalmente, pois os estoicos tipicamente consideram a amizade, embora de um tipo imperfeito, como estando ao nosso alcance e valendo a pena cultivá-la. Nem Zenão nem seus sucessores afirmavam ser Sábios, mas claramente não pensavam em si mesmos como inimigos de seus alunos! De qualquer forma, os estoicos certamente acreditavam que era importante imitar o Sábio ideal, que demonstra amor e amizade com os outros.

A maioria das pessoas busca a amizade para vantagem mútua, em termos de coisas "indiferentes" como riqueza ou reputação, mas essa não é a verdadeira amizade dos sábios. Ter amigos ao redor é um "indiferente preferido", naturalmente valorizado por seu próprio bem, mas fora de nosso controle direto. Entretanto, amizade no sentido mais verdadeiro significa ser você mesmo um amigo para as outras pessoas porque elas merecem sua amizade, e não por causa de alguma vantagem "externa". Sêneca diz que, de fato, o Sábio quer ter amigos, embora esteja satisfeito e seja autossuficiente sem, principalmente para que ele mesmo possa exercer as virtudes da amizade no relacionamento. No entanto, encontrar amigos que retribuam seu afeto é descrito por "Lélio" de Cícero como algo de importância secundária a apenas *ser* sábio e bom, sugerindo que ele considera isso como o mais valioso de todos os "indiferentes preferidos". Os estoicos, portanto, procuram adquirir bons e sábios amigos (e mentores) para si mesmos, presumivelmente com a ressalva "se o destino permitir".

De acordo com os primeiros estoicos, o termo grego "bom" (*agathos*) também pode significar "belo" ou "honrado" (*kalos*). Para os estoicos, os termos são praticamente sinônimos, porque consideram a virtude como a essência da beleza humana, em vez da aparência externa. Da mesma forma, Xenofonte disse que Sócrates brincava frequentemente sobre o amor mútuo entre ele e seu círculo íntimo de amigos, mas que "qualquer um podia ver que o que o atraía era excelência de mente e caráter, e não beleza física" (*Memoráveis*, 4.1).

Consideramos cada coisa "bela" da maneira mais apropriada à sua natureza: o que torna um cavalo bonito é diferente do que torna um colar bonito. Quando os humanos se destacam em termos de sua natureza essencial, como animais racionais, tornam-se belos no verdadeiro sentido, enquanto a tolice e o vício os tornam figuras "feias". Epicteto, portanto, diz que devemos procurar "embelezar aquilo que é nossa verdadeira natureza – a razão, seus critérios, suas atividades" (*Diatribes*, 4.11).

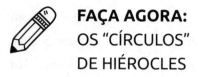

FAÇA AGORA: OS "CÍRCULOS" DE HIÉROCLES

O filósofo estoico Hiérocles, contemporâneo de Marco Aurélio, descreveu práticas psicológicas para expandir a *oikeiôsis*, nosso senso de "afinidade" com os outros. Ele diz que nossas relações podem ser representadas como uma série de círculos concêntricos, irradiando de nós mesmos e de nossos parentes mais próximos. Os estoicos devem "tentar aproximar os círculos de alguma forma do centro", reduzindo voluntariamente a distância psicológica em suas relações. Ele até sugere técnicas verbais, análogas a chamar os conhecidos de "amigos" ou chamar os amigos íntimos de "irmãos". Hiérocles, em outros pontos, recomenda tratar nossos irmãos como se eles fossem partes de nosso próprio corpo, como nossas mãos e nossos pés. Zenão, ao dizer que um amigo é "outro eu", talvez também nos encoraje a levar os outros mais profundamente ao círculo de nossa afinidade e afeição natural. Os comentários de Hiérocles sobre *oikeiôsis* podem, portanto, ser transformados em um exercício contemplativo:

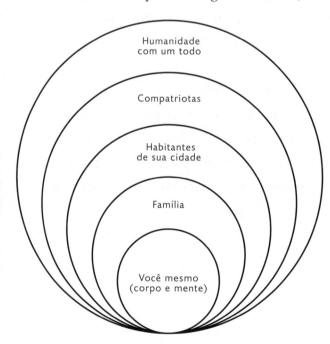

Figura 1. Círculos simplificados de Hiérocles

1. Feche os olhos e reserve alguns momentos para relaxar e focalizar a atenção em sua imaginação.
2. Imagine um círculo de luz ao redor de seu corpo e tire alguns momentos para imaginar que ele simboliza um crescente sentimento de afeto consigo mesmo como um animal racional, capaz de sabedoria e virtude, o principal bem da vida.
3. Agora imagine que esse círculo está se expandindo para abranger membros de sua família, ou outros que estão muito próximos a você, para quem você agora projeta afeição natural, como se eles fossem de alguma forma partes de seu próprio corpo.
4. Em seguida, imagine esse círculo se expandindo para englobar pessoas que você encontra na vida diária, talvez colegas que trabalham ao seu lado, e projete sentimentos de afeto natural em relação a eles, como se fossem membros de sua família.
5. Novamente, deixe o círculo se expandir ainda mais para incluir todos no país onde você vive, imaginando que seus sentimentos de afeto estão se espalhando até eles também, por serem animais racionais, semelhantes a você e capazes de virtude.
6. Imagine agora o círculo crescendo para envolver o mundo inteiro e toda a raça humana como uma só, permitindo que seus sentimentos de afeto racional se estendam a todos os outros membros da raça humana, desenvolvendo um senso de parentesco com eles, pelo fato de que possuem razão e, portanto, a capacidade de progredir em direção à sabedoria.

Tente manter essa atitude durante toda a sua atividade diária. Sêneca argumenta que a expansão do afeto natural em uma atitude filantrópica que engloba o restante da humanidade nos ensina a amar de forma mais filosófica, sem apego excessivo a nenhum indivíduo em específico. Ele chega ao ponto de dizer: "Aquele que não pôde amar mais de um nem sequer amou muito aquele" (*Carta*, 63). O Sábio não está obcecado por ninguém. Ele ama a todos tanto quanto é capaz, ao mesmo tempo que aceita que eles são instáveis e que um dia morrerão.

Como um estoico ama?

Epicteto perguntou a seus alunos estoicos, sem rodeios: "Como, então, eu devo me tornar amoroso e afetuoso?" (*Diatribes*, 3.24). Conforme sua resposta, devemos nos tornar carinhosos de uma maneira coerente com as regras e doutrinas fundamentais da filosofia estoica. Se o que estamos chamando de "amor" ou "afeto" nos torna infelizes e escravos de nossas paixões, então não é "bom" para nós, e isso é um sinal de que algo está errado.

O estoico ama as outras pessoas de forma muito livre e generosa. Seu amor não está de modo algum condicionado ao fato de ser correspondido pela pessoa amada. O estoico não compromete a própria integridade moral ou serenidade mental em seu amor pelos outros, nem seu amor é prejudicado por ter consciência da mortalidade de seus entes queridos. Ao contrário, o amor e o afeto natural dos estoicos são temperados pela razão. Seu amor e afeto servem apenas para enriquecer a própria humanidade, e nunca para sujeitá-lo ao tormento psíquico (Stephens, 1996).

Antes de tudo, devemos nos lembrar de que algumas coisas estão sob nosso controle, enquanto outras não estão, e que somente o que "é nosso encargo" pode ser verdadeiramente bom, ou parte de nossa *eudaimonia*. Uma das chaves para entender isso é amar alguém "como um mortal", que pode nos deixar a qualquer momento. Devemos também olhar para o exemplo de homens sábios e bons, como Sócrates, que amava esposa e filhos, notoriamente problemáticos.

Segundo Epicteto, os sábios têm em mente que suas famílias são apenas partes de toda a Natureza (isto é, Zeus), que eles amam acima de tudo. O sábio estoico, portanto, ama os outros de acordo com a "disciplina do desejo", aceitando que o relacionamento está, em última análise, além de seu controle direto e que a mudança ou a perda pode ser nosso destino. O amor se transforma assim de uma "paixão" irracional, uma espécie de "luxúria" ou "desejo" caracterizado pelo excesso de fixação ou dependência, em uma forma de afeto mais "filosófica" ou desinteressada. Isso nos coloca em harmonia com a Natureza, colocando nossas relações com os outros dentro do contexto mais amplo de nossa relação com o universo.

Em contraste, quando amamos sem sabedoria, nos apegamos demais a coisas ou pessoas individuais, esquecendo que os eventos externos estão fora de nosso controle. Isso nos leva a mergulhar no "desejo" irracional e a vacilar entre amor e ódio, dependendo das circunstâncias externas: em suma "você chora, teme, inveja, é perturbado, você é transformado" (*Diatribes*, 2.22). Epicteto diz que, de fato, toda a inimizade se deve a um único julgamento desse tipo; as pessoas "colocam, tanto a si mesmas quanto seus pertences, na categoria das coisas que estão fora da esfera da vontade" (*Diatribes*, 2.22). Vemos cães brincando uns com os outros e podemos dizer que eles "se amam" como "amigos", mas, se jogamos um pedaço de carne no meio deles, surge uma briga, e eles rapidamente se voltam uns contra os outros. Jogue alguma propriedade ou dinheiro entre pai e filho, diz Epicteto, e veremos quão frágil é a ligação entre eles sempre que coisas externas forem confundidas com o bem final (*Diatribes*, 3.24).

O Sábio, ao contrário, que tem uma firme noção da verdadeira natureza do bem, será imperturbável em seu interior, franco em suas relações com outros sábios e paciente e tolerante com os insensatos, como se eles estivessem simplesmente cometendo um erro em relação a coisas de grande importância.

FAÇA AGORA:
O ENCANTO DE SÓCRATES (TENHA EMPATIA COMO UM ESTOICO)

Os estoicos acreditavam que é mais importante amar do que ser amado. Somos por natureza animais sociais, e por isso o objetivo de "viver de acordo com a natureza" envolve viver harmoniosamente com o restante da humanidade, mesmo com as pessoas maldosas que nos tratam como seus inimigos. No entanto, ser amado por amigos e familiares é altamente preferível a estar cercado de inimigos, se o destino assim o permitir. Ironicamente, os filósofos afirmam que fazer-se verdadeiramente amável é a melhor maneira de conquistar amigos genuínos, tendo um belo caráter e cultivando uma amizade racional com os outros.

Sêneca também brincou que o filósofo estoico Hecato de Rodes havia descoberto uma poderosa poção do amor: "Se você deseja ser amado, ame" (*Carta*, 9). Essa noção de que a virtude é uma poderosa "poção do amor" ou "feitiço mágico" para ganhar amigos e ser amado é atribuída a Sócrates em um texto muito mais antigo, *Memoráveis*, de Xenofonte. Embora possamos preferir que outros retribuam nosso afeto, é fundamentalmente "indiferente" se eles realmente o fazem ou não.

Mas como amamos as pessoas que não retribuem a amizade e o afeto? Os estoicos se treinaram cuidadosamente para lidar com pessoas difíceis, e particularmente para evitar responder com raiva. Seguindo Sócrates, eles nos aconselham a se colocar no lugar de outras pessoas e entender que elas têm uma razão para o que fazem, assumindo (erroneamente) que suas ações são apropriadas e estão de acordo com seus próprios interesses. Por exemplo, tente os seguintes procedimentos:

Sempre que você encontrar alguém, diga a si mesmo desde o início: "Quais são as suas suposições sobre o que é fundamentalmente bom e ruim na vida? Quando alguém age como seu inimigo, o insulta ou se opõe a você, lembre-se de que essa pessoa só está fazendo o que lhe parece certo, ela não conhece nada melhor, e diga a si mesmo: 'Pareceu-lhe assim'" (*Encheirídion*, 42).

Não se surpreenda quando as pessoas agirem como agirem. Se elas presumirem que o prazer é a coisa mais importante na vida, ou que a riqueza ou o *status* são intrinsecamente bons, são obrigadas a agir de acordo. Tente vê-las como tolas ou mal orientadas, como crianças, em vez de maliciosas. Lembre-se de que elas agem como inimigos porque não reconhecem que é de seu próprio interesse serem sábias e justas, e permanecem escravizadas pelo apego à ilusão de "bens" externos.

 LEMBRE-SE:
OS ESTOICOS NÃO TÊM CORAÇÃO DE PEDRA OU DE FERRO

Os primeiros estoicos, provavelmente Zenão e Crisipo, e mais tarde Epicteto, Sêneca e Marco Aurélio, desafiaram a concepção errônea de que estoicismo significa ser insensível ou ter coração duro. Eles dizem que ser "livre de paixões" não significa ser como uma estátua, ou um homem feito de pedra ou ferro. Embora o corpo e as coisas externas estejam além de seu controle direto, os estoicos tentam tomar "medidas apropriadas" para proteger a si mesmos e os outros, se o destino permitir. O fato de se preocuparem com a humanidade talvez os abra à experiência de reações emocionais automáticas, as "protopaixões" que até mesmo os Sábios experimentam. Entretanto, o Sábio, empregando as virtudes da coragem e da autodisciplina, não é "levado" por seus sentimentos e não permite que eles se desenvolvam em plenas "paixões" irracionais. Ele não é, portanto, insensível, mas se eleva acima de suas reações emocionais iniciais, ao mesmo tempo que demonstra razão e afeto natural em suas ações.

Por que o Sábio é importante para o estoicismo?

Os estoicos amam a virtude e aqueles que encarnam a virtude, o que em última instância implica no Sábio ideal, cujo caráter é supremamente "belo" nos termos estoicos. Esse conceito de alguém perfeitamente sábio e bom dá ao aspirante ao estoicismo direção, estrutura e consistência em sua prática.

Desde o início da filosofia grega, o Sábio tem funcionado como um modelo vivo e concreto. Aristóteles testemunha isso em uma passagem de seu *Protréptico*: "Que padrão ou medida mais precisa de coisas boas temos nós do que o Sábio?" (Hadot, 1995, p. 147).

A prática de emular o sábio estoico ideal é comparável, de certa forma, à imitação de Cristo, Maomé, Buda e outros fundadores de religiões. Entretanto, o Sábio era explicitamente uma ficção. Os estoicos duvidavam que ele tenha existido em carne e, se existiu, dizem que deve ser tão raro quanto a fênix. Eles usaram o conceito como um ideal hipotético para contemplar e comparar a si mesmos. Entretanto, também estudaram inúmeros exemplos de homens relativamente "sábios e bons" que desempenharam um papel muito importante em sua formação. Por exemplo, Marco lembrava a si mesmo: "Ter constantemente em mente algum dos antigos que viviam virtuosamente" (*Meditações*, 11.26).

No início de sua carreira filosófica, Zenão consultou o Oráculo de Delfos e foi aconselhado a assumir "a compleição dos mortos", e entendeu que devia adotar o estilo de vida de um antigo filósofo. Há relatos de que, depois de ler os *Memoráveis* de Xenofonte, ele perguntou imediatamente a um livreiro próximo: "Onde se encontram homens como esse Sócrates?". Parece que o "homem morto" que Zenão procurou estudar e emular, antes de tudo, foi Sócrates, que havia sido executado várias gerações antes.

Na ausência de um Sócrates vivo, os estoicos se treinaram para contemplar sua vida de modo que, ao contrário de seus próprios seguidores desviados, pudessem continuar a se beneficiar de seu exemplo mesmo muito depois de sua morte. Embora Zenão tenha fornecido um modelo vivo para seus alunos, os estoicos não estavam dependentes da presença de seu amado professor, tendo aprendido a construir seu próprio guia interior. Os alunos de Epicteto, um pouco atrevidos talvez, lhe perguntaram se ele mesmo era um Sábio. Ele respondeu: "Pelos deuses, eu desejo e rezo para ser, mas ainda não sou. Posso, entretanto, mostrar-lhes um", continua ele, "para que vocês não tenham mais que procurar um exemplo", e ele menciona primeiro Diógenes e depois Sócrates (*Diatribes*, 4.1). Epicteto menciona Diógenes, o Cínico, mais de o dobro de vezes que cita Zenão, e Sócrates, quatro vezes mais. Esses foram certamente os dois principais exemplos estudados em sua escola, e isso talvez tenha sido verdade também para o estoicismo de Zenão.

Epicteto, portanto, frequentemente lembra a seus alunos que a vida de Sócrates está sempre disponível para eles, pronta para ser entregue, como um modelo de excelência em várias áreas da vida, e que devemos contemplar seu exemplo se buscamos a liberdade e a *eudaimonia*. Ele chega a afirmar que, agora que Sócrates está morto, a memória dele não é menos benéfica para a humanidade; é talvez até mais benéfica do que quando estava vivo. Ele até mesmo chama os aspirantes a estoicos de "emuladores de Sócrates".

Sócrates desse modo realizou-se: de nada cuidando senão da razão em relação a todas as coisas com que se deparou. Você, mesmo se não é ainda Sócrates, deve viver ansiando ser como Sócrates (*Encheirídion*, 51).

Entretanto, os antigos estoicos contemplavam e discutiam uma gama muito ampla de indivíduos cuja conduta era considerada digna de emulação. Isso poderia se estender a traços de virtude de amigos e familiares e até mesmo de adversários ou filósofos de escolas rivais, tais como Epicuro ou Platão.

Embora talvez nunca tenha havido um sábio mortal perfeito, os estoicos acreditavam que havia sempre pelo menos um ser imortal perfeito: o deus Zeus. O Zeus estoico tem razão e virtude perfeitas, como o Sábio, e assim os estoicos muitas vezes se referem a contemplar sua perspectiva sobre os assuntos humanos, porque "em tudo o que se diz e se faz, deve-se agir como um imitador de Deus" (*Diatribes*, 2.14). Quer acreditemos ou não em Deus, podemos ver em seus comentários a base de uma espécie de exercício psicológico. Hércules, o filho favorito de Zeus, também foi reverenciado pelos cínicos e estoicos como um herói mítico e um modelo a ser seguido. O Sábio ideal é, portanto, semelhante a Deus, um mortal que progrediu tanto que sua sabedoria e *eudaimonia* se igualam às de Zeus. O aspirante a estoico tenta progredir rumo à sabedoria perfeita, observando com regularidade o Sábio e emulando seus pensamentos e suas ações.

IDEIA CENTRAL: A NATUREZA DO SÁBIO

O Sábio Estoico é o ideal hipotético de um "homem sábio" perfeito (*sophos* ou *phronimos*, em grego; *homo sapiens,* em latim!). A palavra é frequentemente escrita com inicial maiúscula porque indica alguém de forma abstrata, e não uma pessoa real. O Sábio é extremamente virtuoso, um ser humano perfeito e a aproximação mortal mais próxima de Zeus. Ele é uma pessoa completamente boa que vive uma vida completamente boa, e "fluindo suavemente" em total serenidade ele alcançou a Felicidade e a realização perfeitas (*eudaimonia*). Ele vive em total harmonia consigo mesmo, com o restante da humanidade e com a Natureza como um todo porque segue a razão e aceita graciosamente seu destino, pois está além de seu controle. Ele se elevou acima de desejos e emoções irracionais, visando alcançar a paz de espírito. Embora prefira viver o máximo de tempo que for apropriado e desfrute da "festa" da vida, ele não teme a própria morte.

Ele é dotado de suprema sabedoria prática, justiça e benevolência, coragem e autodisciplina. Seu caráter é absolutamente louvável, honrado e belo. Os estoicos, portanto, contemplam o ideal hipotético do Sábio para compreender a perfeição da natureza humana em geral. Filósofos, "amantes da sabedoria", naturalmente o amam e o admiram como a encarnação ideal da sabedoria. Esse conceito de perfeição é algo pelo qual os estoicos podem navegar à medida que eles próprios progridem em direção à virtude. Entretanto, o sábio estoico é notoriamente contraditório. Ele é o tipo de pessoa que podemos chamar de verdadeiramente rico, mesmo quando não possui nada; ele é o único homem verdadeiramente livre, mesmo quando preso por um tirano; ele é o único verdadeiro amigo, mesmo quando perseguido como inimigo; ele permanece Feliz e vive uma vida abençoada, mesmo quando sujeito à somatória de todos os infortúnios externos.

Como contemplar o Sábio

O exercício de contemplar o Sábio ideal serve a uma série de funções intimamente relacionadas na prática estoica:

- Uma forma de visualizar o objetivo da vida, a perfeição da natureza humana, de forma concreta.

- Um guia para a atitude correta (virtuosa) e o curso de ação apropriado.
- Um observador imaginário e comentador de nossas próprias ações, na ausência de um professor estoico vivo.
- Uma forma de ganhar "distância cognitiva" e evitar que sejamos "levados" por impressões irracionais ou nocivas.

Após ter contemplado suas qualidades, os estoicos simplesmente se perguntavam "O que faria o Sábio?" quando confrontados com situações difíceis. Marco Aurélio também se lembra de "olhar em suas mentes o que os sábios fazem e o que não fazem" (*Meditações*, 4.38). Da mesma forma, portanto, que um cristão poderia perguntar "O que faria Jesus?", os estoicos se perguntavam o que fariam os sábios, ou indivíduos exemplares como Sócrates, Diógenes, Zenão ou Catão.

Epicteto também diz que podemos evitar que nos "deixemos levar" por impressões perturbadoras se tivermos a imagem do Sábio à mão e a estabelecermos como um contraste e uma comparação. Uma das passagens mais citadas do *Manual de Epicteto*, que nos lembra que estamos aborrecidos não com as coisas em si, mas com nossos julgamentos sobre elas, é imediatamente seguida pelo exemplo de Sócrates, que não via a própria morte como boa ou má.

> A morte, por exemplo, não é nada de catastrófico, caso contrário também teria se mostrado assim para Sócrates. Mas a catástrofe está em nosso próprio julgamento sobre a morte, de que a morte é catastrófica (*Encheirídion*, 5).

Imaginar alguém julgando de forma plausível a situação como "indiferente" nos dá maior flexibilidade psicológica e "distância cognitiva" de nossa impressão primeira de que é horrível. Isso nos dá espaço para considerar se nossa impressão inicial pode ser falsa.

Embora ele não controle suas ações, e até mesmo Sócrates tinha estudantes astutos, o Sábio ajuda os outros com sua presença e pelo exemplo que lhes dá para emular. Assim, Musônio diz que "comer, beber e dormir enquanto é observado por um bom homem é muito benéfico" (*Palestras*, 11). Os seguidores de Epicuro, portanto, deram importância à posse de retratos ou anéis com sua imagem, o que talvez os tenha ajudado a imaginar sua presença salutar acompanhando-os na vida. Há no acervo do Museu Britânico uma joia ornamentada do período imperial romano representando Zenão, o fundador do estoicismo, que possivelmente serviu a um propósito semelhante. Sêneca também diz que os estoicos devem manter referências de grandes homens e até mesmo celebrar seus aniversários. Ele enumera seus modelos filosóficos favoritos:

- Sócrates
- Platão – talvez surpreendentemente para um estoico!
- Zenão, o fundador do estoicismo
- Cleantes, o segundo chefe da *Stoa*
- Lélio, o Sábio, um dos primeiros estoicos romanos de fama
- Catão de Útica, o grande herói político estoico romano

Em outro trecho, ele dá um belo relato dessa prática, baseando-se nos ensinamentos de Epicuro:

"Precisamos depositar nosso coração em algum homem bom e mantê-lo constantemente diante de nossos olhos, para que possamos viver como se ele estivesse nos observando e fazer tudo como se ele visse o que estamos fazendo." Esse, meu caro Lucílio, é o conselho de Epicuro, e ao dá-lo, ele nos deu um guardião e um tutor moral – e não sem razão: os erros são grandemente diminuídos se uma testemunha está sempre perto dos executores. A personalidade deve ser provida de alguém que ela possa reverenciar, alguém cuja influência pode tornar até mesmo sua vida particular e interior mais pura. Feliz o homem que melhora outras pessoas não apenas quando está na presença delas, mas até mesmo quando está em seus pensamentos! E feliz, também, é a pessoa que pode reverenciar alguém a ponto de ajustar e moldar a própria personalidade à luz de reminiscências (*Carta*, 11).

A imagem dessa pessoa exemplar deve, portanto, ser lembrada frequentemente "ou como seu tutor ou como seu modelo", como alguém que nos observa, e talvez oferecendo orientação, ou como um ideal para imitar. Sêneca coloca isso muito bem quando diz que precisamos do conceito de uma pessoa verdadeiramente "sábia e boa" como um padrão com o qual possamos nos comparar, porque "sem uma régua para fazê-lo você não vai deixar reto o que está torto".

FAÇA AGORA:
O QUE O SÁBIO FARIA?

Comece contemplando pacientemente qual caráter teria o Sábio Estoico ideal, alguém com suprema sabedoria e virtude, até que você esteja bastante seguro sobre esse conceito.

1. Antes, durante e depois de certas situações ou tarefas, pergunte-se: "O que faria o Sábio Estoico ideal nessa situação?".
2. Você pode achar útil começar contemplando personagens históricos ou mitológicos, como Hércules, Sócrates ou Catão, ou possivelmente autores estoicos que você conheça bem, como

Sêneca, Epicteto ou Marco Aurélio. Como um desses indivíduos lidaria com os eventos que você enfrenta?
3. Alternativamente, pense em modelos mais próximos, tais como amigos, colegas ou familiares que você admire. O que eles fariam que vale a pena emular?
4. Mais importante ainda, pergunte-se o que um verdadeiro Sábio, com perfeita sabedoria prática, faria. Passe pelas demais virtudes, particularmente a justiça, a coragem e a autodisciplina.
5. Isso deve levá-lo a considerar o que você mesmo faria se tivesse maior sabedoria e virtude.
6. Tente se preparar para os eventos usando o exemplo de uma pessoa sábia e boa como seu guia, ou se remeta a ela depois e aprenda com a experiência, considerando como você poderia lidar com as coisas de forma diferente no futuro se seguisse seu exemplo. Alternativamente, imagine que você esteja sendo observado por um grande Sábio, que o acompanha de forma invisível, monitorando seus pensamentos, suas ações e seus sentimentos. Como você poderia reagir de maneira diferente às coisas, por exemplo, se Sócrates ou Catão o estivessem observando? Que palavras de conselho eles poderiam oferecer? Pergunte-se: "O que o Sábio faria?" e "O que o Sábio me diria para fazer?".

As sementes da sabedoria em todos

Para os estoicos, estritamente falando, todos, exceto o Sábio, são igualmente tolos e desprovidos de virtude. No entanto, algumas pessoas fizeram mais progressos em direção à verdadeira sabedoria e virtude do que outras. Os estoicos posteriores, em particular, frequentemente falam mais livremente sobre as "virtudes" das pessoas comuns. Eles evidentemente acreditavam que podemos aprender contemplando esses traços ou vislumbres de "virtudes" em outros, mesmo que não sejam sábios perfeitos. De fato, contemplar as virtudes daqueles ao nosso redor – pessoas da família, amigos e colegas, e talvez até "inimigos" ou aqueles que nos criam dificuldades – pode ter o benefício adicional de melhorar nossas relações com eles. Assim, Sêneca diz: "Devemos equipar nossa vida com modelos distintos e nem sempre recorrer aos antigos", como Sócrates presumidamente (*Carta*, 83).

> Afinal de contas, essas são as pessoas de quem somos obrigados a tirar nossos modelos; perfeita sabedoria, é claro, eles não alcançaram, embora tenhamos o direito de selecionar aqueles que mais se aproximam desse ideal (Cícero, *Lélio, ou Diálogo sobre a Amizade*, 11).

Marco Aurélio se lembra de ter continuamente diante dos olhos as virtudes de seus amigos e associados, como a modéstia e a generosidade, porque nada traz um sentido tão saudável de alegria racional como essa simples contemplação. Ele realiza esse exercício psicológico ao longo de todo o primeiro capítulo das *Meditações*, revendo as virtudes dos indivíduos mais significativos de sua vida, muitas vezes condensadas em poucas palavras. A seção mais longa, a penúltima, diz respeito a seu pai adotivo, o imperador Antonino Pio.

> De meu pai [eu poderia aprender] mansidão e uma inabalável observância às decisões tomadas deliberadamente; e indiferença às chamadas honras; e amor ao trabalho e minúcia; e prontidão para ouvir sugestões para o bem comum; e uma determinação obstinada em dar a cada homem o que lhe é devido (*Meditações*, 1.16).

Ele continua por várias páginas, concluindo finalmente:

Pode-se dizer dele o que nos é dito [por Xenofonte] de Sócrates, que ele poderia se abster ou desfrutar daquelas coisas das quais muitas pessoas não são suficientemente fortes para se abster e muito inclinadas a desfrutar. Mas ter a força para persistir num caso e abster-se no outro é típico de um homem com uma mente perfeita e indomável.

De seu próprio professor estoico Sexto de Queroneia, Marco diz ter aprendido "a concepção de uma vida de acordo com a natureza", mas também "dignidade sem afetação, uma consideração intuitiva dos amigos e tolerância com os iletrados e irracionais". Mesmo que alguns entre seus amigos, seus professores e na família não fossem muito sábios, ele poderia, no entanto, identificar seus pontos fortes e aprender a imitá-los. O primeiro passo para fazer isso, no entanto, é colocá-los em palavras. Ao nomear e descrever as "virtudes" dos outros, Marco se ajuda a memorizá-las e ensaiá-las durante o restante dos exercícios nas *Meditações*.

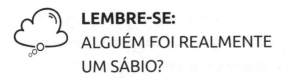

LEMBRE-SE: ALGUÉM FOI REALMENTE UM SÁBIO?

Embora os estoicos usassem muitos exemplos de homens "sábios e bons" da história, eles tendiam a pensar na sabedoria perfeita como algo inatingível por qualquer pessoa viva, mesmo Zenão e os outros fundadores do estoicismo. O Sábio é, portanto, geralmente referido como um ideal hipotético abstrato. No entanto, alguns indivíduos exemplares haviam progredido, aproximando-se mais do ideal.

Sócrates foi o exemplo favorito dos estoicos de um quase sábio, e em segundo lugar vem Diógenes, o Cínico. Às vezes Zenão, Pitágoras, Heráclito e outros são considerados sábios exemplares. Os estoicos romanos também reverenciavam o famoso austero Catão de Útica como símbolo de seu ideal e talvez também a figura mais gentil de Lélio, o Sábio. No entanto, em última análise, o Sábio é apenas um conceito orientador, plantado em todas as nossas mentes pela Natureza – uma imagem do objetivo da vida. É plausível que, ao se recusarem a identificar de forma inequívoca o Sábio com qualquer indivíduo histórico, os estoicos tenham evitado transformar sua filosofia em uma seita que adorasse Zenão ou Sócrates.

 ## PONTOS DE ATENÇÃO

Os principais pontos a serem lembrados deste capítulo são:

- "Afeição natural" e filantropia são fundamentais para o estoicismo: o Sábio está livre de paixões irracionais, mas cheio de amor racional. Amar os outros é mais valioso do que ser amado por eles em contrapartida.
- O estoico ama os outros sabendo que são seres mortais e autônomos, aceitando a inevitabilidade da mudança e da perda determinada pela Natureza como um todo.
- Os estoicos contemplaram o ideal hipotético de um Sábio filosófico perfeito ou sábio, bem como inúmeros exemplos de relativa "sabedoria" e "virtude" da história.

≫≫≫ PRÓXIMO PASSO

O conceito do Sábio ideal ajuda a orientar os estoicos na direção certa na vida, e o desejo de alcançar esse objetivo une todas as suas ações. Amor e amizade são emoções naturais e saudáveis que fazem a ponte entre a teoria estoica das "paixões" irracionais e a ação adequada, ou entre a terapia psicológica e a conduta ética. Portanto, agora estamos prontos para considerar a disciplina da ação dos estoicos com mais detalhes.

6.

A disciplina da ação (filantropia estoica)

Neste capítulo, você aprenderá:

➤ Como Marco Aurélio definiu a "disciplina da ação" estoica em termos de três cláusulas específicas, anexadas a cada intenção.

➤ Como executar qualquer ação com uma "cláusula de reserva", tendo um desprendimento sereno do resultado.

➤ Como as ações são realizadas "para o bem comum", a serviço da humanidade e com um sentido unificado de propósito.

➤ O que os estoicos queriam dizer com a ação "de acordo com o valor", e o papel da prudência e da justiça na escolha dos resultados "preferidos".

Eles [os estoicos] dizem que o homem bom não experimenta nada contrário a seu desejo, impulso ou propósito devido ao fato de que em todos esses casos ele age com uma "cláusula de reserva" e não encontra obstáculos imprevistos (*Antologia*, 2.115).

E você verá jogadores de futebol habilidosos fazerem isso. Nenhum deles se preocupa com a bola, como se fosse algo bom ou ruim, apenas a chuta e tenta pegá-la. [...] Mas se arremessarmos ou apanharmos a bola com ansiedade e medo, qual a diversão que resta, como um jogador vai estar bem posicionado, e como ele vai ficar de olho no progresso do jogo? Um vai dizer "arremesse", outro vai dizer "não arremesse", e um terceiro, "Você já teve sua vez". Isso não seria um jogo, e sim uma briga (Epicteto, *Diatribes*, 2.5).

AUTOAVALIAÇÃO: ATITUDES ESTOICAS E A DISCIPLINA DA AÇÃO

Antes de ler este capítulo, avalie quão fortemente você concorda com as seguintes declarações, usando a escala de cinco pontos (1-5) abaixo, e então repita sua avaliação uma vez que tenha lido e assimilado o conteúdo.

1. discorda fortemente,
2. discorda,
3. não concorda nem discorda,
4. concorda,
5. concorda fortemente.

1. "A melhor maneira de empreender qualquer ação é aceitar completamente, desde o início, que as coisas podem não acontecer como planejado."
2. "Todas as ações devem ser empreendidas, em última instância, a serviço do bem comum, para o benefício da humanidade."
3. "As ações devem ser guiadas pelo valor natural que colocamos nas coisas externas, embora isso não seja o mais importante na vida."

O que é a "disciplina da ação"?

Como os estoicos podem conciliar a ênfase da disciplina do desejo na aceitação com a necessidade de ação na vida? Aceitar as coisas não nos torna apenas "capachos" passivos? Como a ação pode ser empreendida no mundo real, especialmente em assuntos humanos complexos, sem comprometer nossa serenidade? Essas são algumas das questões abordadas pela "disciplina da ação" estoica.

Hadot chama a segunda disciplina de Epicteto de "ação a serviço da humanidade". Ele a interpreta como a virtude de viver em harmonia com outros seres humanos, a essência da "filantropia" estoica ou "amor à humanidade". Em um sentido mais técnico, Epicteto diz que a "disciplina da ação" trata de casos específicos de nossos impulsos à ação (*hormê*), ou seja, nossa intenção de buscar ou evitar certas coisas na vida. Ele acrescenta que, em geral, diz respeito ao dever dos estoicos ou "ação apropriada" (*kathêkon*), e a agir "de forma ordenada, por boas razões, e não negligentemente" (*Diatribes*, 3.2).

Como observado anteriormente, ele acrescenta que isso significa "eu não deveria ser insensível [*apathê*] como uma estátua, mas deveria manter minhas relações, tanto naturais quanto adquiridas, como um homem religioso, como um filho, como um irmão, um pai, um cidadão". Em outras palavras, implica exercícios psicológicos e estratégias destinadas a ajudar o estudante estoico a "fazer a coisa certa" de forma consistente, ao longo das situações específicas que surgem em diferentes áreas da vida, e em suas relações com outras pessoas, sem comprometer seu compromisso com a virtude ou sua serenidade. Como conclui Hadot, Marco Aurélio frequentemente parece equiparar a disciplina da ação à virtude da "justiça" (Hadot, 1998, p. 219). Ela também deve estar relacionada ao processo de "apropriação" (*oikeiôsis*), que nos permite viver em maior harmonia com o restante da humanidade.

Marco parece colocar maior ênfase que Epicteto em agir com justiça e benevolência com o restante da humanidade, embora ele possa ter conhecido mais de seus ensinamentos do que nós conhecemos hoje. Ao discutir as três disciplinas, ele acrescenta uma fórmula muito específica em relação à disciplina da ação, que ele possivelmente atribui a Epicteto, embora isso não esteja em suas *diatribes* sobreviventes. Tendo em mente todas as nossas intenções, devemos vigiar atentamente nossos "impulsos" para a ação da seguinte forma:

1. Pretendo fazer isto e aquilo "com uma cláusula de reserva" (*hupexairesis*), ou seja, acrescentando a ressalva "desde que nada me impeça" ou "desde que o destino me permita", e empreender ações com uma "atitude filosófica" em relação ao resultado, aceitando calmamente desde o início que as coisas podem não acontecer como o planejado.
2. Pretendo fazer isso "pelo bem comum" da humanidade (*koinônikai*), o que significa que todas as minhas ações ao longo da vida são dedicadas a um único alvo externo, servindo a um propósito comum ou pelo menos não conflitante com ele, o que em última instância é a harmonia e a amizade entre a comunidade da humanidade e seu desenvolvimento coletivo e Felicidade.
3. Pretendo fazê-lo "de acordo com o valor" (*kat' axian*), ou seja, com sabedoria prática e justiça, tratando os outros de maneira justa, escolhendo aquelas coisas externas "preferidas" consideradas mais apropriadas sob essas circunstâncias específicas.

Hadot também resume as regras que regem as "ações apropriadas" ou deveres estoicos e a disciplina da ação, como segue (Hadot, 1998, p. 183):

1. Devemos agir a serviço de toda a Natureza ou, na linguagem teológica, de Deus, aceitando nosso destino como ordenado pelo universo – essa é realmente a essência da "cláusula de reserva" estoica.
2. Devemos almejar amar toda a humanidade, vendo a nós mesmos como meros membros diferentes de um único organismo.
3. Em nossas ações, devemos respeitar a hierarquia racional de valores que determinam a ação apropriada.

Essas noções são todas encontradas em Epicteto, mas somente Marco as reúne em uma fórmula de ação tão claramente definida. Já abordamos o conceito de agir "de acordo com o valor" nos capítulos anteriores. Isso significa compreender o valor natural de diferentes coisas externas na vida, ao mesmo tempo que distinguimos isso do "bem" supremo encontrado na virtude. Portanto, vamos nos concentrar nas duas cláusulas restantes abaixo. Destas, a primeira é talvez a mais importante, porque sem a cláusula de reserva nenhuma ação pode ser empreendida com segurança.

Ações filantrópicas têm que ser realizadas com magnanimidade, em outras palavras, com desprendimento suficiente do resultado para manter nossa sanidade e paz de espírito, em vez de nos deixar frustrar quando nossos desejos são constantemente frustrados por circunstâncias externas. "Estar no mundo, sem ser do mundo", como dizem os cristãos. Os estoicos naturalmente "prefeririam" viver na República ideal de Zenão, em meio a uma comunidade de amigos iluminados, enquanto aceitam que o mundo real é mais como o metafórico "festival" ou "balneário público", cheio de personagens desagradáveis e turbulentos, barulho e distração.

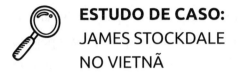

ESTUDO DE CASO: JAMES STOCKDALE NO VIETNÃ

"Em 9 de setembro de 1965, eu voava a uma velocidade de 500 nós direto para uma armadilha de artilharia antiaérea, num pequeno avião A-4 – a cabine de pilotagem não tinha nem um metro de largura –, que eu não conseguia mais pilotar porque estava em chamas", escreveu James Stockdale.

Depois de ser forçado a se ejetar sobre o Vietnã do Norte, ao ser obrigado a descer em direção ao vilarejo e certo de que seria encarcerado como prisioneiro de guerra, seu último pensamento como homem livre passou-lhe pela mente: "Cinco anos lá embaixo, pelo menos. Estou deixando o mundo da tecnologia e entrando no mundo de Epicteto!" (Stockdale, 1995, p. 189).

No início do envolvimento dos Estados Unidos na Guerra do Vietnã, Stockdale foi capturado por um bando de quinze aldeões furiosos que o espancaram quase até a morte. Eles quebraram sua perna, deixando-o permanentemente coxo, como o escravo aleijado Epicteto, cujo antigo *Manual de filosofia estoica* Stockdale havia lido avidamente ao estudar filosofia no curso de mestrado na Universidade de Stanford. Ele foi então feito prisioneiro pelo exército do Vietnã do Norte e transportado para Hanoi, onde, como o oficial naval americano de mais alta patente, tornou-se o líder de uma comunidade de soldados capturados que, no auge, contou com mais de quatrocentos homens. Stockdale foi preso em uma antiga "masmorra" colonial francesa que fazia parte de uma grande prisão comunista chamada Hao Lo, apelidada de "Hanoi Hilton". Os prisioneiros de guerra americanos eram submetidos a contínuas tentativas de reprogramação psicológica por parte de agentes penitenciários e torturadores profissionais.

Stockdale passou sete anos e meio lá, quatro dos quais em isolamento, dois com algemas nas pernas. Ele foi torturado quinze vezes por um método brutal chamado "corda"[12]. No entanto, durante todo o tempo em cativeiro, foi ajudado pelas muitas passagens de Epicteto que ele havia memorizado, chamando-as de seu "consolo" e "arma secreta" durante o cativeiro. Ao ser libertado, ele se tornou um herói militar, um dos oficiais mais condecorados da história naval dos Estados Unidos, e alcançou o posto de vice-almirante. Ele passou a dar palestras sobre a relevância da filosofia estoica para a vida militar moderna, e uma série de suas palestras e seus ensaios foi publicada no livro *Thoughts of a Philosophical Fighter Pilot* [Pensamentos de um piloto de caça filósofo] (Stockdale, 1995).

Sua notável história mostra o estoicismo antigo sendo aplicado com sucesso para manter a resiliência psicológica diante de algumas das adversidades mais terríveis imagináveis no mundo moderno. Em situações como essa, os estoicos têm que conciliar seus desejos naturais, ou deveres percebidos, com o fato de que pouco de seu ambiente externo pode estar sob seu controle direto. No entanto, eles sempre têm liberdade suficiente para manter sua integridade, ou virtude, que continua sendo seu objetivo supremo.

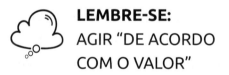

**LEMBRE-SE:
AGIR "DE ACORDO
COM O VALOR"**

Discutimos anteriormente a teoria estoica dos "indiferentes", e seu conceito de que existe uma hierarquia de valores derivados de nossa natureza animal. Isso começa com o instinto de autopreservação e se

---

12. Método de tortura similar ao "pau de arara", também chamado de Strappado. O termo em inglês usado pelo autor foi "'taking the ropes". (N.T.)

estende através da "afinidade" natural que temos com nossa descendência, nossa família, nossos amigos e o restante da humanidade. Embora as coisas externas não tenham valor com relação à *eudaimonia*, viver sabiamente requer lidar "apropriadamente" com nosso corpo, com a riqueza, o dinheiro e outras pessoas.

Executando a ação com uma "cláusula de reserva"

Uma das *diatribes* de Epicteto intitula-se: "Como pode a preocupação coexistir com a grandeza da alma?". Com isso, ele quer dizer: como podemos conciliar nosso desejo de agir adequadamente na vida e fazer a coisa certa, com o desapego necessário para manter a serenidade estoica? A disciplina da ação, que frequentemente requer um esforço para mudar o mundo, em nome da justiça, apresenta um desafio para a disciplina do desejo com seu foco na aceitação e na "indiferença emocional". A resposta de Epicteto é que devemos abordar a vida de certa forma, como se fosse um jogo. Somos como homens jogando dados por prazer, cujo objetivo é jogar bem, com justiça e bom ânimo, de acordo com as regras. Não faz diferença, em última análise, se ganhamos ou perdemos. Entretanto, devemos aceitar qualquer lançamento de dados que nos couber e fazer o melhor que pudermos. Tentamos ganhar o jogo, a fim de sermos bons jogadores, mas ganhar não é, em última análise, importante, e, para usar o clichê, o importante é competir. O espírito no qual "participamos" da vida e cumprimos nosso papel é igualmente mais importante do que o destino que encontramos em termos de sucesso ou fracasso externo. Quando as coisas não acontecem conforme o pretendido, o estoico pode, portanto, dizer a si mesmo:

> Minhas intenções eram boas, e isso é o que realmente conta. O destino decidiu o contrário. Devo aceitar sua vontade e me resignar; a virtude que devo praticar agora não é a justiça, mas a virtude do

consentimento. Devo mudar do exercício da disciplina da ação para a disciplina do desejo (Hadot, 1998, p. 209).

Os estoicos empregavam uma estratégia psicológica inteligente que lhes permitia interagir com eventos externos, incluindo outras pessoas, sem comprometer seu princípio de escolher apenas o que está dentro de sua esfera de controle. Eles se referem a uma ação empreendida com uma cláusula de reserva, o que significa que uma advertência é acrescentada, como "se o destino permitir", "se Deus quiser" ou "se nada me impedir". Parece o ditado: "Faça o que você deve; deixe acontecer o que for". Não posso exigir racionalmente que minhas ações tenham sucesso conforme o resultado pretendido, então embarco em cada jornada com a mente aberta, preparado para aceitar com total equanimidade tanto a vitória quanto a derrota.

Todas as ações devem, portanto, ser empreendidas com a devida atenção e aceitação total do fato de que o resultado pode não acontecer conforme o planejado. Entretanto, essa ideia não é apenas do estoicismo. Os cristãos costumavam escrever "D.V." ou "*Deo Volente*" ("se Deus quiser", em latim) no fim das cartas para anexar a mesma advertência. "*Insha' Allah*" (termo árabe para "se Deus quiser") significa algo semelhante no islã. O Novo Testamento realmente contém uma descrição bastante clara desse conceito em uma passagem que soa como algo que os estoicos poderiam ter escrito:

> Agora, prestai atenção, vós que aclamais: "Hoje ou amanhã iremos a tal cidade, lá nos estabeleceremos por um ano, negociaremos e obteremos grande lucro". Contudo, vós não tendes o poder de saber o que acontecerá no dia de amanhã. Que é a vossa vida? Sois, simplesmente, como a neblina que aparece por algum tempo e logo se

dissipa. Em vez disso, devíeis afirmar: "Se o Senhor quiser, viveremos e faremos isto ou aquilo" (Tiago, 4:13-15).

Da mesma forma, Jesus exclamou: "Meu Pai, se for possível, afasta de mim este cálice; contudo, não seja como eu quero, mas como tu queres" (Mateus, 26:39). A versão estoica pode tomar formas diferentes, mas o conceito e a atitude subjacentes permanecem os mesmos. Por exemplo, Sêneca discute muito claramente, em vários escritos, a "cláusula de reserva" estoica, definindo-a com a fórmula: "Quero fazer tal e tal, desde que nada aconteça que possa constituir um obstáculo à minha decisão" (*Sobre a tranquilidade da alma*, 13).

Em outro lugar, ele dá o exemplo: "Navegarei através do oceano, se nada me impedir". O Sábio espera, portanto, que algo possa sempre se opor a seus planos. Ele opta por pensar assim, segundo Sêneca, porque o sofrimento emocional causado pelo fracasso é necessariamente mais leve para alguém que não prometeu sucesso a si mesmo de antemão.

> Essa é a razão pela qual dizemos que tudo vai bem com ele, e que nada acontece ao contrário de sua expectativa, pois ele tem em mente a possibilidade de que algo aconteça para impedir a realização de seus projetos. É uma imprudência confiar que a sorte estará do nosso lado. O Sábio considera os dois lados: ele sabe o quanto é grande o poder dos erros, como são incertos os assuntos humanos, quantos obstáculos existem para o sucesso dos planos. Sem se comprometer, ele aguarda a incerteza e o capricho dos acontecimentos e pesa a certeza do propósito contra a incerteza do resultado. Aqui também, porém, ele está protegido por essa "cláusula de reserva", sem a qual ele não decide nada e não começa nada (*Sobre os benefícios*, 4.34).

O estudante estoico, portanto, emprega uma estratégia psicológica, ao longo da vida, que envolve qualificar toda intenção, introduzindo uma distinção entre sua vontade e fatores externos fora de seu controle, semelhante à dicotomia de Crisipo de viver de acordo com a natureza tanto interna quanto externa.

Conforme o *Manual de Epicteto*, os estudantes estoicos devem retirar completamente tanto o desejo quanto a aversão aos eventos externos, deixando de julgá-los como "bons" ou "maus" e aceitando-os de acordo com a disciplina do desejo. No entanto, nos é dito que a disciplina da ação exige que continuemos "selecionando" alvos externos e ações apropriadas, embora de forma "leve e sem esforço" e com o acréscimo da "cláusula de reserva" (*Encheirídion*, 2).

Devemos também ensaiar mentalmente quaisquer desafios potenciais do dia seguinte e os preceitos específicos necessários para lidar sabiamente com eles. Ao planejar qualquer atividade, mesmo algo trivial, como visitar um balneário público (talvez destinado a ser uma metáfora para a agitação e o tumulto da vida em geral), imagine de antemão o tipo de coisas que poderiam dar errado ou atrapalhar seus planos. Então diga a si mesmo: "Quero fazer isso e ao mesmo tempo manter minha vontade em harmonia com a Natureza", aceitando de boa vontade o que quer que aconteça (*Encheirídion*, 4). Assim, se mais tarde suas ações forem obstruídas, você pode dizer: "Oh, bem, tudo o que eu queria era manter minha vontade em harmonia com a Natureza, e não posso fazer isso se estou chateado com o que está acontecendo". Em outras palavras, "viver de acordo com a Natureza" significa ceder a eventos externos, quando nosso destino assim o exige.

Marco Aurélio menciona especificamente a ação "com uma cláusula de reserva" (*hupexhairesis*) cerca de cinco vezes, citando Epicteto como uma de suas fontes, mas acrescentando uma perspectiva diferente. A consciência humana tem uma espécie de flexibilidade ilimitada;

ele diz que ela pode sempre se adaptar a tudo o que nos sucede na vida, e esse é um dos dons mais preciosos da Natureza. Ela não precisa de nada externo para prosperar porque, na busca de todas as coisas "preferidas" na vida, pode usar a "cláusula de reserva", preparando-se para converter qualquer sorte externa que nos suceda em uma oportunidade para a virtude e, portanto, alimentando nosso progresso em direção à *eudaimonia*. Os antigos estoicos acreditavam que a mente era composta de uma refinada substância material que se assemelhava ao fogo. Então Marco Aurélio diz que a ação com uma "cláusula de reserva" permite à mente fazer bom uso do que quer que nos suceda, "assim como o fogo tem o domínio do que é lançado sobre ele" (*Meditações*, 4.1).

No diálogo seguinte, Marco parece estar imaginando um debate com o hipotético ideal de um Sábio Estoico agindo como seu mentor, ou possivelmente recordando uma conversa com um verdadeiro professor estoico:

[Sábio:] Ação por ação, você deve construir sua vida e se contentar se cada ato atingir seu fim; ninguém pode impedir que você o faça.
[Marco:] Mas certamente algo externo impedirá isso!
[Sábio:] Ninguém pode impedi-lo de agir com justiça, autodisciplina e sabedoria prática.
[Marco:] Mas e se algum outro aspecto da atividade for impedido?
[Sábio:] Bem, sim, mas se você adotar uma atitude de serena aceitação em relação a tal obstáculo, e se souber como retomar prudentemente aquilo que é capaz de fazer, então outra ação a substituirá, e ela se encaixará com a vida harmoniosa de que estamos falando (*Meditações*, 8.32).

Os estoicos nunca devem estar excessivamente apegados a determinado resultado ou curso de ação. Se alguém obstruir nossas tentativas de agir com justiça e benevolência com os outros, de acordo com a disciplina da ação, vai estar apenas nos proporcionando uma oportunidade para exercermos as virtudes da autodisciplina e da coragem, de acordo com a disciplina do desejo.

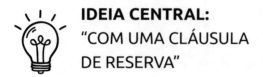

IDEIA CENTRAL: "COM UMA CLÁUSULA DE RESERVA"

Nos textos estoicos, particularmente de Epicteto e Marco Aurélio, encontramos o termo técnico grego *hupexhairesis*, que significa agir "com uma cláusula de reserva", "com reserva" ou "com uma exceção" em mente. Em Sêneca, o mesmo conceito é referido em latim como *exceptio*. Isso significa agir com uma espécie de atitude distanciada em relação ao resultado, que se torna independente ou é tratado como uma exceção do que é desejado. O conceito básico é que o Sábio age sempre com essa reserva em mente, de modo que pensa: "Farei isto e aquilo, se o destino assim o permitir" ou "se Deus quiser" etc.

As intenções do Sábio, portanto, nunca são frustradas, porque ele só deseja fazer o que nada pode impedir. Em contraste, paixões irracionais, como o "desejo", não podem ser empreendidas com uma cláusula de reserva, porque procuram obter algo fora de nosso controle direto. Entretanto, no estoicismo as ações são julgadas como "boas" ou "más", viciosas ou virtuosas puramente na intenção subjacente a elas, independentemente de suas consequências (Cícero, *De Finibus*, 3.32).

FAÇA AGORA:
AGINDO COM A "CLÁUSULA DE RESERVA"

Escolha uma tarefa a ser realizada com a "cláusula de reserva" em mente. Concentre-se em sua intenção de agir com integridade, enquanto aceita o resultado com equanimidade. Siga estas etapas:

1. Planeje algo que você vai fazer hoje, em relação a eventos externos.
2. Tente imaginar os vários obstáculos que poderiam atrapalhar seu caminho e aceite de bom grado que as coisas possam ir contra a sua vontade.
3. Ensaie dizendo a si mesmo: "Farei o que for preciso", acrescentando a advertência: "... se nada me impedir" ou "se o destino permitir".
4. Se as coisas não saírem como você desejava, concentre a atenção em aceitar o resultado de qualquer forma, como ensina a disciplina do desejo.

Tente fazer isso cada vez mais, até ser capaz de abordar a maioria das situações com a mesma atitude, disposto a realizar qualquer tarefa com uma "cláusula de reserva" e mantendo sua vontade em harmonia com os acontecimentos.

O arqueiro estoico

Na obra *Catão, o velho, ou Diálogo sobre a velhice*, Cícero explica a teoria estoica da ação usando a maravilhosa metáfora de um arqueiro. O arqueiro pode entalhar a flecha e puxar o arco o melhor que puder, mas, uma vez que a flecha foi lançada, ele só pode esperar para ver se ela acerta o alvo. Uma rajada de vento inesperada poderia desviá-la do curso ou o alvo (talvez um animal selvagem) poderia se mover. A intenção está sob seu controle, assim como o "impulso" inicial ou ato de colocar a flecha em movimento, mas o resultado final se deve ao "destino" – ou a variáveis externas fora de seu controle.

Os estoicos às vezes distinguem o "alvo" (*skopos*) perseguido em uma ação, literalmente a marca em que fixamos nosso olhar, do "fim" ou propósito (*telos*) da ação, literalmente sua "conclusão" ou "realização". Catão apresenta isso como uma metáfora para a distinção entre as coisas externas "preferidas" e o objetivo da vida. Embora os estoicos busquem na vida muitas das mesmas coisas que a maioria das outras pessoas, tais como saúde física e amizade, eles o fazem de forma sutilmente distanciada. O verdadeiro "objetivo" da vida é a sabedoria prática, ou virtude, e isso consiste na "arte de viver", a maneira como fazemos as coisas no mundo, independentemente do resultado.

O "alvo" externo de uma ação, por exemplo, poderia ser beneficiar os amigos, educando-os e encorajando-os para a virtude, como fez Sócrates. No entanto, se isso terá ou não sucesso está em parte nas mãos do destino, como demonstram os estudantes menos respeitáveis de Sócrates. O objetivo de um Sábio não seria beneficiar outros, o que está além de seu controle, mas simplesmente fazer o seu melhor para beneficiá-los. Como o arqueiro que dispara sua flecha, seu trabalho é completo se ele tiver dado o melhor de si, agindo com as virtudes da justiça e da benevolência, quer ele realmente consiga ou não atingir o alvo.

O alvo em que fixamos nosso olhar (*skopos*), o resultado de qualquer ação, está sempre essencialmente no futuro. Em contraste, nossa intenção de atingi-lo está no presente momento. Se partimos com a atitude correta, por assim dizer, já alcançamos o fim (*telos*) da virtude, desde o início de nossos esforços. Como já vimos, Epicteto faz uma comparação semelhante entre a vida e o jogo de bola. Embora tentemos pegar e passar a bola, não a consideramos de nenhum valor intrínseco – é apenas um jogo. O que importa é jogarmos bem, de determinada maneira (virtuosa), e isso muitas vezes significa não nos aborrecer quando o jogo está indo contra nós.

Podemos também comparar a vida à dança ou ao canto por prazer, cujo objetivo é alcançado na performance, dançando ou cantando bem, em vez de pretender algum resultado externo. Entretanto, uma apresentação física pode ser interrompida, enquanto nossa intenção moral é completa desde o início e não pode ser quebrada em partes. Isso é importante para os estoicos porque significa que nunca poderemos ser impedidos de alcançar a virtude – isso acontece num piscar de olhos, assim que uma decisão virtuosa é tomada, no "aqui e agora". Epicteto, assim, perguntou a seus alunos: "Vocês podem me indicar um único homem que se importa com a forma como ele faz o que faz, sem estar interessado no que pode obter, e sim na maneira das próprias ações?" (*Diatribes*, 2.16). O que importa é a maneira como fazemos as coisas, e não se temos ou não sucesso. Como diz Sêneca: "Em resumo, o homem sábio olha para o propósito de todas as ações, e não para suas consequências; os inícios estão em nosso poder, mas a Fortuna julga o resultado, e eu não concedo a ela veredicto sobre mim" (*Carta*, 14).

IDEIA CENTRAL: "IMPULSOS" E "AÇÕES APROPRIADAS"

Os "impulsos" (*hormê*) são basicamente o início das ações voluntárias na psicologia estoica. Eles estão em algum lugar entre o que queremos dizer com "intenção" e "ação" voluntária, e se baseiam em atos de "consentimento" a impressões particulares. Por exemplo, nos dizem que os "impulsos" podem tomar a forma de "propósito", "esforço", "preparação", "escolha", "desejo" e "anseio".

Paixões, tais como medo e desejo ou sofrimento e prazer, são uma forma particularmente importante de impulso. Quando nossas intenções estão de acordo com a razão e o valor natural das coisas, nossas ações são julgadas "apropriadas" às circunstâncias.

Zenão cunhou o termo "ações apropriadas" (*kathêkonta*) devido à sua semelhança com a expressão "aplicável a certas pessoas" (*kata tinas hêkein*), para se referir às coisas certas que indivíduos específicos possam fazer em situações específicas. Muitas vezes isso só pode ser julgado com base na probabilidade, como o que parece razoável "preferir", – por exemplo, se é apropriado emprestar ou não dinheiro a alguém em uma ocasião específica. Em contraste, podemos compreender com certeza que é "bom" ter virtude e uma intenção ("impulso") de agir de acordo com a justiça. O jargão técnico estoico distingue *kathêkonta*, "ações apropriadas", que qualquer um pode realizar, de *katorthômata*, "ações perfeitas", que só são realizadas pelo Sábio (Long, 2002, p. 257). Qualquer tolo pode fazer a coisa certa, mas o Sábio age tanto apropriadamente quanto com discernimento, com base no conhecimento perfeito, na sabedoria e na virtude.

LEMBRE-SE:
O SÁBIO SE EMPENHA EM TUDO COM A "CLÁUSULA DE RESERVA"

Marco Aurélio lista a "cláusula de reserva" primeiro ao descrever as três cláusulas que definem a disciplina estoica de ação (*Meditações*, 11.37). Sem acrescentar essa advertência a toda intenção, os estoicos não podem viver em segurança de acordo com a virtude enquanto interagem com o mundo das coisas "indiferentes" e outras pessoas. Na linguagem teológica, ele deseja o que é naturalmente preferível para si mesmo, seus amigos e a comunidade dos homens, mas somente enquanto Deus assim o desejar. Se os acontecimentos se revelarem de outra forma, os estoicos devem aceitar o fato e se adaptar de acordo, em vez de se sentirem frustrados. Assim, como diz Sêneca, mesmo um Sábio perfeito emprega essa estratégia ao planejar qualquer ação na vida.

Empreendendo ações "para o bem comum" da humanidade

Sabemos que os estoicos deram grande importância à contemplação do ideal hipotético do Sábio como guia na vida, mas será que o ideal hipotético de uma comunidade de sábios, o sonho de uma "República" estoica ideal, poderia ter servido a uma função semelhante? Marco Aurélio escreveu em seu diário: "Não espere pela República de Platão! Em vez disso, fique satisfeito se uma pequena coisa fizer algum progresso e reflita sobre o fato de que o resultado dessa pequena coisa não é uma coisa pequena!" (*Meditações*, 9.29). Como vimos, Marco também afirmou que a "disciplina da ação" de Epicteto envolvia acrescentar a cláusula "para o bem comum" (da humanidade) a toda intenção.

Uma maneira de interpretar isso, sem dúvida, seria que a disciplina da ação exige que dediquemos cada ação, desde o início, a um único alvo subjacente, a "República" ideal ou a comunidade filosófica iluminada. Apesar de ser imperador de Roma, o estoico mais poderoso que já viveu, Marco parece estar satisfeito mesmo que suas ações individuais sejam apenas "pequenos" passos nessa direção geral. De fato, através das *Meditações*, ele se lembra continuamente de dedicar suas ações ao bem comum da humanidade enquanto concidadãos do cosmos.

No entanto, provavelmente não é a *República* de Platão que ele tem em mente, literalmente. Os autores romanos tendem a se referir vagamente a qualquer relato filosófico da sociedade ideal como "República de Platão". Por exemplo, o estadista romano Cícero criticou seu amigo Catão, outro estadista e estoico famoso, por agir como se já estivesse vivendo na "República de Platão" em vez de estar disposto a exercer a verdadeira política. O texto fundador do estoicismo foi a *República* de Zenão (*Politeia*), que contrastava fortemente com o livro homônimo de Platão e continha muitas críticas sobre a sociedade ideal platônica. Marco e Cícero estão, portanto, falando vagamente, e é mais provável que seja o ideal estoico que eles têm em mente. Uma diferença-chave era que a *República* de Platão era notoriamente hierárquica e dividida em três amplas classes sociais, a harmonia dependendo de cada indivíduo conhecer seu lugar, enquanto a *República* de Zenão aparentemente tratava todos os cidadãos como iguais. Parece que não haveria necessidade de dinheiro, armas, tribunais ou templos na República Estoica ideal, e homens e mulheres usariam todos o mesmo tipo de roupa.

Marco, em outros lugares, define o objetivo supremo da vida, que é viver como um cidadão fiel da maior "Cidade ou República", toda a Natureza obedecendo às suas leis e seguindo suas orientações, mesmo na menor de nossas ações. Isso significa ver a cidade ou o país físico em que vivemos como apenas uma pequena região da Cidade Universal, a Natureza inteira, que tem precedência. Epicteto, portanto, pergunta: "O que é um homem?".

Uma parte de uma cidade. Parte da cidade: da primeira, dos Deuses e dos humanos, depois desta que é dita a mais próxima, que é uma pequena imitação da totalidade" (*Diatribes*, 2.5).

Para os estoicos, quando nos damos conta de que toda a humanidade é essencialmente da mesma família, passamos a nos ver como meras partes de uma comunidade maior. Em *Catão, o velho, ou Diálogo sobre a velhice,* Cícero menciona que, do fato de sermos todos percebidos como partes de uma única Cidade Universal, segue-se naturalmente que devemos valorizar mais o bem comum do que o nosso próprio.

Em certo sentido, todos nós já vivemos na República Cósmica, embora somente o Sábio possa realmente se tornar um cidadão, pois ele obedece às suas leis, "vivendo em concordância com a Natureza".

No entanto, vivendo como estoicos aspirantes, todos nós progredimos rumo a um mundo melhor, uma comunidade ideal. O objetivo de Epicteto, de ter na "pequena cidade" em que vivemos nossa comunidade atual, chega o mais próximo possível da realização do ideal da República Estoica, e presumivelmente teria que ser classificado como "indiferente preferido", porque sua realização depende de outras pessoas e está sempre necessariamente fora de nosso controle direto. Ele só poderia ser perseguido com a "cláusula de reserva", a ressalva "se o destino permitir".

Como na metáfora de Cícero do arqueiro, Marco Aurélio usa o termo *skopos* para descrever o "alvo" externo de melhorar o bem-estar comum da humanidade e a da situação política. Ele diz que não podemos viver consistentemente, de acordo com a Natureza, a menos que tenhamos sempre o mesmo alvo em vista, e esse alvo precisa ser claramente definido: "Devemos colocar diante de nós mesmos como nosso alvo o bem-estar comum e o bem-estar do estado político". Um aspecto importante da disciplina da ação a que o estoico aspira é agir de forma unificada, dedicando todas as suas ações a um único propósito subjacente na vida. Entretanto, isso pode ser entendido como algo que consiste em dois elementos: o "objetivo" interno de agir com justiça, e o "alvo" externo correspondente do benefício da humanidade, dando passos minúsculos até mesmo para a realização da República Estoica ideal. Da mesma forma, Crisipo afirmou que mesmo o Sábio, ao invés de se retirar do mundo dos homens, "participará da política, se nada o impedir", para promover o bem e conter o mal entre seus concidadãos.

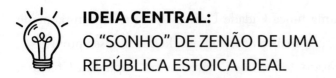
IDEIA CENTRAL:
O "SONHO" DE ZENÃO DE UMA REPÚBLICA ESTOICA IDEAL

Segundo Plutarco, Zenão escreveu a *República* "imaginando como se fosse um sonho ou uma representação de uma sociedade bem regulamentada"; em outras palavras, a *República* encorajou seus leitores a imaginar o ideal hipotético de uma sociedade perfeitamente harmoniosa (*Sobre a Fortuna de Alexandre*, 329a). Ele diz que a *República* era amplamente admirada, centrada na doutrina de "que devemos organizar a casa e viver a vida não como membros de diferentes nações ou estados políticos, mas vendo os outros como concidadãos do mundo, tendo um modo de vida, como o de um rebanho pastando junto e sustentado por uma lei comum".

Mais interessante ainda, em contraste com a imagem comum dos estoicos como não sociais, parece que a comunidade ideal de Zenão se baseava no amor. Conforme relatos, Zenão escreveu na *República* que "Eros é um deus que contribui para a segurança da cidade" porque é um deus da "amizade e liberdade", que proporciona harmonia entre as pessoas (Ateneu, 561c). Embora *eros* normalmente signifique amor sexual, Zenão foi possivelmente influenciado pelo conceito de "amor platônico", um amor não sexual baseado na percepção da beleza como residindo na alma ou no caráter dos outros, e não na aparência física.

Os estoicos também tentaram pensar em toda a humanidade como uma única comunidade de seres racionais – todos filhos de Zeus e cidadãos de um mesmo universo. Embora nenhum de nós, estritamente falando, detenha a verdadeira sabedoria e virtude, Marco Aurélio e outros estoicos romanos parecem ver isso como o dever de amar o restante da humanidade apesar de sua imperfeição, porque o simples fato de contarem com a razão lhes dá potencial para a virtude. O desejo de viver em amizade e harmonia com aquelas pessoas entre as quais o destino nos colocou pode ser visto como um primeiro pequeno passo em direção à comunidade perfeitamente iluminada da República Estoica ideal. Os primeiros estoicos estudaram a *República* de Zenão, e a própria Stoa pode ter sido concebida como uma pequena comunidade de amigos, de alguma forma modelada nesse ideal.

FAÇA AGORA:
SONHANDO COM A REPÚBLICA ESTOICA IDEAL

Tire algum tempo para contemplar como seria a sociedade estoica ideal e tente imaginá-la em sua mente, como uma espécie de fantasia utópica. Imagine uma cidade povoada por homens e mulheres ainda mais sábios e honrados do que alguém do calibre de Sócrates, por exemplo.

1. Basta partir da premissa de que a comunidade consiste em indivíduos perfeitamente sábios e justos, sábios estoicos, naturalmente amigos uns dos outros.
2. Qual seria o espaço para o conflito? Como eles lidariam com propriedades ou dinheiro?
3. Como seria a atitude deles uns com os outros e como eles poderiam interagir?
4. Como eles lidariam com o casamento e cuidariam dos filhos?

De acordo com os estoicos, as crianças são incapazes de verdadeira sabedoria prática ou virtude até que envelheçam o suficiente para desenvolver a razão e o autocontrole. Considere como um adulto comum "imperfeito" seria tratado na República ideal, alguém que carece de sabedoria prática, como uma criança, em comparação com o Sábio.

Tente relacionar esse pensamento-experimento com sua própria vida, pensando na comunidade de pessoas mais próximas a você, seus amigos e família, como um microcosmo potencial da República Estoica.

**FAÇA AGORA:
DEDICANDO AÇÃO AO "BEM-ESTAR COMUM" DA HUMANIDADE**

Empenhar todas as suas ações para servir ao bem comum da humanidade pode parecer uma tarefa bastante árdua! Entretanto, há alguns pequenos passos iniciais que você deve começar a dar, e, como Marco Aurélio diz, contentar-se com pequenos passos em uma direção positiva "e refletir sobre o fato de que o que resulta dessa pequena coisa não é nada pequeno!" (*Meditações*, 9.29).

1. Ao longo do dia, antes de empreender qualquer ação, pergunte-se com relação à sua atitude interna e às suas intenções: "Como isso se coaduna com a sabedoria prática e a excelência moral?" e "Como isso contribui para a Felicidade e a realização?".
2. Também se pergunte, em termos do resultado externo que você antecipa: "Como essa ação serve à comunidade da humanidade?".
3. Mesmo que algumas ações não pareçam servir a esse propósito superior, pelo menos podem ser aprovadas se não entrarem em conflito com o bem-estar comum da humanidade.

A consciência de que todas as suas ações se referem conscientemente a um único propósito subjacente pode ser uma coisa muito poderosa, e isso é sem dúvida parte do que os primeiros estoicos queriam expressar ao dizer que o objetivo supremo da vida era "viver de acordo" ou viver consistentemente.

# LEMBRE-SE: "VIVER DE ACORDO"

Zenão definiu originalmente o objetivo supremo da vida como "viver de acordo", o qual foi expandido para "viver de acordo com a natureza", talvez por um de seus sucessores. Entretanto, os estoicos geralmente parecem ter entendido que a *eudaimonia* e a sabedoria exigem consistência na vida, no sentido de que a vida é estruturada em torno de um sentido unificador de propósito. Marco diz repetidamente que isso vem de agir com sabedoria e justiça, ligando cada ação de alguma forma ao bem-estar comum da humanidade, e não fazendo nada ao acaso ou sem consideração. Essa coerência é uma parte importante da disciplina da ação.

PONTOS DE ATENÇÃO

Os principais pontos a serem lembrados deste capítulo são:

- De acordo com Marco Aurélio, a disciplina da ação de Epicteto instrui os estoicos a assegurarem continuamente que todas as suas ações e intenções tenham "uma cláusula de reserva", "para o bem-estar comum" e "de acordo com o valor".
- Mesmo o Sábio não empreende nenhuma ação sem antecipar possíveis obstáculos e falhas, de acordo com a "cláusula de reserva" – "Farei isso, desde que nada me impeça".
- Quando ações são frustradas ou eventos se voltam contra nós, os estoicos aceitam as coisas externas como "indiferentes", de acordo com a disciplina do desejo.

>>> PRÓXIMO PASSO

A disciplina da ação nos leva naturalmente ao tema da "premeditação" estoica, ou antecipação de ações planejadas e seus potenciais resultados. Epicteto deixa claro que a antecipação de contratempos nos permite assegurar que empreendemos ações "com uma cláusula de reserva", em conformidade com a disciplina da ação, mas também nos dá maior margem, por meio de imagens mentais, para praticar a disciplina do desejo e a aceitação estoica.

7.
Premeditação da adversidade

Neste capítulo, você aprenderá:

➤ Como usar uma das mais conhecidas técnicas de construção de resiliência do antigo estoicismo: a praemeditatio malorum ou "premeditação da adversidade".

➤ Como evitar que a premeditação filosófica se transforme em preocupação inútil.

➤ Como diferentes processos psicológicos podem ser empregados durante a premeditação filosófica.

Quem quer que tenha dito "Fortuna, eu fiz um ataque preventivo contra você e a privei de todas as brechas" estava baseando sua confiança não em ferrolhos, fechaduras e fortificações, mas em princípios e argumentos disponíveis para qualquer um que os queira. […] Pois se a mente é indulgente e toma os cursos mais fáceis o tempo todo e se retira de assuntos indesejáveis para o que maximiza seu prazer, a consequência é a fraqueza e a debilidade nascida da falta de esforço; mas uma mente que se treina e se esforça para usar a racionalidade para conceber uma imagem de doença, dor e exílio descobrirá que há muita falta de realidade, superficialidade e insensatez nos problemas e horrores aparentes que cada um deles tem a oferecer, como demonstra a argumentação racional detalhada (Plutarco, *On Contentment* [Sobre o Contentamento], 467c).

Mantenha diante dos olhos, dia após dia, a morte e o exílio, e tudo o que parece catastrófico, mas acima de tudo a morte; e então você nunca terá nenhum pensamento abjeto, nem ansiará por nada excessivamente (*Encheirídion*, 21).

AUTOAVALIAÇÃO:
ATITUDES ESTOICAS EM RELAÇÃO ÀS ADVERSIDADES FUTURAS

Antes de ler este capítulo, avalie quão fortemente você concorda com as seguintes declarações, usando a escala de cinco pontos (1-5) abaixo, e então repita sua avaliação uma vez que tenha lido e assimilado o conteúdo.

1. discorda fortemente,
2. discorda,
3. não concorda nem discorda,
4. concorda,
5. concorda fortemente.

1. "É importante antecipar os contratempos e retirar deles a sensação de choque ou surpresa."
2. "Ao invés de evitar pensar em problemas futuros, devemos nos treinar para enfrentar o pior com compostura."
3. "Se eu pacientemente enfrentar meus medos na imaginação, por tempo suficiente, minha ansiedade acabará por se reduzir."

Por que antecipar futuros "infortúnios" é importante?

Qual é a pior coisa que poderia acontecer com você na vida? Como você lidaria com isso? Como você está preparado para os típicos reveses que acontecem com outras pessoas? Neste capítulo, vamos explorar uma das ferramentas mais poderosas do arsenal estoico: a previsibilidade. De fato, quando lhe perguntaram o que tinha aprendido com a filosofia, Diógenes, o Cínico, disse: "Estar preparado para cada fortuna". Epicteto chega ao ponto de dizer que estudar a filosofia estoica significa necessariamente "preparar-se para eventos futuros". Sêneca também diz que devemos nos fortalecer antecipadamente contra os problemas que podem acontecer até mesmo aos mais poderosos, lembrando que é sempre possível um ladrão ou um inimigo "manter uma espada em sua garganta".

Conforme já mencionado, no inglês moderno, diz-se que alguém é "filosófico" em tempos difíceis como sinônimo de ser "estoico" no sentido popular: ter calma diante da adversidade. Horácio também escreveu: "Lembre-se de manter a mente calma e equilibrada diante da adversidade" (*Odes*, 2.3). Os estoicos se preparavam para manter a equanimidade e a libertação dos sofrimentos emocionais em face de aparentes "infortúnios", visualizando e preparando-se regularmente para lidar com eles com muita antecedência.

Essa conhecida técnica psicológica foi chamada por Sêneca de "premeditação da adversidade" (*praemeditatio malorum*, em latim). Irvine a descreve como "a técnica mais valiosa do conjunto de ferramentas dos Estoicos" (Irvine, 2009, p. 68). Ele cunhou o termo "visualização negativa" para se referir à premeditação estoica, e isso está bastante próximo do significado literal de *praemeditatio malorum*. Entretanto, para os estoicos, o ponto-chave é que as aparentes "desgraças" que estão sendo imaginadas não são de fato "negativas", mas completamente indiferentes. É justamente essa indiferença às temidas "catástrofes" que os estoicos procuram fortalecer por meio da meditação prospectiva envolvendo exposição a elas em imagens mentais. Não se preocupar com as "catástrofes" temidas nem evitar pensar nelas, mas sim enfrentá-las com calma, racionalidade e paciência, mantendo ao mesmo tempo uma "atitude filosófica".

Autores modernos como Irvine e Burkeman são particularmente atraídos pelo estoicismo porque o consideram uma alternativa psicologicamente mais convincente à tática superficial do "pensamento positivo", tão comum hoje em dia. Aplicando sua rigorosa racionalidade à situação, os estoicos propõem uma forma mais elegante, sustentável e calma de lidar com a possibilidade de que as coisas corram mal: "Em vez de se esforçarem para evitar todos os pensamentos sobre esses piores cenários, eles aconselham concentrar-se ativamente neles, olhando-os de frente" (Burkeman, 2012, p. 32).

No mundo antigo, as pessoas eram menos propensas do que hoje a assumir que o "pensamento positivo" é saudável, e provavelmente estavam corretas. O objetivo da filosofia é cultivar crenças racionais e realistas, e não "tentar pensar positivamente". Pesquisas psicológicas recentes tendem a mostrar que as pessoas capazes de aceitar pensamentos e sentimentos desagradáveis sem serem sobrepujadas por eles, são mais resistentes do que as pessoas que tentam se distanciar ou evitar tais experiências por meio de estratégias como o pensamento positivo (Hayes, Strosahl & Wilson, 2012; Robertson, 2012).

Embora, como veremos, a pesquisa moderna possa identificar vários mecanismos psicológicos subjacentes a esse tipo de técnica de imagem mental, os estoicos acreditavam que a premeditação era principalmente uma oportunidade para desenvolver a virtude, ensaiando as máximas centrais de sua filosofia.

Hadot, assim, diz que, por meio da premeditação da adversidade, os filósofos queriam não apenas suavizar o "choque da realidade" e alcançar maior tranquilidade, mas também aprofundar os princípios do estoicismo e assimilá-los mais profundamente (Hadot, 2002, p. 137).

Outros processos psicológicos podem ajudar, mas o objetivo principal no estoicismo deve ser o de captar a virtude e assim alcançar a Felicidade e o bem-estar (*eudaimonia*). Uma conhecida fábula de Esopo expressa uma noção semelhante muito bem: um javali estava afiando as presas contra uma árvore quando uma raposa apareceu e lhe perguntou por que ele estava fazendo aquilo. "Não vejo a razão", observou a raposa, "não há caçadores nem cães de caça à vista; de fato, neste momento não vejo ameaça alguma." O javali respondeu: "É verdade, mas, quando o perigo surgir, terei outras coisas na mente além de afiar as armas". Em tempos de paz, prepare-se para a guerra. Para os estoicos, essa preparação era vitalícia, tanto física quanto mental:

> É em tempos de segurança que o espírito deve estar se preparando para lidar com tempos difíceis; enquanto a sorte lhe concede favores, é o momento de se fortalecer contra suas represálias. Em meio à paz, o soldado realiza manobras, executa trabalhos de terra contra um inimigo inexistente e esforça-se desnecessariamente para se igualar a esse inimigo quando for necessário. Se você quiser que um homem mantenha a força quando a crise chegar, deve lhe dar algum treinamento antes que ela chegue (Sêneca, *Carta*, 18).

Antístenes disse que "a virtude é uma arma da qual o homem não pode ser privado" (*Vidas*, 6.1), e, para os estoicos e cínicos, a vida se assemelhava a uma guerra. Podemos, portanto, pensar nas virtudes e nos preceitos estoicos como "armas" e na premeditação como treinamento em preparação para a batalha.

O exercício da meditação nos permite estar prontos no momento que uma circunstância inesperada – e talvez dramática – aconteça. No exercício chamado *praemeditatio malorum* [por Sêneca], devemos representar para nós mesmos a pobreza, o sofrimento e a morte. Devemos enfrentar as dificuldades da vida frente a frente, lembrando que elas não são males, já que não dependem de nós. É por isso que devemos gravar na memória máximas notáveis para que, quando chegar o momento, elas possam nos ajudar a aceitar tais eventos, que afinal fazem parte do curso da natureza; teremos assim essas máximas e frases "à mão". O que precisamos são fórmulas ou argumentos persuasivos (*epilogismoi*), que podemos repetir para nós mesmos em circunstâncias difíceis, a fim de controlar os sentimentos de medo, raiva ou tristeza (Hadot, 1995, p. 85).

Em outras palavras, a filosofia, os argumentos racionais e os preceitos que deles decorrem foram vistos como nossa maior defesa contra as vicissitudes da Fortuna.

Sêneca é o estoico que mais tem a dizer sobre a premeditação da adversidade como uma forma de treinamento de resiliência moral e emocional. Por exemplo, ele responde a uma terrível calamidade sofrida por um de seus amigos com o conselho de que devemos projetar nossos pensamentos à nossa frente a cada esquina, e antecipar cada possível revés, não apenas eventos comuns, mas catástrofes como exílio, tortura, guerra e naufrágio. Isso foi abordado, muito sistematicamente, como um exercício contemplativo rotineiro pelos estoicos. Entretanto, Sêneca continua a enfatizar que a contemplação estoica da transitoriedade das coisas deve moderar nossa angústia.

Em vez de se preocupar com essas coisas de forma ansiosa, os estoicos procedem calmamente e contemplativamente, avaliando pacientemente a ameaça percebida, particularmente se ela é ou não verdadeiramente "maligna" ou catastrófica. Diante de "catástrofes" percebidas, esses golpes de circunstância, nos damos conta de que a realidade "nunca é tão séria quanto os rumores a fazem parecer" (*Carta,* 91). O preceito geral da ética estoica deve ser a base da premeditação: que algumas coisas estão sob nosso controle e outras não, e que as coisas externas, fora de nossa vontade, são fundamentalmente indiferentes para nós. Hadot, assim, descreveu isso como "uma espécie de exame de consciência de antemão".

Não importa quais "catástrofes" o estoico imagina, nessa experiência de pensamento o resultado é sempre o mesmo: os eventos externos não são "bons" nem "maus", apenas nossas respostas a eles são. A maioria de nós é como crianças pequenas que têm medo de pessoas usando máscaras assustadoras, mas ficam imediatamente tranquilas quando elas são removidas. Veremos que as "catástrofes" antecipadas são realmente indiferentes para nós mediante uma contemplação calma e racional de sua verdadeira natureza.

Devemos, portanto, provar para nós mesmos que compreendemos genuinamente a natureza das desgraças de que ouvimos falar muitas vezes, considerando "qualquer coisa que pode acontecer como se fosse acontecer". Como Epicteto disse, a filosofia estoica funciona como o caduceu[13] mágico de Hermes: toda "desgraça" que ela toca se trans-

---

13. Um caduceu é uma varinha entrelaçada por duas cobras e encimada por asas ou por um capacete alado. O caduceu está associado à magia, iluminação espiritual, sabedoria, imortalidade e cura. Está mais fortemente associado a Hermes, o deus mensageiro grego da magia. O caduceu de Hermes é feito de madeira de oliveira, símbolo da paz e da continuidade da vida. A haste da vara representa poder; as serpentes representam sabedoria ou prudência; as asas representam diligência; e o capacete representa pensamentos elevados. Com um toque de seu caduceu, Hermes coloca os mortais para dormir ou ressuscita os mortos. Ele cura qualquer doença e transforma em ouro qualquer coisa que a vara toque. Os romanos, que chamavam Hermes de Mercúrio, viam o caduceu como um símbolo de conduta moral e de equilíbrio. (N.T.)

forma em verdadeira boa sorte, quando usada sabiamente. Enquanto contemplamos os "desastres" percebidos, tais como falência ou ferimentos físicos, podemos literalmente dizer, como ele aconselha: "Não escolhido, [portanto] nada de ruim!". Treinar-se para lembrar a definição estoica do bem e preceitos relacionados enquanto ensaia cada possível "infortúnio" que possa realisticamente lhe suceder na vida é a base da resiliência emocional ou invulnerabilidade estoica à fortuna. Na ausência de adversidades reais, busca desafios em sua imaginação, enfrentando as dificuldades futuras com bastante antecedência. Assim, não só está preparado para o que quer que a vida lhe atire, mas também tem infinitas oportunidades para se treinar em resistência estoica e autodisciplina, não se limitando aos desafios do momento presente. O estudante terá empreendido o que Epicteto chamou de "treinamento de inverno", o tipo de treinamento militar intensivo realizado por exércitos antigos em preparação para uma batalha decisiva.

Como o "infortúnio" final com o qual o estoicismo se preocupa é a própria morte, a técnica da premeditação também nos leva ao conceito mais amplo de contemplar a própria mortalidade. Os estoicos devem ter a coragem de pensar o impensável e de enfrentar repetidamente eventos "catastróficos" em sua mente, dos quais a maioria das pessoas se afasta, a fim de compreender firmemente sua natureza "indiferente". Como Hadot observa, a premeditação da adversidade vincula a disciplina do desejo à disciplina da ação, encorajando-nos a superar nossa ansiedade com antecedência, enquanto antecipamos obstáculos e planejamos ações apropriadas, com a "cláusula de reserva" em mente. De fato, a técnica da premeditação parece assemelhar-se a certos aspectos da rotina de meditação matinal descrita por alguns estoicos. Por exemplo, Marco Aurélio parece descrever uma prática parecida com a premeditação da adversidade, a ser realizada após o despertar de cada dia:

"Diga a si mesmo ao amanhecer: Encontrarei o atarefado, o intrometido, o ingrato, o prepotente, o traiçoeiro, o invejoso e o antissocial. Tudo isso lhes acontece porque eles não conseguem distinguir o bem do mal" (*Meditações*, 2.1).

Assim, parece que, além de contemplar o fato de que os eventos externos não são nem bons nem maus, mas indiferentes, os estoicos também podem antecipar frustrações causadas por outras pessoas, de maneira semelhante, mas talvez com a observação adicional de que suas ações são causadas pela própria falta de sabedoria, pela ignorância da verdadeira natureza do "bem" e pela indiferença das coisas externas com as quais se preocupam. Epicteto diz que, quando alguém parece discordar de nós ou nos encontramos em conflito, devemos reconhecer que esse alguém simplesmente quer o que presume ser certo, e dizer a nós mesmos: "Pareceu-lhe assim" (*Encheirídion*, 42).

IDEIA CENTRAL:
PRAEMEDITATIO MALORUM

Filósofos de diferentes tradições, mas especialmente os estoicos, e em particular Sêneca, se referem ao valor de um exercício psicológico que envolve imaginar repetidamente "catástrofes" futuras como se elas estivessem acontecendo agora mesmo. Na literatura clássica, exemplos como exílio, doença, pobreza e luto são comumente empregados, mas também a própria morte. Isso é feito, segundo os estoicos, para fortalecer a mente, exercitando as virtudes e os julgamentos nos quais se baseiam, particularmente o princípio de que tais eventos externos nunca podem ser verdadeiramente "maus", mas são meramente indiferentes em relação à natureza essencial de um ser racional.

O ser humano pode se sobressair, em outras palavras, diante de perseguições injustas e até mesmo da morte, como mostram os exemplos dados por heróis estoicos, como Hércules, Sócrates, Diógenes e Catão. A meditação sobre futuras "catástrofes" nos permite ensaiar a adoção de uma "atitude filosófica", lembrando-nos de que nada externo é intrinsecamente mau. Os estoicos também enfatizam que, ao antecipar possíveis contratempos na vida, tiramos o impacto deles, removendo a sensação irracional de surpresa ou choque experimentado caso ocorram. A premeditação envolve imaginar temporariamente eventos como se estivessem acontecendo agora mesmo, mas você pode se lembrar de que os estoicos só atribuem "valor seletivo" a eventos futuros. Portanto, a premeditação deve ter envolvido a visualização de eventos *"despreferidos"* como se fossem completamente "indiferentes", e não negativos em qualquer sentido.

LEMBRE-SE:
EVENTOS EXTERNOS "NEGATIVOS" OU "INFORTÚNIOS" SÃO INDIFERENTES AO ESTOICISMO

Irvine chama isso de "visualização negativa" (Irvine, 2009). Entretanto, a palavra negativa é potencialmente enganosa e pode acarretar a perda do objetivo do exercício. O princípio básico do estoicismo, e esse exercício, é que a chamada "desgraça" externa não é realmente negativa. Segundo o estoicismo, os eventos externos não são intrinsecamente bons ("positivos") nem ruins ("negativos"), mas meramente indiferentes. Portanto, o objetivo é ensaiar dando mais importância às respostas aos eventos do que aos próprios eventos. Como diz Hadot, os ensaios estoicos contrapõem o futuro "lembrando que eles não são maléficos" (Hadot, 1995, p. 85) ou, como dizem os psicólogos modernos, que não são genuinamente "catastróficos". Epicteto até ensinou seus alunos a responder a pensamentos sobre eventos temidos, dizendo com toda a franqueza: "Isso não é nada para mim! Para mim, não é nem mesmo um evento negativo".

ESTUDO DE CASO:
A MORTE DE SÊNECA

Talvez não haja melhor exemplo de premeditação estoica do que o famoso relato da morte de Sêneca (65 d.C.) registrado nos *Anais* do historiador romano Tácito. Sêneca foi nomeado tutor pessoal e conselheiro de Nero quando ele, com apenas dezessete anos, tornou-se imperador, em 54 d.C. Entretanto, à medida que envelheceu e ascendeu ao poder, Nero tornou-se cada vez mais paranoico e imprevisível. Ele ordenou vários assassinatos brutais, incluindo os do próprio irmão e da mãe. Hoje é lembrado como um dos mais tiranos e corruptos imperadores romanos.

Uma conspiração, envolvendo cerca de quarenta pessoas, chamada de Conspiração de Pisão, foi formulada para assassinar Nero e substituí-lo pelo estadista Caio Calpúrnio Pisão atuando como imperador. Quando a conspiração foi descoberta, Nero aproveitou a oportunidade para acusar Sêneca de traição, e um tribuno foi enviado para lhe dar conhecimento das alegações de Nero. Sêneca insistiu que não tinha envolvimento algum, e, quando o tribuno devolveu essa notícia, Nero perguntou com raiva se o estoico estava com medo da morte iminente. O oficial relatou isto: "Ele não vira sinais de medo e não percebeu tristeza em suas palavras ou em sua aparência", o que simplesmente enfureceu Nero. O imperador o enviou de volta para entregar a sentença de morte a Sêneca.

Quando os centuriões bateram à sua porta, Sêneca ficou "bastante indiferente" e pediu apenas tábuas para escrever seu testamento, o que lhe foi cruelmente recusado. Sêneca voltou-se para seus amigos e familiares reunidos e disse que a coisa mais valiosa que possuía era, em todo caso, seu modelo de vida de acordo com a filosofia estoica, que ninguém poderia impedi-lo de legar-lhes pelo exemplo. A execução típica para aquele período era por suicídio forçado. Tácito descreveu em detalhes sangrentos como Sêneca usou uma adaga para cortar as artérias dos braços e depois das pernas. Por alguma razão, isso não funcionou bem, então Sêneca também bebeu veneno, que também não funcionou. Finalmente, ele pediu a seus amigos que o ajudassem a tomar um banho de água escaldante, o que ajudou a acabar com sua vida. Entretanto, enquanto ele estava morrendo, vendo os outros chorando, Sêneca exortou-os a permanecerem calmos. Ele disse: "Quem não conhecia a crueldade de Nero?" e "Após o assassinato da mãe e do irmão, nada resta senão acrescentar a destruição de um guardião e de um tutor". Em outras palavras: qualquer tolo poderia ter previsto isso. Ele perguntou repetidamente: "Onde estão suas máximas de filosofia, ou a preparação de tantos anos de estudo contra os males que certamente virão?".

As máximas da filosofia estoica foram aparentemente o que ajudou Sêneca a enfrentar sua execução com equanimidade, juntamente com "muitos anos" de preparação do tipo que ele havia descrito ao longo de suas cartas e de seus ensaios como *praemeditatio malorum*.

Como os estoicos premeditam a adversidade?

O filósofo francês do século 20 Michel Foucault discutiu longamente os exercícios psicológicos encontrados na filosofia clássica em uma de suas últimas conferências. Ele descreve a *praemeditatio malorum* estoica como consistindo de três componentes distintos (Foucault, 1988, p. 36):

1. Em vez de imaginar o futuro mais provável, os estoicos treinam imaginar o pior cenário possível, mesmo que seja improvável que aconteça de fato.

2. Os estoicos imaginam o cenário temido como se estivesse acontecendo agora, e não no futuro. Por exemplo, não imaginam que um dia serão exilados, mas que já estão no exílio.
3. A principal razão é ensaiar a libertação do sofrimento irracional (*apatheia*), convencendo-se calmamente de que esses "infortúnios" externos são realmente indiferentes, para que sejam aceitos como meras situações que nos convidam a demonstrar virtude e força de caráter.

Os estoicos listam alvos típicos de premeditação, como exílio, pobreza, fragilidade na velhice, doença, luto etc. Entretanto, como escreve Foucault, "a meditação sobre a morte é o ponto culminante de todos esses exercícios". Sêneca fez a seguinte pergunta retórica: por que é necessário arruinar o presente, antecipando tais calamidades? A maioria das pessoas presumiria que é melhor não se preocupar com essas coisas até que elas realmente aconteçam, evitando assim sentimentos de ansiedade sobre o futuro. Sêneca diz que os estoicos seguem um "caminho diferente" do da maioria das pessoas para se libertarem da preocupação, imaginando que o que tememos que possa acontecer certamente acontecerá e examinando o fato em nossa mente até que possamos vê-lo com desprendimento. Concentrar-se em nossos piores medos, em vez de tentar evitar pensar neles, pode parecer paradoxal, mas os estoicos não foram os únicos a adotar essa estratégia.

Outro filósofo famoso do século 20, Bertrand Russell, descreveu um método similar de superar a ansiedade, que vale a pena citar em detalhes. Ele começa por observar que muitas pessoas são atormentadas pelo medo e pela preocupação, o que pode causar fadiga e estresse. No entanto, elas tendem a evitar fazer aquilo que é mais provável que as ajude:

Provavelmente todas essas pessoas empregam a técnica errada para lidar com seus medos; sempre que lhes vêm à mente, elas tentam pensar em outra coisa; desviam o pensamento com diversão ou trabalho. Todos os medos se agravam por não serem examinados. O esforço de desviar os pensamentos é um tributo ao horror do espectro do qual se está desviando o olhar; o caminho adequado para todo tipo de medo é pensar sobre ele com racionalidade, calma e muita concentração, até que se torne completamente familiar. No final, a familiaridade acabará por atenuar seus terrores; todo o assunto se tornará enfadonho, e nossos pensamentos se desviarão dele, não, como antes, por um esforço de vontade, mas por mera falta de interesse pelo tema. Quando você se sente inclinado a pensar em qualquer coisa, não importa o que aconteça, o melhor plano é sempre pensar sobre isso ainda mais do que você naturalmente pensaria até que finalmente seu mórbido fascínio se esgote (Russell, 1930, p. 60).

Russell fornece a seguinte explicação sobre a técnica em si:

Quando algum infortúnio o ameaça, considere com seriedade e deliberadamente o pior que poderia acontecer. Tendo encarado esse possível infortúnio, dê a si mesmo boas razões para pensar que, afinal, não seria um desastre tão terrível. Tais razões sempre existem, pois, no pior dos casos, nada do que acontece conosco tem qualquer importância cósmica. Quando você tiver observado com firmeza por algum tempo a pior possibilidade e tiver dito a si mesmo com verdadeira convicção "Bem, afinal de contas, isso não importaria tanto", verá que sua preocupação diminui extraordinariamente. Talvez seja necessário repetir o processo algumas vezes, mas, no final, se você não se esquivou de enfrentar o pior problema possível, verá que sua preocupação desaparece por completo e é substituída por uma espécie de entusiasmo (Russell, 1930, p. 59-60).

A versão de premeditação de Russell envolve enfrentar nossos piores medos na imaginação, pacientemente, e nos convencer de que eles não são tão catastróficos quanto se supunha inicialmente. Para os estoicos, isso se torna mais simples pelo fato de que sua doutrina básica declara que nada pode ser verdadeiramente ruim ou terrível, exceto a ignorância moral ou o vício.

Entretanto, tanto Russell quanto os estoicos parecem reconhecer que a fuga também alimenta a ansiedade e que, ao enfrentar nossos medos da maneira adequada, naturalmente reduzimos a angústia que eles causam. Essa é uma das descobertas mais importantes da pesquisa psicoterapêutica moderna sobre a ansiedade. De fato, acredita-se que vários mecanismos psicológicos entram em jogo nesse tipo de técnica de imagem mental. Vale a pena identificá-los cuidadosamente:

1. Habitualização
2. Redução de estimativas de eventos trágicos.
3. Modelagem e ensaio de técnicas de enfrentamento
4. Eliminação da surpresa
5. Reversão da adaptação hedônica

Nas seções abaixo, será explorado brevemente cada um desses processos.

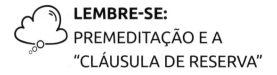

LEMBRE-SE: PREMEDITAÇÃO E A "CLÁUSULA DE RESERVA"

Como a premeditação, por definição, está relacionada a eventos futuros, ainda não sabemos ao certo qual será seu resultado, ou quanto controle teremos sobre as coisas. Por essa razão, a premeditação geralmente envolverá o uso da "cláusula de reserva" estoica, porque qualquer ação ou resultado que você venha a ter deverão ser acompanhados pela advertência: "se o destino permitir". Isso pode ajudar a evitar que a premeditação se transforme em preocupação, que muitas vezes assume a forma de tentativas frustradas de resolução de problemas, o que os psicólogos chamam de "intolerância à incerteza". Na premeditação, o foco central deve ser sua aceitação voluntária de muitas coisas que estão fora de seu controle e que são determinadas pela Natureza como um todo. Entretanto, mesmo suas tentativas de enfrentar ou agir de alguma forma devem ser acompanhadas pela aceitação racional de que eventos podem intervir e frustrar seus objetivos.

Habituação e exposição imaginária

O processo psicológico chamado "habituação" é a base da mais bem estabelecida terapia comportamental para a ansiedade, conhecida como "terapia de exposição". Em resumo, quando as pessoas enfrentam situações que provocam ansiedade, tanto na realidade ou em menor grau na imaginação, há uma tendência natural para que a ansiedade simplesmente diminua com o tempo, desde que a "exposição" seja suficientemente prolongada, repetida, e alguns outros fatores não interfiram. Curiosamente, os estoicos se referem às paixões como sendo baseadas em impressões "frescas". Não sabemos muito sobre o que eles quiseram dizer com esse termo, mas é bem possível que tenham reconhecido algo parecido com o processo de habituação. Quando nos entediamos com uma imagem mental por meio da exposição prolongada, seu poder emocional tende a se desgastar, e talvez possamos dizer que não está mais "fresco" na mente. Sêneca e outros autores antigos definitivamente parecem reconhecer que simplesmente imaginar eventos temidos sistematicamente pode "embotar" ou "entorpecer" a ansiedade, talvez até mesmo transformá-la em mero tédio.

Eles não se curvam sob os golpes do destino, porque calcularam seus ataques com antecedência. Pois, das coisas que acontecem contra nossa vontade, mesmo as mais dolorosas são atenuadas pela previsão. Então o pensador não encontra mais nada de inesperado nos acontecimentos, mas a percepção deles é enfraquecida, como se estivesse lidando com coisas antigas e desgastadas (Filo de Alexandria, *On the Special Laws* [Sobre as Leis Especiais], 2.46).

A premeditação estoica é na verdade bastante semelhante a certas formas de exposição a eventos imaginados, ou "exposição imaginária", a mais comum e talvez a mais importante estratégia de "imagens mentais" encontrada na TCC para a ansiedade. A exposição imaginária normalmente dura de quinze a trinta minutos por vez, todos os dias, por algumas semanas, em casos de ansiedade clínica severa. Portanto, não é necessariamente uma solução rápida para distúrbios emocionais, embora para a maioria das pessoas seja uma das "soluções" mais confiáveis e duradouras disponíveis. Aaron Beck, o fundador da terapia cognitiva, descreve um tipo similar de técnica, "revisão repetida" de imagens mentais, que se assemelha em particular aos exemplos da literatura estoica:

> Ao rever o que mais teme, o paciente começa a aceitar a possibilidade do evento temido. No processo de revisão, ele está contrariando sua tendência de fuga. No início de uma revisão, o paciente, que estava com medo de envelhecer, diz: "É terrível demais para enfrentar. Não posso acreditar que isso esteja acontecendo". Mais tarde ele pode imaginar imediatamente, com o mínimo de ansiedade, como seria envelhecer. O processo de revisão leva o paciente a enfrentar a realidade da situação e facilita a aceitação (Beck, Emery & Greenberg, 2005, p. 250).

Mais uma vez, eles observam que isso poderia facilmente ser confundido com ruminação mórbida ou preocupação. A diferença crucial é que esse processo mental é deliberado e envolve imagens concretas em vez de pensamentos verbais abstratos e perguntas circulares "E se?".

**LEMBRE-SE:
PREMEDITAÇÃO É O OPOSTO
DE PREOCUPAÇÃO**

Contemplação e preocupação são duas coisas diferentes. Quando contemplamos as adversidades futuras, podemos sentir ansiedade, mas os estoicos se afastam de seus sentimentos iniciais, os reconhecem e não são "levados" por eles a paixões de pleno direito como a preocupação. Isso é importante lembrar, pois pessoas propensas a preocupações mórbidas ou a remoer pensamentos podem ter dificuldade de empregar a premeditação estoica. É necessária a prática paciente para aprender a enfrentar situações perturbadoras com coragem e comedimento, suportando-as por tempo suficiente para desenvolver um sentido mais profundo de convicção de que elas não são "más" nem "prejudiciais" e que somente nossos juízos de valor equivocados as fizeram parecer assim. Os estoicos não se deixam "levar por pensamentos angustiantes", fazem uma pausa e um exame racional da situação, mantendo-se com os fatos objetivos.

**IDEIA CENTRAL:
TREINANDO INFORTÚNIOS
CLÁSSICOS**

Há algo a ser dito tanto em relação a ensaiar os "infortúnios" abordados pelos antigos estoicos quanto em relação a ensaiar contratempos mais prováveis de serem encontrados na própria vida, no mundo moderno.

Para começar, leia um dos exemplos clássicos de um filósofo em situação de adversidade: tortura, guerra, naufrágio, prisão, exílio, luto, execução etc. Por exemplo, leia sobre os últimos dias de Sócrates, particularmente na *Apologia de Sócrates,* de Platão; ou procure na internet o relato de Tácito sobre a execução de Sêneca; ou leia sobre a experiência do herói estoico Catão, o Jovem, de ter assistido impotente à queda da República perante o tirano Júlio César na grande guerra civil romana. Sêneca realmente disse que deveríamos começar conquistando nosso medo da morte primeiro, e é por isso que todo um capítulo extra do livro é dedicado a esse assunto. E em segundo lugar deveríamos nos libertar do medo da pobreza, ou seja, do anseio por riqueza e propriedade.

Imagens que reduzem estimativas da probabilidade de eventos catastróficos

Nas abordagens da terapia cognitivo-comportamental, o julgamento de que o evento previsto é realmente "horrível" ou "catastrófico" é desafiado de várias maneiras, a mais simples, perguntando repetidamente: "E se isso acontecer?", "Seria realmente o fim do mundo?". O foco é deslocado para o desenvolvimento de "planos de sobrevivência" e reavaliação de como você pode lidar melhor com a situação.

O pioneiro dessa abordagem de redução de estimativas de eventos trágicos na terapia moderna foi Albert Ellis, o fundador da Terapia Racional-Emotiva Comportamental (Trec), o principal precursor da TCC, que foi particularmente influenciado por sua leitura da filosofia estoica. A técnica básica de imagem empregada na Trec foi denominada "Imagem Racional-Emotiva" (*Rational-Emotive Imagery – REI*), que Ellis descreve a seguir:

Use imagens racionais-emotivas para imaginar vividamente acontecimentos desagradáveis antes que eles aconteçam; permita-se se sentir perturbado (ansioso, deprimido, enfurecido ou culpado) enquanto as imagina; depois trabalhe seus sentimentos para mudá-los para emoções apropriadas (interesse, pesar, raiva saudável ou remorso) enquanto continua imaginando algumas das piores coisas acontecendo. Não desista até que você realmente mude seus sentimentos (Ellis & MacLaren, 2005, p. 125-126).

Isso é semelhante à técnica de premeditação do estoicismo, embora os estoicos utilizem sua definição fundamental da natureza do bem para desafiar o julgamento de que os eventos externos podem sempre ser verdadeiramente "ruins" ou "prejudiciais".

**FAÇA AGORA:
PREMEDITAÇÃO DE EVENTOS EXTERNOS (REDUÇÃO DE ESTIMATIVAS DE EVENTOS TRÁGICOS)**

Faça uma lista com as quatro ou cinco piores catástrofes que poderiam ocorrer verdadeiramente em sua vida. Quer você esteja experimentando exemplos clássicos ou situações mais modernas, coloque-as por ordem de dificuldade e comece com as menos difíceis, passando para os exemplos mais difíceis assim que se sentir pronto. Os estoicos consideram que a própria morte é tipicamente um dos eventos futuros mais difíceis e mais importantes a serem contemplados com uma atitude serena e "filosófica".

1. Você pode achar útil escrever o que os terapeutas modernos chamam de "roteiro de catástrofe", descrevendo o evento com

o máximo possível de detalhes. Elimine qualquer linguagem emotiva ou juízos de valor e simplesmente descreva os fatos da situação de forma objetiva e distanciada, como se eles estivessem acontecendo com outra pessoa.

2. Feche os olhos e imagine a "catástrofe" acontecendo agora mesmo. Faça isso pacientemente e você sentirá que a angústia se reduzirá naturalmente com o tempo. Continue até que a ansiedade tenha reduzido pelo menos 50%.

3. Pergunte-se: "E se isso acontecer? É realmente tão 'catastrófico' quanto parece?". Lembre a si mesmo dos princípios básicos da filosofia estoica: que a essência do bem é a virtude humana e que os eventos externos são indiferentes em relação ao nosso bem-estar (*eudaimonia*).

4. Pergunte-se também: "O que acontece a seguir?". Quanto tempo durará a "catástrofe"? O que é mais provável que venha a acontecer? O foco na natureza transitória da maioria das adversidades pode torná-las mais fáceis de suportar.

Repita isso diariamente. A prática requer paciência, e você pode se entediar, mas isso muitas vezes é um sinal de progresso na superação da angústia causada por catástrofes hipotéticas. Pode ser necessário examinar eventos mais angustiantes por quinze a trinta minutos todos os dias durante uma semana ou mais. No entanto, cinco minutos por dia são muitas vezes suficientes para contemplar os típicos "infortúnios" sem ansiedade desnecessária. E o que você aprende com a prática desses exercícios? Como ter certeza se você reteve o que aprendeu e como aplicar a situações reais quando elas surgirem na vida?

Modelagem e ensaio de técnicas de enfrentamento

Outras abordagens da terapia comportamental adotam o que se chama abordagem de "habilidades de enfrentamento". Elas se concentram no uso da exposição repetida a situações estressantes, na realidade ou na imaginação, como uma oportunidade para ensaiar novas estratégias comportamentais. Em outras palavras, tanto a habilidade quanto a confiança em responder à adversidade são desenvolvidas por meio de repetições emocionais de "simulação de incêndio". Algumas habilidades de enfrentamento ("focadas nas emoções"), tais como relaxamento muscular, são usadas para gerenciar respostas emocionais, enquanto outras habilidades ("focadas no problema"), tais como assertividade, são usadas para lidar com a situação externa. Por exemplo, uma forma precoce de terapia cognitivo-comportamental chamada "Treinamento de Inoculação de Estresse" (TIE), desenvolvida pelo psicólogo Donald Meichenbaum, fornece uma abordagem sistemática para antecipar futuros contratempos e praticar habilidades de lidar com o estresse (Meichenbaum, 1985).

A inoculação do estresse é uma abordagem flexível para construir resiliência psicológica ao ensaiar repetidamente uma variedade de situações angustiantes na realidade, como dramatização, ou em imaginação, enquanto pratica formas mais racionais e construtivas de lidar com o estresse. Como no estoicismo, uma ampla gama de situações é ensaiada, de modo que a resiliência emocional geral possa ser desenvolvida por meio de um processo explicado por analogia com a imunização viral. Expondo-se a pequenas doses de estresse de forma controlada, às vezes em imaginação, pode-se construir defesas mais fortes e tornar-se menos vulnerável quando confrontado com um problema na vida real. A resiliência psicológica tende a se "generalizar", de modo que até mesmo as situações não antecipadas nem ensaiadas diretamente podem ser experimentadas como menos avassaladoras, desde que uma grande variedade de outras adversidades tenha sido antecipada e enfrentada com resiliência.

Pacientes usando TIE ensaiam tanto declarações (por exemplo, "eu posso lidar com isso") quanto habilidades de lidar com isso, por exemplo, relaxamento controlado ou assertividade. Da mesma forma, os estoicos ensaiam máximas filosóficas ("O que está fora do meu controle é indiferente para mim") e ações apropriadas, tais como agir com aceitação e coragem, a fim de progredir em direção à virtude e *eudaimonia*. A habilidade de enfrentamento envolve frequentemente a imitação (ou emulação) do comportamento de outros que demonstram resiliência emocional em situações semelhantes. Os estoicos se referem amplamente à noção de modelar o comportamento resiliente do Sábio ideal e de outros que sofreram "infortúnios" com sabedoria e coragem. Sêneca deixa claro que ele vê isso como parte da premeditação estoica.

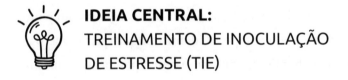

**IDEIA CENTRAL:
TREINAMENTO DE INOCULAÇÃO DE ESTRESSE (TIE)**

O treinamento de inoculação de estresse (TIE) é uma abordagem de terapia cognitivo-comportamental (TCC) projetada para construir a resiliência psicológica, que foi desenvolvida pelo psicólogo Donald Meichenbaum nos anos 1970. Sua eficácia é sustentada por uma grande quantidade de evidências de pesquisa clínica e experimental, para uma ampla gama de problemas e populações. É uma das modernas terapias psicológicas mais parecidas com a técnica estoica de premeditação. Na TIE, o indivíduo é treinado para lidar melhor com o estresse em uma variedade de situações, muitas vezes ensaiando ameaças imaginárias ou contratempos que podem ser encontrados no futuro. Praticando o enfrentamento de uma série de problemas reais e imaginários, é possível desenvolver uma sensação geral de resiliência ou "autoeficácia".

**FAÇA AGORA:
CONTEMPLAÇÃO DE EXEMPLOS
ESTOICOS (MODELAGEM)**

Sêneca recomenda que devemos preparar cada uma das piores desgraças que podem acontecer a alguém e "convocar como apoiadores aqueles que as desprezaram", em outras palavras, contemplar homens sábios e heróis que fornecem modelos dignos de emulação, tendo eles mesmos lidado com situações semelhantes. Isso se assemelha à prática estoica que chamamos de "Contemplação do Sábio", embora se estenda a qualquer um digno de emulação. Há na literatura estoica muitos exemplos de sábios e heróis que enfrentaram o exílio, a perseguição, o luto, a pobreza, a morte e outros "infortúnios" clássicos com uma atitude filosófica. A leitura sobre esses exemplos é, portanto, um bom ponto de partida, embora você também possa identificar qualquer número de exemplos próprios, incluindo figuras mais contemporâneas, ou mesmo seus próprios amigos e familiares.

1. Reserve um tempo para estudar os relatos de como um herói estoico (como Sócrates ou Catão) enfrentou a adversidade ou imagine como um sábio estoico perfeito poderia lidar com as coisas.
2. Que atitudes ou ações virtuosas poderiam ajudá-los? O que eles fizeram que merece ser emulado?
3. Imagine ser a pessoa que você está modelando, enfrentando os eventos que eles enfrentaram da maneira como eles fizeram, colocando-se no lugar deles, como se isso estivesse acontecendo com você agora mesmo.

4. Agora aplique isso à sua própria vida, ensaiando mentalmente "infortúnios" semelhantes que você possa ter que enfrentar na realidade em algum momento, tentando emular o que parece mais útil e apropriado a partir do exemplo deles.

Mais uma vez, você pode achar útil escrever isso, como um pequeno roteiro ou uma história descrevendo a maneira de enfrentar do seu modelo. Revise isso periodicamente, de modo que se torne disponível em sua memória como um exemplo que você pode aprender a imitar na vida.

Eliminando a surpresa

Os estoicos também enfatizaram a noção de que, antecipando possíveis adversidades futuras, podemos aprender a tirar a sensação de "surpresa" ou "choque" que muitas vezes acompanha sua ocorrência, vendo-as, em vez disso, como algo natural e, em alguns casos, inevitáveis na vida. "O que há muito se antecipou vem como um golpe mais leve" (Sêneca, *Carta*, 78). Os estoicos estavam particularmente preocupados com o impacto psicológico da "surpresa" em eventos indesejáveis, mas essa forma de pensar não é uma ênfase explícita das modernas terapias psicológicas. Por exemplo, Epicteto disse que ser capaz de dizer a si mesmo que "não era inesperado" quando algum infortúnio desse tipo acontece "será a primeira coisa a aliviar a carga" (*Diatribes*, 3.24).

Da mesma forma, Sêneca escreve que devemos contemplar os acontecimentos com antecedência para que nada nos surpreenda dessa maneira, pois "o que não se vê é mais arrasador em seu efeito, e a falta de previsibilidade aumenta o peso de um desastre", ampliando a angústia experimentada (*Carta*, 91). Ele continua dizendo que devemos, portanto, "projetar nossos pensamentos à nossa frente" e imaginar todo possível revés para que possamos "fortalecer a mente" para lidar com eles, ou, como dizemos hoje, para desenvolver resiliência psicológica diante da adversidade.

Em outras palavras, a premeditação é uma das principais maneiras de evitar a sensação de surpresa irracional diante dos "infortúnios" da vida. Sêneca escreve em outro lugar que, embora não possamos escapar dos golpes do destino, podemos aprender a depreciá-los "se, por constante reflexão, você tiver antecipado acontecimentos futuros".

Todos enfrentam com mais coragem uma coisa para a qual há muito tempo já se prepararam para enfrentar, como o sofrimento e torturas. Aqueles que não estão preparados, por outro lado, são assolados pelo pânico dos acontecimentos mais insignificantes. Devemos nos preparar para que nada nos apanhe de surpresa. E como é invariavelmente a falta de familiaridade que torna uma coisa mais formidável do que realmente é, esse hábito de reflexão contínua garantirá que nenhuma forma de adversidade o encontre como um completo principiante (*Carta*, 107).

Plutarco também parece apontar para pensamentos irracionais de surpresa como causa de muita ansiedade:

> O ponto é que, se acontece algo não inesperado, embora não seja bem-vindo, esse tipo de preparação e personalidade não deixa espaço para pensamentos do tipo "eu jamais imaginaria isso", "não era o que eu previa" e "eu não esperava isso", e previne a angústia e a ansiedade. O desarranjo e a confusão são, dessa forma, rapidamente contidos.
>
> Carnéades [o filósofo cético-platônico] costumava mencionar às pessoas que precisavam tratar de assuntos importantes que não ser pego de surpresa é uma forma de extinguir totalmente a angústia e o descontentamento (*On Contentment* [Sobre o Contentamento], 474e).

Ele acrescenta que tal aflição pode ser evitada, assim, "pela prática benéfica de se treinar para ganhar a capacidade de encarar a fortuna de olhos abertos".

FAÇA AGORA:
PREMEDITAÇÃO DA VIRTUDE
(ENFRENTAMENTO)

Os terapeutas modernos falam sobre como preparar um "plano de enfrentamento" detalhado descrevendo como você pode lidar melhor com as "catástrofes" já previstas. Da mesma forma, os estoicos contemplaram como eles poderiam agir com prudência, coragem e autodisciplina diante da adversidade. Portanto, considere o que mais você poderia fazer para enfrentar da melhor forma a situação que você tem imaginado. Que faculdades ou pontos fortes a Natureza lhe deu para lidar com situações como essa?

1. Se possível, dedique algum tempo para escrever um plano de enfrentamento baseado em sua compreensão da filosofia estoica; tudo bem se começar apenas com alguns pontos, pois você deve revisá-lo periodicamente até que se torne um plano mais detalhado ou uma narrativa sobre como você lidaria com isso.
2. Como a emulação de heróis estoicos o ajudaria? O que você pode aprender com o exemplo dos outros? O que faria um Sábio com perfeita sapiência prática e autodomínio?
3. Como a filosofia estoica o ajudaria? Em particular, o que aconteceria se você se concentrasse no princípio básico de que somente nossas próprias ações podem ser verdadeiramente "boas" ou "más" e que as coisas externas são, em última análise, "indiferentes"?

4. Que faculdades ou pontos fortes específicos a Natureza lhe deu para lidar com essa situação e como você pode melhor aplicá--los? Que virtudes a situação exige ou demanda?

Mais uma vez, você deve tentar desenvolver um plano detalhado de enfrentamento, revendo-o diariamente e revisando-o à luz de suas reflexões. Quão "catastrófica" parece a situação quando você se imagina enfrentando-a com o melhor de suas capacidades? O que é mais importante, os eventos externos que acontecem com você ou as formas como você voluntariamente escolhe se comportar em cada uma das situações?

Revertendo a "adaptação hedônica"?

A essas técnicas padronizadas da TCC, Irvine acrescenta o conceito de "adaptação hedônica". Ele afirma que, ao imaginar infortúnios que envolvam a perda de coisas queridas, podemos nos prevenir de tomá-las como certas a ponto de perder o contentamento (Irvine, 2009). Imaginar uma perda futura torna-se então uma forma de aumentar o contentamento atual. Embora possa haver algum traço dessa noção na literatura, isso talvez esteja em desacordo com a premissa filosófica estoica essencial: de que as coisas externas e o prazer que elas trazem são "indiferentes" com relação à verdadeira Felicidade e bem-estar (*eudaimonia*).

A alegria racional vem da consideração de ações louváveis, ou virtuosas, e não da maximização dos prazeres sensoriais, segundo o estoicismo. De fato, a noção de aumentar o contentamento dessa forma poderia agradar mais à escola epicurista, adversária dos estoicos. Para os estoicos, imaginar a possibilidade de ir à falência no futuro, como se isso estivesse acontecendo agora, não é uma prática que pretende proporcionar mais contentamento com a riqueza atual. O objetivo é apreciar nossa capacidade de responder com sabedoria e virtude mais intensamente do que apreciamos nossos bens materiais ou situação externa.

 PONTOS DE ATENÇÃO

Os principais pontos a serem lembrados deste capítulo são:

- A base da premeditação estoica é o princípio subjacente de que nenhuma "desgraça" externa pode ser verdadeiramente "ruim" ou "prejudicial", porque tudo o que está fora de nossa esfera de vontade é "indiferente".
- A antecipação de todas as formas possíveis de adversidade ajuda os estoicos a testar seus princípios, fortalecer seu caráter e desenvolver maior resiliência emocional em vez de se preocupar com coisas.
- Dessa forma, o elemento "surpresa" não será uma das consequências da "desgraça", proporcionando facilidade de lidar mais facilmente com eventos adversos que possam ocorrer.

⫸ PRÓXIMO PASSO

A premeditação estoica estava preocupada com uma variedade de "infortúnios", mas o mais importante era sem dúvida a própria morte. Entretanto, chegou a hora de discutir o papel da Lógica Estoica em relação à "disciplina de julgamento" e à prática da atenção plena estoica, para completar nosso levantamento dos três tópicos e disciplinas estoicas básicas.

8.
A disciplina do julgamento (atenção plena estoica)

Neste capítulo, você aprenderá:

➤ Sobre a disciplina prática do julgamento, ou "consentimento", e como ela se relaciona com o tópico teórico mais amplo da Lógica Estoica.

➤ Como usar o exercício psicológico de "definição física" para desenvolver o que os estoicos chamavam de "representação objetiva" dos eventos.

➤ Como usar a atenção plena e o "distanciamento cognitivo" para evitar ser "levado" por impressões. As pessoas são perturbadas não pelos eventos, e sim por seus julgamentos sobre os eventos. Por exemplo, a morte não é algo terrível (caso contrário, teria parecido assim para Sócrates); terrível é o julgamento em si sobre a morte, definindo-a como terrível (Epicteto, Encheirídion, 5).

Portanto, treine-se para afirmar sem hesitação em resposta a cada aparência desagradável: "Isso é [meramente] uma aparência, e de forma alguma a coisa que se apresenta". Em seguida, examine-a e avalie-a em relação às regras e aos padrões [filosóficos] que você tem. Mas, antes de tudo, avalie se diz respeito a coisas que dependem ou não de nós. E, caso se trate de algo que não depende de nós, afirme prontamente:

"Não está em minhas mãos resolver isso" (*Encheirídion*, 1).

 AUTOAVALIAÇÃO: ATITUDES ESTOICAS E A DISCIPLINA DO JULGAMENTO

Antes de ler este capítulo, avalie quão fortemente você concorda com as seguintes declarações, usando a escala de cinco pontos (1-5) abaixo, e então repita sua avaliação uma vez que tenha lido e assimilado o conteúdo.

1. discorda fortemente,
2. discorda,
3. não concorda nem discorda,
4. concorda,
5. concorda fortemente.

1. "Devemos responder a impressões perturbadoras tendo em mente que são apenas eventos na mente, e não as coisas que eles representam."
2. "Devo me afastar de desejos ou emoções fortes e adiar a atuação sobre eles até que se estabeleçam e eu possa avaliá-los adequadamente."
3. "É útil lembrar que são nossos julgamentos sobre as coisas que nos perturbam, e não as coisas propriamente ditas."

O que é a "disciplina do julgamento"?

Como transformar a filosofia de algo que lemos nos livros em uma disciplina prática, que permeia nossa rotina diária? Sem a ajuda de um professor sábio para apontar nossa vulnerabilidade a desejos e emoções equivocados, como devemos detectá-los antes que seja tarde demais? Sócrates disse que a vida não examinada não vale a pena ser vivida. Como um filósofo pode começar a "examinar" racionalmente a própria vida – seus pensamentos, seus sentimentos e suas ações? Como veremos, os estoicos praticavam um exercício psicológico chamado *prosochê* (atenção à própria mente), que se assemelha à "atenção plena" budista. Isso fornece resposta a muitas dessas perguntas sobre a aplicação da filosofia na vida diária.

Vou chamar a terceira disciplina estoica de Epicteto de "julgamento", por uma questão de simplicidade. Ele se referiu a ela mais especificamente como a disciplina do "consentimento" (*sunkatathesis*), que significa concordar ou dizer "sim" a alguma ideia ou impressão inicial. Essa disciplina tem tudo a ver com a concessão ou recusa de "consentimento" em resposta a impressões que se impõem na vida diária, particularmente aquelas que envolvem julgamentos de valor que podem levar a "paixões" irracionais, tais como medos ou desejos perturbadores. Hadot alegou que isso envolve vários exercícios psicológicos que, como uma prática filosófica aplicada, correspondem ao campo teórico mais amplo da "lógica" estoica.

No entanto, Hadot se fundamenta no exercício básico de adotar uma perspectiva objetiva da vida. Em resumo: "A disciplina do consentimento consiste essencialmente na recusa de aceitar dentro de si todas as representações que não sejam objetivas ou adequadas" (Hadot, 1998, p. 101). Hadot, portanto, interpretou essa disciplina como um meio de viver em harmonia com a razão, que os estoicos veem como nossa natureza básica. Ela pode estar ligada à virtude cardinal da "sabedoria" ou da veracidade. De fato, segundo Epicteto, Zenão também definiu a doutrina principal do estoicismo como a visão de que o maior bem do homem, a sabedoria, consiste no "uso correto das impressões".

Uma maneira como os estoicos, portanto, interpretaram sua doutrina mais famosa, "viver de acordo com a Natureza", foi ater-se aos fatos e descrever os acontecimentos da própria vida de maneira "natural" e objetiva, sem confundir seus juízos de valor sobre as coisas com a realidade externa. "Meu cão morreu" é um fato, uma descrição física; "Meu cão morreu, e isso é horrível" é um juízo de valor que vai além dos fatos. Nossos juízos de valor excedem os fatos objetivos de qualquer situação e, portanto, nos colocam em conflito com a natureza externa.

A representação objetiva das coisas parece ser um ponto em que a Lógica Estoica se superpõe à Física ou "filosofia natural". De maneira semelhante, o método científico moderno procura conhecer fatos sobre a "Natureza", vendo-a de maneira objetiva, suspendendo julgamentos de valor ou retórica emotiva em favor da observação e descrição isenta. No entanto, no estoicismo, isso se torna um exercício espiritual e psicoterapêutico.

Marco Aurélio disse que a disciplina do julgamento exige que aprendamos a "verdadeira arte prática" ou técnica do consentimento. Antes de começarmos a discutir nossos próprios pensamentos, por meio da dialética e da lógica, temos que ser capazes de identificá-los, dar um passo atrás e vê-los como se fossem hipóteses que estão, pelo menos, "abertas ao debate". Isso é o que querem dizer com "reservar o assentimento" de nossas impressões e envolve adotar uma atitude imparcial ou objetiva a fim de avaliar racionalmente as impressões antes de decidir se elas merecem ser aceitas ou rejeitadas. É um pré-requisito de qualquer autoexame filosófico sério. Epicteto, portanto, diz que a disciplina do consentimento está particularmente preocupada tanto com "evitar o erro quanto com a precipitação" em nosso pensamento (*Diatribes*, 3.2):

1. Libertar-se da "precipitação" significa que devemos nos treinar primeiro para realmente detectar nossas impressões iniciais quando elas ocorrem e suspender nosso "consentimento" a juízos de valor problemáticos, em vez de sermos "levados" por eles a paixões prejudiciais, como medo irracional ou desejo excessivo.
2. Libertar-se do "erro" significa aprender a examinar e avaliar essas impressões racionalmente, especialmente por referência a nossa doutrina filosófica sobre o que é bom, ruim e indiferente, e por fim com a ajuda da lógica estoica formal.

Epicteto deixa muito claro que a pergunta mais importante a ser feita ao examinarmos nossos pensamentos é se eles se relacionam com coisas que "dependem ou não de nós", algo a que voltaremos no próximo capítulo. Neste capítulo, vamos nos concentrar na primeira tarefa: evitar a precipitação em "consentir", ou acompanhar, nossas impressões iniciais. Podemos ver isso como uma habilidade central para desenvolver a "atenção plena estoica".

Epicteto enfatizou que a terceira disciplina só deve ser perseguida quando os estudantes tiverem feito progressos suficientes nas disciplinas do desejo e da ação. É possível que ele quisesse simplesmente dizer que o aspecto dessa disciplina que envolve treinamento avançado em Lógica Estoica deveria ser adiado para mais tarde, pois isso serve principalmente para fortalecer nosso conhecimento dos princípios básicos. Entretanto, como Hadot observa, alguns aspectos dessa disciplina parecem ser necessários desde o início, particularmente a capacidade de se libertar de emitir um consentimento precipitado e de ser levado por impressões iniciais, algo que Epicteto repetidamente alerta seus alunos a evitar.

O elemento-chave aqui é, portanto, o exercício prático de detectar nossas paixões irracionais se desenvolvendo e cortá-las na raiz ao reter o consentimento das impressões em que se baseiam. Epicteto diz que, a princípio, devemos resistir a ser varridos pela vivacidade da impressão inicial, mas antes afirma: "Espere um pouco por mim, impressão; permita-me ver quem você é, e do que você é uma impressão; permita-me colocá-la à prova". A passagem de abertura do *Encheirídion* descreve de forma semelhante como, em geral, os estoicos devem captar precocemente impressões problemáticas e responder a elas dizendo "Você é apenas uma impressão, e não o que a impressão é", depois examiná-las e avaliá-las de acordo com seus princípios filosóficos.

O julgamento é o núcleo de nosso ser como criaturas racionais, e o *locus* de nossa liberdade. Estar consciente de nossos julgamentos a cada instante é estar profundamente consciente de si mesmo, e essa parece ser uma forma pela qual os estoicos interpretaram a máxima délfica "Conhece-te a ti mesmo". Hadot, portanto, fala da disciplina do consentimento como constituindo a "Cidadela Interior" dos estoicos (Hadot, 1998, p. 101). Marco Aurélio se refere várias vezes à prática de se retirar para essa fortaleza invulnerável dentro de todos nós. Dizem que os primeiros estoicos se referiam à "Lógica" metaforicamente como lembrando os ossos e os nervos do corpo de um animal, a casca de um ovo e, como vimos, a parede protetora ao redor de um jardim ou pomar. A mensagem parece ser que o estudo da Lógica Estoica é o que nos torna fortes e nos protege do mundo externo. No entanto, a retirada para a cidadela interior é algo sempre disponível até mesmo para o novato estoico, pois, para começar, basta perceber nossos julgamentos e nos afastar deles, em vez de deixá-los nos levar para longe. Ao nos conhecermos verdadeiramente, estando sempre vigilantes, permanecendo atentos ao âmago de nosso ser como criaturas racionais, observando nossos pensamentos e julgamentos de valor, nos permitimos nos afastar do mundo e nos elevar acima dos eventos externos por meio de uma espécie de desprendimento ou purificação da mente. Ao evitar a "precipitação" em consentir com nossas impressões iniciais, percebemos cada vez mais que ficamos chateados não com coisas externas, mas com nossos próprios julgamentos sobre elas.

ESTUDO DE CASO:
O MÚSICO ANSIOSO
(ARTISTA DE CÍTARA)

Em seu discurso "Sobre a ansiedade", Epicteto dá o exemplo de um cantor que tocava cítara e que sofre do que chamaríamos de "medo do palco" (*Diatribes*, 2.13). O músico se apresenta perfeitamente quando está sozinho e não sente ansiedade até entrar no teatro e ficar diante de um público. Epicteto interpreta astutamente isso como evidência de que a ansiedade é causada pela percepção do músico sobre a situação, por seu desejo de agradar ao público e pelo medo de ser criticado.

De acordo com Epicteto, quando os estoicos veem alguém que parece ansioso, eles geralmente deveriam perguntar: "O que essa pessoa quer?". A ansiedade, diz ele, é causada em última instância por querer obter algo ou evitar algo fora de nosso controle direto. Mesmo que o artista tenha uma bela voz e toque bem a cítara, ele ainda pode ficar ansioso, "pois ele quer não apenas cantar bem, mas também ganhar aplausos". Como isso é sempre incerto e está além de seu controle direto, ele fica inseguro, em conflito e ansioso, e é aprisionado por um erro fundamental de julgamento. Ele deu inadvertidamente seu consentimento e se deixou "levar" por sua falsa impressão de que a reação do público é intrinsecamente mais importante do que seu próprio caráter ou performance.

Embora ele possa ter dominado a arte de atuar, ele não é um mestre da arte de viver, e carece de sabedoria prática, o que o libertaria de tais medos. Um artista de cítara estoico, pelo contrário, poderia ter se treinado, ao longo da vida, para fazer uma pausa de reflexão quando surgissem sentimentos de ansiedade e lembrar a doutrina estoica de que não estamos perturbados pelos acontecimentos, e sim por nossos julgamentos a respeito deles. Ele se perguntaria se a reação do público está sob seu controle direto e, como não está, responderia à sua ansiedade dizendo: "Os aplausos não são nada para mim". Ele lembraria que as coisas externas são "indiferentes" e que o que é verdadeiramente importante na situação é sua capacidade de perceber isso e aceitar com magnanimidade o que quer que aconteça. Entretanto, desenvolver essa capacidade pode exigir um treinamento mais longo e mais exigente do que aprender a tocar um instrumento musical.

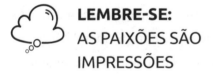

LEMBRE-SE: AS PAIXÕES SÃO IMPRESSÕES

Lembre-se de que, para os estoicos, todas as "paixões" são basicamente "impressões" de um certo tipo, acompanhadas de juízos irracionais de valor. As impressões que mais lhes interessam identificar, que pretendem aprender a reavaliar e não "se deixar levar" são as "paixões", os medos irracionais e os desejos prejudiciais. Adiar a resposta a um medo significaria abandonar a fuga, mantendo sua posição. Adiar responder a um anseio significaria não ceder a ele e se entregar à coisa desejada. Em outras palavras, "suportar e renunciar", nas palavras do famoso lema de Epicteto. Evitar ser "levado" por suas impressões iniciais de medo e desejo exigirá as virtudes cardeais de coragem e autodisciplina.

Psicologia estoica e teoria do conhecimento

Precisamos fazer uma breve pausa para rever alguns aspectos da psicologia estoica. Os estoicos acreditavam que as sensações corporais criam uma "impressão" interna (*phantasia*) de eventos externos, uma "aparência" das coisas, distinta da coisa propriamente dita. Essa representação mental ocorre no *hêgemonikon*, ou "faculdade governante" da mente, a sede da consciência e da volição. Podemos nos perguntar se a impressão que recebemos é precisa e objetiva, como uma representação do mundo externo. Também podemos nos perguntar como a impressão afeta nossa mente, se ela é angustiante ou se evoca fortes desejos ou aversões. Também podemos formar impressões por meio da memória ou da imaginação, construindo imagens novas ou compostas, como a imagem do Sábio ideal, e comparando-as com a realidade. Assim, embora a *phantasia* seja muitas vezes traduzida enganosamente como "impressão externa", é um conceito muito mais amplo, englobando diferentes tipos de representação mental, incluindo aquilo a que as pessoas hoje se referem como "pensamentos" e "sentimentos" (Long, 2002, p. 133; p. 214).

Essas impressões iniciais estão associadas ao discurso íntimo e a uma interpretação que lhes é dada usando linguagem e conceitos abstratos que dão significado aos eventos. Enquanto as impressões externas nos são impostas por sensações, o significado atribuído a elas por meio da linguagem é uma atividade da "faculdade governante" da mente, embora essas duas coisas se fundam intimamente em nossa experiência diária. Segundo Hadot, trata-se estritamente do significado verbal ao qual damos ou do qual retemos nosso "consentimento" deliberado, embora os estoicos normalmente se refiram ao consentimento de nossas "impressões". É somente quando damos consentimento voluntário a uma impressão, e concordamos que é o que parece ser, que ela se torna experimentada como uma "percepção" completa de eventos externos.

Crucialmente para os estoicos, algumas impressões podem se impor a nós, não estar sob nosso controle. Atualmente, os psicólogos diriam que são processos de pensamento "automáticos", e não "voluntários". Em contraste, nosso "consentimento" deliberado às impressões é livre e voluntário, o que confere aos humanos adultos a capacidade de questionar conscientemente as próprias impressões, de uma forma que bebês e animais não são capazes.

Mesmo o Sábio é afetado por impressões involuntárias de perigo, e pode ficar inicialmente assustado e alarmado por um ruído repentino. Entretanto, uma pessoa ansiosa continuará a se preocupar, acompanhando a impressão inicial, enquanto o Sábio recuará e avaliará as coisas racionalmente, restaurando sua equanimidade caso julgue a impressão falsa. Por exemplo, suponha que um evento externo, como alguém que me critica, seja comunicado à minha mente pelos sentidos da visão e da audição. De acordo com a análise de Hadot, o processo subsequente de "consentimento" no estoicismo consiste nas seguintes etapas (Hadot, 1998, p. 103-104):

1. **"O que aconteceu?"** Ocorre uma impressão interna "primária", por meio da qual o evento é automaticamente representado na mente, e isso suplica uma resposta, colocando implicitamente a pergunta: "O que é isto?".
2. **"Alguém me criticou."** Nós naturalmente respondemos a isso usando a linguagem e a razão para descrever o evento. Esse é o julgamento inicial a que os estoicos se referem como uma "representação objetiva", pois ele apenas ecoa os fatos óbvios da situação, literalmente "concordando com a natureza".

3. **"Ele me prejudicou!"** Podemos, então, continuar a acrescentar um juízo de valor (*hupolêpsis*). Os estoicos, entretanto, treinaram-se para suspender temporariamente o julgamento em vez de acrescentar a avaliação de que o ocorrido é "bom" ou "ruim", "útil" ou "prejudicial" etc.

Epicteto e Marco Aurélio fornecem vários exemplos bastante claros nos quais essa sequência de eventos psicológicos é apresentada como uma espécie de diálogo interno entre o indivíduo e suas impressões.

Ele foi enviado para a prisão [a impressão inicial que vem de nossos sentidos]. O que aconteceu? [o que nos obriga a fazer um julgamento ou interpretação].

Ele foi mandado para a prisão [nós respondemos com um julgamento verbal objetivo, que simplesmente ecoa os fatos óbvios].

Mas "Ele está infeliz" [um juízo de valor desnecessário] é acrescentado por si mesmo (*Diatribes*, 3.8).

Marco Aurélio escreve em seu diário que se deve considerar "nada além do que você recebe das primeiras impressões", ficar com elas e não extrapolar, e assim nenhum mal pode nos acontecer (*Meditações*, 8.49). Os exemplos que ele dá são:
Alguém o insultou, por exemplo.
Isso não é algo que lhe tenha feito mal.
O fato de meu filho estar doente.
Isso eu posso ver. Mas "que ele pode morrer disso", não.
Os estoicos, portanto, tentam permanecer com suas "representações objetivas", de acordo com a natureza, sem acrescentar mais juízos

de valor ou inferências, porque estas formam a base de "paixões" irracionais. No entanto, muitas vezes os julgamentos de valor se esgueiram, fundindo-se com nossas impressões externas, seja por hábito ou por algum outro motivo. Ou somos precipitadamente "levados" a paixões irracionais, aderindo a essas impressões, ou paramos, recuamos e retemos nosso consentimento temporariamente, até termos tido a chance de avaliar as coisas filosoficamente.

IDEIA CENTRAL: "REPRESENTAÇÃO OBJETIVA"

Phantasia katalêptikê é um daqueles termos técnicos estoicos notoriamente complicados de traduzir que causam dor de cabeça nos estudiosos. Os estoicos acreditavam que algumas impressões mentais eram óbvias e podiam ser compreendidas com segurança. Em contraste, seus oponentes, os Céticos Acadêmicos, se recusaram a admitir que qualquer impressão poderia captar a realidade com certeza, e por isso criticavam os estoicos, chamando-os de "os Dogmatistas". Há aqui um complexo e (muito) longo debate filosófico, mas para nossos propósitos será suficiente notar que muitas pessoas concluem que o ceticismo filosófico é de certa forma um beco sem saída como base para uma filosofia de vida (a própria Academia Platônica abandonou o ceticismo por volta de 90 a.C. e assumiu uma posição um pouco mais próxima dos estoicos, conhecida como "Platonismo Médio").

A posição estoica também está mais próxima da visão de senso comum de que geralmente podemos confiar em nossos sentidos. Uma *phantasia* é uma impressão, uma representação mental ou um pensamento que afirma representar algo, como as imagens mentais que temos da realidade externa – pode ser verdadeira ou falsa, precisa ou imprecisa. Em contraste, uma *phantasia katalêptikê* é uma impressão que é certa e confiável, uma impressão que "agarra" ou "apreende" os eventos com precisão. Hadot a traduz como "representação objetiva", porque os julgamentos de valor são suspensos e as coisas são capturadas em termos de suas propriedades físicas.

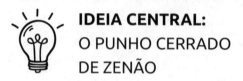

**IDEIA CENTRAL:
O PUNHO CERRADO
DE ZENÃO**

Zenão empregou uma famosa série de gestos manuais para simbolizar diferentes níveis ou estágios de conhecimento:

1. **Uma impressão** [*phantasia*] é simbolizada pela mão direita sendo mantida aberta, com os dedos estendidos, como se a impressão repousasse frouxamente sobre ela.
2. **O consentimento** [*sunkatathesis*] é como se os dedos estivessem fechados frouxamente, como se estivessem segurando a impressão.
3. **Certeza** [*katalêpsis*] assemelha-se à mão sendo apertada firmemente em um punho, do qual deriva a expressão "agarrar" uma impressão – isso vem da percepção de certas impressões de forma muito clara e distinta, e de agarrar sua natureza com total objetividade.
4. **O conhecimento** [*epistemê*] é simbolizado pelo punho direito apertado sendo fechado firmemente na palma e nos dedos da mão esquerda.

Os estoicos diziam que o verdadeiro conhecimento só é detido pelo sábio perfeito, e que a virtude é tal conhecimento sobre o que é bom, ruim e indiferente. No entanto, o conhecimento é baseado em impressões firmemente captadas, e esse tipo de certeza é alcançável por todos. Ele se torna verdadeiro conhecimento quando é apoiado pela razão e, portanto, integrado com outras impressões claramente percebidas.

"Representação objetiva" e "definição física"

O termo estoico *phantasia kataléptikê* significa literalmente "uma impressão que nos prende", aparentemente significando uma impressão que toma a mente como sendo autoevidente. Hadot o traduz como representação "objetiva" ou "adequada". Uma representação objetiva ou adequada é aquela que corresponde exatamente à realidade, ou seja, que gera em nós um discurso interior que nada mais é do que a descrição pura e simples de um evento, sem a adição de qualquer julgamento de valor subjetivo (Hadot, 1998, p. 104). Como um cientista ou um filósofo natural, alguém que tem impressões "*katelepticas*" também agarra e domina a natureza objetiva das coisas, desobstruída por julgamentos de valor. Ao "agarrarmos firmemente" a aparência natural das coisas, evitamos que sejamos "levados" pelas paixões (pode-se dizer que tentamos "agarrar" a realidade mais uma vez!). Epicteto, portanto, aconselha seus alunos a desafiarem suas impressões da seguinte forma:

"Vamos ver alguma identificação! Você tem o sinal proveniente da natureza que toda impressão deve ter a fim de ser validada?" (*Diatribes*, 3.12).

Ele parece querer dizer que devemos verificar se a impressão é uma verdadeira "representação objetiva" dos eventos. Caso contrário, devemos reter nosso consentimento, particularmente se ele contiver julgamentos de valor do tipo associado às paixões.

O conceito de *phantasia kataléptikê*, portanto, fornece a base de algo que é mais bem descrito como um exercício verbal ou psicológico no estoicismo, chamado de prática da "definição física" por Hadot (1998, p. 104-105). Há muitos exemplos disso ao longo das *Meditações*.

> Deve-se sempre fazer uma definição ou descrição do objeto que é apresentado em uma impressão para vê-lo em si mesmo, como está em sua essência, em sua nudez, em sua totalidade e em todos os seus detalhes. É preciso dizer para si mesmo o nome que lhe é peculiar, assim como os nomes das partes que o compõem, e em que será dissolvido (*Meditações*, 3.11).

Marco dá uma variedade de exemplos específicos:

> Como é importante representar para si mesmo quando se trata de pratos extravagantes e outros alimentos do gênero: "Este é o cadáver de um peixe, esta outra coisa é o cadáver de um pássaro ou de um porco". Da mesma forma, "Este vinho *falerno* [nobre] é apenas um suco de uva" e "Esta túnica [imperial] roxa é alguma lã de carneiro tingida com entranhas de marisco". Quando se trata de união sexual, devemos dizer: "Esta é a fricção dos abdomes, acompanhada da ejaculação espasmódica de um líquido pegajoso". Quão importantes são essas impressões [objetivas] que atingem a própria coisa e penetram através dela, para que se possa ver o que ela é na realidade (*Meditações*, 6.13).

Ele está falando das próprias vestes de imperador e do caro corante púrpura usado para produzi-las, que, ironicamente, foi feito a partir de extratos de moluscos *murex* malcheirosos e notoriamente repugnantes. Esse corante foi na verdade a carga que Zenão perdeu em seu naufrágio, por isso pode ter sido uma palavra de ordem estoica para algo aparentemente muito precioso, mas objetivamente bastante inútil e até nojento. O imperador Napoleão também disse algo parecido a Marco: "Um trono é apenas um banco coberto de veludo".

Quando nos agarramos a fatos como esse e descrevemos eventos de forma objetiva e sem valor, estamos fazendo algo que se assemelha ao tipo de observação neutra exigida nas ciências físicas. Portanto, o processo de "definição física" também faz parte dos exercícios psicológicos extraídos da Física Estoica ou da filosofia natural. "Em última análise, a disciplina do consentimento aparece como um esforço constante para eliminar todos os juízos de valor que trazemos à tona naquelas coisas que não dependem de nós e que, portanto, não têm valor moral" (Hadot, 1998, p. 111-112). Em outras palavras, é a prática contínua, ao longo do dia, da atenção plena e da objetividade estoica. Essa autoconsciência atenta de nossos juízos de valor forma nossa "faculdade governante" em uma Cidadela Interior e constitui a base da sabedoria prática, a virtude central e, portanto, a essência da própria filosofia.

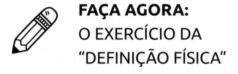

**FAÇA AGORA:
O EXERCÍCIO DA "DEFINIÇÃO FÍSICA"**

Este exercício emprega a prática estoica que Hadot chama de "definição física", a qual tenta focalizar a atenção em "representações objetivas", sem impor juízos de valor sobre nossa experiência.

- Pense em um evento que você considera um pouco perturbador, que não seja algo avassalador.
- Feche os olhos e imagine que você está nessa situação agora mesmo, como se estivesse realmente acontecendo.

- Veja se você pode resumir a essência das coisas objetivamente em um breve rótulo ou descrição, tal como "Alguém disse algo de que eu discordo".
- Tente também descrever as propriedades físicas da situação com o máximo possível de detalhes, nomeando cada um dos ingredientes que se juntam para compor a situação total "de fato". Dedique seu tempo e faça isso lentamente.
- Evite qualquer juízo de valor, ou inferências, basta ater-se aos dados originais, aos fatos da situação. Tente evitar acrescentar algo à impressão inicial que você tem da situação física, não vá adiante julgando-a "boa" ou "ruim", apenas veja-a com indiferença estoica.

Dedique seu tempo e seja paciente; você provavelmente descobrirá que seus sentimentos diminuem gradualmente. Concentre-se em tentar penetrar além de seus julgamentos de valor, seus medos e desejos, para compreender a natureza objetiva da situação como ela é em si mesma.

Distanciamento cognitivo no estoicismo

Epicteto enfatizou repetidamente aos alunos que avaliar as impressões de acordo com as doutrinas filosóficas estoicas pressupõe uma estratégia psicológica mais básica. Embora isso seja de grande importância prática para o estoicismo, é frequentemente negligenciado pelos comentaristas modernos.

Antes de questionar nossas próprias impressões, devemos primeiramente identificá-las. Isso é mais difícil do que parece porque naturalmente vemos nossos pensamentos como fatos sobre o mundo, e somente em momentos de reflexão os colocamos em questão, vendo-os como pensamentos, isto é, como julgamentos ou hipóteses que podem ser verdadeiras ou falsas. A moderna TCC reconhece explicitamente o mesmo dilema.

Só podemos avaliar pensamentos automáticos ou mudar nossa resposta a eles quando os "apanhamos" e damos um passo para trás, um processo tecnicamente referido como "distância cognitiva". Isso não significa distanciar-se emocionalmente dos eventos, suprimindo sentimentos ou nos distraindo das coisas, mas sim algo mais sutil e fundamental: distanciar nossos pensamentos da realidade, vendo-os como meras representações mentais.

Isso é muitas vezes ilustrado pela analogia do uso de lentes coloridas. Normalmente vemos o mundo "através" das lentes de nossos julgamentos positivos ou negativos, como alguém que olha para o mundo através de lentes "cor-de-rosa" ou de lentes escuras e sombrias. Podemos, no entanto, esquecer que estamos usando óculos e presumir que é assim que as coisas externas parecem em si mesmas e aparecem para todo mundo. O distanciamento cognitivo é como o processo de tirar os óculos e olhar para eles, em vez de através deles. Ou, mais precisamente, é como simplesmente perceber que você está usando óculos e que as cores que você vê estão vindo das lentes coloridas, e não do mundo em si.

Nas primeiras formas de TCC, particularmente na Terapia Racional-Emotiva Comportamental de Albert Ellis (Trec), os pacientes foram realmente instruídos com a famosa citação de Epicteto para ilustrar essa noção: "Os homens são perturbados não pelas coisas, mas pela visão que têm delas". Assim, os pacientes na TCC frequentemente começam por ser ensinados a detectar pensamentos automáticos, anotá-los e enxergá-los imparcialmente, com uma atitude racional "científica". Eles praticam tratar os próprios pensamentos como se fossem "hipóteses" que devem ser avaliadas racionalmente e testadas empiricamente, em vez de tratá-los simplesmente como fatos sobre o mundo. Com efeito, pesquisadores recentes têm argumentado que o treinamento em estratégias como o "distanciamento cognitivo" pode ser um dos processos mais importantes em psicoterapia.

Praticamente a mesma técnica psicológica foi enfatizada na antiga literatura estoica. Epicteto diz repetidamente que devemos deixar de ser "levados" por nossas impressões iniciais quando paixões nocivas começam a se desenvolver, lembrando-nos do princípio estoico, citado na Trec, de que ficamos perturbados não pelas coisas, mas por nossos julgamentos sobre elas. Por exemplo, ele aconselha os alunos da seguinte forma:

- "Não se deixe levar pela impressão da boa fortuna de outra pessoa quando ela atinge riqueza ou status; em vez disso, lembre-se de que o único bem que pode sobrevir é a liberdade e que ela está ao seu alcance se você puder olhar para as coisas externas com indiferença" (*Encheirídion*, 19).
- "Mesmo que você testemunhe um mau presságio, como um corvo grasnando, não seja varrido pela aparência de infortúnios profetizados; lembre-se de que os infortúnios só podem atingir seu corpo ou sua propriedade, mas sua mente está sempre disponível para transformá-los em boa sorte se você responder a eles com virtude" (*Encheirídion*, 18).
- "Quando você vir outra pessoa na miséria (e, para os estoicos, isso inclui personagens nas famosas tragédias), não se deixe levar pela impressão de que alguma catástrofe lhe aconteceu; lembre-se de que não é a coisa em si, mas seu julgamento que o perturba, caso contrário, outros seriam afetados da mesma maneira" (*Encheirídion*, 16).
- "Quando alguém parecer insultá-lo ou ofendê-lo, procure desde o início não se deixar levar por tais impressões; lembre-se de

que não é o comportamento deles, mas o próprio julgamento que os aflige e provoca" (*Encheirídion*, 20).

Como Hadot assinala, Epicteto se refere a recuar de uma aparência inicial "dura" ou "perturbadora", o que significa uma que já contém o juízo de valor "Isto é perturbador", em vez de uma *phantasia kataléptikê* ou representação objetiva de eventos. De fato, paradoxalmente, para os estoicos, o único verdadeiro "perigo" ou dano que pode nos acontecer é dar nosso consentimento a impressões como essas. Por essa razão, eles dizem que não é a morte o maior mal, mas o medo da morte, ou seja, a impressão de que a morte é um mal.

IDEIA CENTRAL: O CONCEITO DE "DISTÂNCIA COGNITIVA" NA TCC

O termo "distanciar-se" ou ganhar "distância cognitiva" foi empregado por Aaron T. Beck, o fundador da terapia cognitiva, e tornou-se um aspecto cada vez mais importante da moderna TCC. Beck se refere à capacidade de considerar nossos pensamentos como simples pensamentos, hipóteses sobre a realidade, em vez de confundi-los com fatos. Por exemplo, é a diferença entre dizer para si mesmo "Esta situação é horrível" e "Estou tendo o pensamento de que 'esta situação é horrível'". Esta é a definição de Beck: "Distanciar-se" refere-se à capacidade de ver os próprios pensamentos (ou crenças) como construções da "realidade", e não como a própria realidade (Alford & Beck, 1997, p. 142). Isso necessariamente precede as técnicas de contestação utilizadas na terapia cognitiva, como a ponderação das evidências a favor e contra um pensamento. Outro grupo de pesquisadores experimentou uma abordagem que colocou maior ênfase nesse passo inicial, chamando-o de "distanciamento abrangente", que mais tarde se desenvolveu em uma nova terapia denominada Terapia de Aceitação e Compromisso (ACT). Da mesma forma, outras terapias de "atenção plena baseada na aceitação", às vezes chamadas de "terceira onda" da TCC, têm geralmente dado crescente importância a estratégias psicológicas como o "distanciamento".

LEMBRE-SE:
NÃO SÃO OS EVENTOS QUE NOS PERTURBAM, MAS NOSSAS OPINIÕES SOBRE ELES

Epicteto repetidamente aconselha seus alunos a evitarem ser "levados" por impressões iniciais quando "paixões" tóxicas emergem. Eles deveriam lembrar a si mesmos que são os próprios juízos de valor que os perturbam, e não eventos externos. Essa é uma famosa estratégia estoica, claramente fundamental no *Manual do Epicteto*. Uma estratégia semelhante envolve lembrar que outras pessoas podem ver o mesmo evento de maneira diferente, talvez com "indiferença", e que seus próprios pensamentos e julgamentos são responsáveis por sua angústia. Lembre-se de que ganhar "distância" das impressões não é o mesmo que tentar evitá-las ou suprimi-las. Na verdade, é uma forma de aceitação. Significa aceitar a presença de pensamentos perturbadores enquanto os vê de uma forma mais distante.

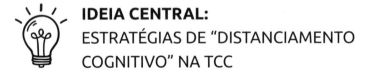

IDEIA CENTRAL:
ESTRATÉGIAS DE "DISTANCIAMENTO COGNITIVO" NA TCC

Ao longo de seus escritos, Beck descreveu uma variedade de estratégias destinadas a incentivar o distanciamento cognitivo, tais como:

1. Identificar pensamentos efêmeros e automáticos e anotá-los de forma concisa em um registro de automonitoramento, para que possam ser analisados de forma distanciada.
2. Distinguir cuidadosamente as emoções dos pensamentos e crenças que lhes estão subjacentes, para que os pensamentos possam ser vistos como representações da realidade, que podem ser verdadeiras ou falsas.
3. Anotar os pensamentos em um *flipchart* ou lousa e literalmente dar um passo para trás para vê-los a distância, como "algo ali".
4. Referir-se aos seus pensamentos na terceira pessoa, por exemplo, "noto que Donald está começando a sentir raiva e pensando consigo mesmo que essa pessoa o insultou...".
5. Usar um contador ou manter um registro para acompanhar a frequência de determinados pensamentos ou sentimentos automáticos ao longo do dia, vendo-os assim como habituais e repetitivos, como reflexos em vez de conclusões racionais.
6. Mudar de perspectiva e imaginar estar no lugar de outras pessoas que possam ver os mesmos eventos de forma diferente, eventualmente explorando uma gama de perspectivas diferentes sobre a mesma situação.

A prática da meditação de atenção plena, inspirada na abordagem budista, tornou-se central em várias terapias de terceira onda e pode ser vista como um processo que é essencialmente o mesmo que "distanciamento cognitivo". Quando um pensamento automático se intromete durante a meditação, somos aconselhados a vê-lo de forma desprendida e deixá-lo ir, como se fosse uma folha de outono flutuando sobre um riacho, em vez de nos envolvermos com ele. Como veremos, a maioria dessas técnicas é consistente com as práticas estoicas e, de fato, assemelha-se a estratégias psicológicas que podem ser encontradas na antiga literatura estoica. Essa semelhança entre a antiga terapia estoica e a moderna terapia cognitiva é importante porque um corpo considerável de evidências científicas suporta a eficácia das estratégias de "distanciamento".

**FAÇA AGORA:
GANHANDO DISTÂNCIA COGNITIVA
COM ESTOICISMO**

Talvez possamos ampliar alguns conselhos de Epicteto no *Manual* combinando-os com elementos da TCC moderna da seguinte forma: quando você detectar um medo irracional ou um desejo excessivo surgindo, ou qualquer tipo de paixão nociva, faça uma pausa e não se deixe arrastar pelas impressões que isso contém, particularmente os juízos de valor sobre o que é bom ou ruim, útil ou prejudicial. Pratique a abstenção de seu consentimento encarando a impressão de forma desprendida e dizendo em resposta a ela coisas como:

- "Você é apenas uma aparência, e não o que afirma representar."
- "Somos perturbados não pelas coisas, mas por nossos julgamentos sobre as coisas."
- "As coisas externas e corporais são fundamentalmente 'indiferentes' no que diz respeito a se tornar uma boa pessoa."
- "O Sábio se colocaria acima disso, encarando-a como 'nada' no que diz respeito ao seu bem-estar ou *eudaimonia*."

Particularmente, concentre-se em ver a impressão como uma representação mental, adiando o julgamento de que é algo "bom" ou "ruim". Lembre-se de que é apenas uma impressão ou aparência, algo distinto da própria coisa que afirma representar.

FAÇA AGORA:
MEDITAÇÃO SOBRE AS FOLHAS EM UM RIACHO

Este é um exercício adaptado de uma forma moderna de "terceira onda" da TCC, denominada Terapia de Aceitação e Compromisso (ACT) (Hayes, Strosahl, & Wilson, 2012). Ela proporciona uma boa maneira de praticar algumas das habilidades psicológicas que os estoicos parecem ter valorizado.

1. Feche os olhos e sente-se em uma posição confortável, tire um momento para relaxar e se acalmar enquanto começa a observar seu curso de consciência mais de perto.
2. Imagine uma corrente ou um rio de águas lentas; essa pode ser uma memória ou uma imagem que você tenha inventado. Imagine que é outono e que há algumas folhas caindo no rio e sendo lentamente levadas pela correnteza rio abaixo. Imagine que você está observando as coisas a distância, do alto da margem ou de uma ponte. Isso lhe proporciona algo para continuar despertando sua atenção.
3. É natural que, de vez em quando, sua atenção se desvie ou outros pensamentos e sentimentos surjam espontaneamente em sua mente. Em vez de interpretá-los como distrações e lutar para evitá-los, aceite esses pensamentos automáticos (ou "impressões") como normais e inofensivos, e os incorpore ao exercício como se segue.
4. Quando um pensamento se intrometer, ou sua mente divagar, basta apanhá-lo o mais cedo possível e suavemente trazer sua atenção de volta para a imagem do rio.

5. Transforme o pensamento em um objeto. Por exemplo, se palavras cruzarem sua mente, imagine-as escritas em um pedaço de papel; se uma memória ou imagem aparecer em sua mente, transforme-a em uma fotografia; se um sentimento ou sensação corporal chamar sua atenção, imagine-a como uma cor ou figura.
6. Agora, coloque esse objeto em uma das folhas, "lá fora", a uma distância de você, no rio, e simplesmente solte-o e permita que ele se desloque naturalmente rio abaixo, até que finalmente desapareça de vista.
7. Continue capturando seus pensamentos ou suas impressões automáticas bem cedo, transformando-os em objetos, colocando-os nas folhas, a distância, e soltando-os. Mesmo que os mesmos pensamentos ou sentimentos continuem a aparecer em sua mente, tudo bem, continue respondendo da mesma maneira.

É importante que você não aborde isso como uma forma de evitar ou "se livrar" de pensamentos automáticos. Em vez disso, seu objetivo é concentrar-se em reconhecer e aceitar qualquer coisa que entre em seu fluxo de consciência, com um senso de distância cognitiva. Idealmente, você não está se agarrando a esses pensamentos nem tentando afastá-los, mas permitindo que eles desapareçam naturalmente da mente, em seu próprio tempo. Os estoicos acreditavam que "impressões" ocorrem automaticamente na mente e que são inerentemente "indiferentes", mas que nossa resposta a elas é a coisa mais importante na vida. O fundamento da sabedoria e da virtude, segundo Epicteto, é fazer o "uso correto de nossas impressões", e isso começa com o fato de sermos capazes de detectá-las sem sermos "arrastados" por elas, muitas vezes postergando qualquer resposta para mais tarde.

LEMBRE-SE:
VOCÊ PRECISA IDENTIFICAR AS IMPRESSÕES ANTES DE CONTESTÁ-LAS

Como Beck observou, precisamos ser capazes de detectar nossos pensamentos automáticos e dar um passo para trás em relação a eles (ganhando "distância cognitiva") antes mesmo de começarmos a mudá-los, avaliando as evidências etc. Em outras palavras, precisamos ser capazes de ver nossas impressões dos eventos como "hipóteses" capazes de serem contestadas, como pensamentos, e não como fatos, antes de podermos contestá-las. Os estoicos parecem ter chegado a uma conclusão semelhante. Epicteto diz repetidamente a seus alunos que eles devem evitar ser "levados" por impressões iniciais, desacelerar e lembrar a si mesmos que elas são apenas aparências, e não as coisas que afirmam representar. E depois verificar filosoficamente sua validade, de acordo com a doutrina estoica. Às vezes, isso é feito após um período de "resfriamento", postergando qualquer avaliação, quando as impressões não estejam mais "frescas" e nossas paixões tenham se acalmado, para que possamos pensar com mais calma e clareza. Ele diz que a principal questão que devemos colocar é se elas são sobre coisas que "dependem de nós" ou não, algo a que voltaremos no próximo capítulo.

 PONTOS DE ATENÇÃO

Os principais pontos a serem lembrados deste capítulo são:

- A disciplina de julgamento, ou "consentimento", está ligada à Lógica Estoica e envolve evitar ser "levado" precipitadamente

- por nossas impressões iniciais e depois avaliá-las em termos de nossos princípios estoicos.
- A técnica estoica que Hadot chama de "definição física" implica despojar os julgamentos de valor e manter uma representação objetiva (*phantasia kataléptikê*) de eventos claramente compreendidos.
- Epicteto nos aconselha repetidamente a buscar o que os terapeutas modernos chamam de "distância cognitiva" de impressões perturbadoras, dizendo, por exemplo, "Você é apenas uma mera aparência, e não a coisa em si" ou lembrando-nos de que estamos perturbados por nossos próprios julgamentos de valor, e não por eventos externos.

⫸ PRÓXIMO PASSO

Como já vimos, Epicteto diz que a disciplina do julgamento consiste em duas etapas básicas. Tendo analisado o passo inicial de ganhar "distância cognitiva", vamos agora olhar para o seguinte passo: avaliar a impressão de acordo com os princípios estoicos. Ele nos diz que isso consiste principalmente em examinar se ela se refere a coisas que "dependem de nós" ou não, o que eu chamo de "dicotomia estoica", pois essa dicotomia é absolutamente central para a prática estoica, particularmente nos ensinamentos de Epicteto.

9.
Autoconsciência e a "dicotomia estoica"

Neste capítulo, você aprenderá:

➤ Como os estoicos praticam a atenção plena ou "atenção" à sua faculdade governante e a arte de distinguir entre o que "depende de nós" e o que não depende de nós.

➤ Como usar a antiga estratégia de adiamento, postergando suas respostas às impressões iniciais até que você possa avaliá-las calmamente.

➤ Como os estoicos assimilaram as práticas contemplativas matinais e noturnas dos pitagóricos para manter a autodisciplina e uma rotina estruturada de prática filosófica diária.

Quando você relaxar um pouco a atenção, não imagine que sempre que quiser poderá recuperá-la, mas tenha em mente que, por causa do erro que cometeu hoje, sua condição deve necessariamente ser pior em relação a tudo o mais. Pois, para começar – e isso é o pior de tudo –, desenvolve-se o hábito de não prestar atenção; e depois o hábito de desviar a atenção; e estará sempre acostumado a adiar, de um tempo para outro, a vida serena e apropriada, a vida de acordo com a natureza e a persistência nessa vida (Epicteto, *Diatribes*, 4.12).

Nunca deixe que o sono feche suas pálpebras enquanto não tiver examinado racionalmente todas as suas ações do dia.

O que fiz de errado? O que eu fiz? O que omiti que deveria ter feito?

Se nesse exame você achar que fez mal, repreenda-se severamente por isso; e se tiver feito algum bem, regozije-se.

Pratique muito bem todas essas coisas; medite muito bem sobre elas; você deve amá-las com todo o seu coração.

São elas que o colocarão no caminho da virtude divina.

(*Versos de ouro de Pitágoras*).

AUTOAVALIAÇÃO: ATITUDES ESTOICAS EM RELAÇÃO À AUTOANÁLISE

Antes de ler este capítulo, avalie quão fortemente você concorda com as seguintes declarações, usando a escala de cinco pontos (1-5) abaixo, e então repita sua avaliação uma vez que tenha lido e assimilado o conteúdo.

1. discorda fortemente,
2. discorda,
3. não concorda nem discorda,
4. concorda,
5. concorda fortemente.

1. "É essencial estar continuamente atento a seus juízos de valor ao longo do dia."
2. "O mais importante a avaliar é se as impressões perturbadoras estão ou não sob meu controle."
3. "Cada manhã devemos planejar nossas ações e revisá-las à noite, avaliando se vivemos ou não com sabedoria."

Como se desenvolve a autoconsciência no estoicismo?

Muitas pessoas hoje são atraídas pelas tradições orientais, como o budismo, porque elas fornecem orientações sobre a arte de viver. Um dos aspectos mais conhecidos da prática budista é a ênfase no desenvolvimento da "atenção plena" durante a meditação e ao longo da vida diária. Como vimos, o antigo estoicismo dá uma importância considerável a conceitos e práticas muito semelhantes. A coisa mais próxima que os estoicos têm de um termo técnico para "atenção plena" é *prosochê*, ou "atenção", que se refere ao contínuo automonitoramento dos pensamentos e das ações tal como eles acontecem, no aqui e agora.

> A atenção (*prosochê*) é a atitude espiritual estoica fundamental. É uma contínua vigilância e presença de espírito, uma autoconsciência que nunca dorme e uma permanente tensão do espírito. Graças a essa atitude, o filósofo está plenamente consciente do que faz a cada instante e deseja que suas ações sejam plenamente realizadas (Hadot, 1995, p. 84).

Os estoicos não estavam desenvolvendo uma atenção plena do corpo ou da respiração, mas especificamente da "faculdade governante" consciente (*hêgemonikon*), a função central e mais importante da mente. Epicteto disse que um bom filósofo "tem tantos olhos" quando se trata de cuidar de sua faculdade governante "que você dirá que Argos era cego em comparação a ele", porque "aqui está concentrada sua atenção séria (*prosochê*) e energia" – Argos Panoptes, o "que tudo via", era um gigante mítico com cem olhos (*Diatribes*, 3.22).

Em certo sentido, a Ética Estoica inevitavelmente leva a uma maior atenção plena. Uma vez que aceitamos que a verdadeira natureza do "bem" supremo é a virtude, que reside dentro de nós, procuramos naturalmente prestar atenção à sua fonte, pois é a coisa mais importante do universo. A prática estoica é essencialmente um exercício de contemplação do bem e, portanto, um exercício de atenção plena de nossos próprios julgamentos e ações voluntárias. Além disso, para os estoicos, nossa "faculdade governante" consciente é a essência de nosso verdadeiro eu. Ser mais consciente de si mesmo significa estar mais consciente de nossa liberdade inata e, em certo sentido, mais vivo. Epicteto frequentemente lembra aos alunos que a Natureza lhes confiou uma centelha divina, a faculdade da razão; é sua sagrada responsabilidade continuamente protegê-la em todas as circunstâncias. As três disciplinas estoicas de desejo, de ação e de julgamento implicam uma espécie de "atenção plena" das três funções da "faculdade governante", sobre a qual podemos adquirir controle voluntário.

Epicteto proferiu um discurso intitulado "sobre a atenção" (*prosochê*), que trata desse conceito de "atenção plena estoica" (*Diatribes*, 4.12). Ele coloca a questão retórica: "O que é melhorado por aqueles que são desatentos?". Também pergunta aos seus alunos muito especificamente: "A que coisas, portanto, é necessário que eu preste atenção?". A resposta está em dois "princípios gerais" do estoicismo que devemos ter constantemente prontos em cada situação:

1. Ninguém é dono da vontade ou do propósito moral do outro.
2. Mas só nisso se encontra o bem e o mal de cada um.

Em outras palavras, os estoicos devem estar continuamente atentos à sua volição (*prohairesis*). Seus pensamentos e suas ações voluntárias são, por definição, as únicas coisas completamente sob seu controle. Devemos nos observar como um falcão, especialmente naquilo que é mais "útil" ou "prejudicial" em relação à boa vida, e alcançar a Felicidade perfeita (*eudaimonia*). A famosa escritura taoísta *Tao Te Ching*[14] dizia que o homem sábio é "cauteloso como alguém que atravessa um riacho durante o inverno". Epicteto também diz que, assim como alguém caminha muito cauteloso quando tem que tomar cuidado para não pisar em um objeto afiado ou torcer o pé, o estoico é sempre cauteloso em cada ato para não prejudicar a "faculdade governante" da própria mente ao ceder à insensatez ou ao vício.

É impossível ser completamente impecável em nossas ações, mas, diz Epicteto, está em nosso poder assumir o compromisso de tentar. Podemos ficar satisfeitos se escaparmos de algumas falhas ao "nunca relaxar a atenção". Musônio Rufo também disse muito francamente que nunca devemos relaxar a atenção, porque "deixar a mente ficar frouxa é, na verdade, perdê-la" (*Ditos*, 52). Abandonar a atenção plena é, de certa forma, tornar-se descuidado.

Epicteto enfatiza que nunca está completamente dentro de nosso poder recuperar a atenção uma vez que a tenha desviado. Nós efetivamente desistimos de ser filósofos, e estoicos, quando atuamos no piloto automático. Se dissermos "amanhã vou prestar atenção", efetivamente dizemos a nós mesmos que hoje estamos dispostos a sacrificar nosso senso de discernimento e cautela para nos deixarmos perturbar pelas ações dos outros, para nos irritarmos, para sermos dominados pela inveja. Como Epicteto explica em outro texto, podemos ver isso como uma espécie de transação financeira, na qual trocamos autoconsciência por algo diferente. Entretanto, nunca é "lucrativo" relaxar a atenção, porque sempre nos vendemos por pouco em qualquer transação que envolva o sacrifício da liberdade e da virtude. O Evangelho de Marcos

---

14. *Tao Te Ching, Dao De Jing* ou *Tao-Te King*, comumente traduzido como *O Livro do caminho e da virtude*, é uma das mais conhecidas e importantes obras da literatura da China. Foi escrita entre 350 e 250 a.C. Sua autoria é tradicionalmente atribuída a Lao Tzu. (N.T.)

emprega uma linguagem semelhante: "Pois que adianta ao homem ganhar o mundo inteiro e perder a sua alma?" (Marcos, 8.36).

O treinamento em atenção plena e autoanálise filosófica é, portanto, parte integrante do estoicismo. Por exemplo, os estoicos parecem ter "reservado" sua prática diária de autoavaliação com uma meditação formal de manhã e à noite, derivada da filosofia muito mais antiga do pitagorismo. Não está claro se as linhas de *Os versos de ouro* citadas acima vieram do próprio Pitágoras ou, talvez mais provavelmente, evoluíram ao longo dos séculos entre seus seguidores. O médico de Marco Aurélio, Galeno, disse que, para dominar as paixões, deveríamos contemplar *Os versos de ouro* pelo menos duas vezes por dia como um complemento à reflexão moral sob a supervisão de um mentor mais sábio e mais experiente. Galeno recomenda primeiro ler os versos e depois recitá-los em voz alta, ao amanhecer, antes de começar as tarefas diárias, e depois novamente à noite, antes de dormir. Tanto Sêneca quanto Epicteto ensinaram a usar a técnica pitagórica de meditação noturna como parte de sua prática estoica, mas eles não entram em muitos detalhes sobre o procedimento.

Felizmente obtivemos mais esclarecimentos de filósofos "neoplatônicos", que estavam particularmente interessados no pitagorismo antigo. De acordo com Jâmblico, os pitagóricos se levantavam antes do amanhecer para contemplar e adorar o sol nascente, talvez como parte de uma meditação "cosmológica". Pitágoras instruía-os a nunca fazer nada sem antes avaliar racionalmente, formando um plano de ação a cada manhã. Então, à noite, eles revisavam todas as ações do dia, o que servia a um duplo propósito, tanto para fortalecer a memória quanto para avaliar a própria conduta. O professor de Jâmblico, Porfírio, fornece uma descrição mais detalhada, dizendo que Pitágoras recomendava dispensar atenção especial em dois momentos do dia: ao ir se deitar, revendo nossas ações passadas e prestando contas a nós mesmos, e quando acordamos pela manhã, planejando o dia sabiamente. Como

Galeno, ele recomendava realmente recitar *Os versos de ouro* e repetir as seguintes palavras antes de adormecer:

> Tampouco ceda ao sono para fechar os olhos
> Até três vezes seus atos naquele dia você deve rever;
> Quanto escapou? Que atos? Que dever ficou por cumprir?
> (Porfírio, Vida Pitagórica).

Ao acordar, porém, devemos recitar as linhas: *Assim que despertares, pôr ordem às ações a serem feitas no dia vindouro.*

Como veremos, séculos atrás, os estoicos usavam as mesmas linhas como parte de sua prática contemplativa. Essa é uma rotina de treinamento mental, e evidentemente, como qualquer sistema de exercício físico, requer autodisciplina para ensaiar pacientemente o dia que está por vir todas as manhãs e para rever criticamente suas condutas a cada noite. No entanto, essa tradição pitagórica forneceu uma estrutura importante para a prática diária estoica.

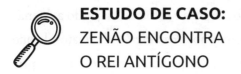

ESTUDO DE CASO: ZENÃO ENCONTRA O REI ANTÍGONO

O que o sábio estoico ideal faria para evitar o medo de palco se estivesse no lugar do músico de cítara mencionado anteriormente? Epicteto diz que ele teria se treinado com antecedência para compreender firmemente a indiferença das coisas externas e assim "nunca se sentiria impedido, nunca se sentiria contido e nunca se sentiria ansioso" (*Diatribes*, 2.13). Ele se refere ao exemplo de Zenão, que teve um treinamento intensivo para superar a própria ansiedade social quando começou a estudar filosofia com o famoso cínico Crates. Há relatos de que, depois de seu naufrágio, enquanto vagueava por Atenas sem um tostão, Zenão sentia-se ansioso sobre o que os outros pensavam dele.

Então um dia Crates lhe pediu que carregasse uma panela de barro com sopa de lentilha através das movimentadas multidões no distrito dos oleiros. Esse tipo de coisa era na verdade um exercício cínico comum no desenvolvimento da "falta de vergonha". Zenão estava preocupado em parecer ridículo e tentou esconder a panela sob o manto. Quando Crates viu isso, a estilhaçou com o cajado, e a sopa se espalhou por todo o corpo do Zenão. "Coragem, meu pequeno fenício", disse Crates, "não há nada de terrível, é apenas sopa."

Exercícios similares de "ataque à vergonha", como andar por um centro comercial puxando uma banana em uma coleira, às vezes são usados como parte da TCC moderna para ajudar as pessoas a superar a vergonha e o receio de parecer ridículas em público. Aparentemente, o treinamento em exercícios como esses acabou curando a autoestima de Zenão. Epicteto nos aconselha, portanto, a contemplar sua exemplar falta de ansiedade, várias décadas depois, ao encontrar o rei macedônio Antígono II Gônatas, um poderoso líder militar e político. Antígono procurou a companhia de filósofos cínicos e estoicos, viajando a Atenas várias vezes para ouvir Zenão ensinar no *Stoa Poikilê*. Há relatos de que Zenão estava completamente tranquilo quando o conheceu pela primeira vez porque Antígono não tinha poder sobre absolutamente nada que Zenão via como importante na vida, e Zenão não desejava nada que Antígono possuísse. Antígono estava mais ansioso para conhecer Zenão porque desejava causar uma boa impressão no filósofo, embora isso estivesse além de seu controle direto.

Há uma lenda semelhante, certamente um mito, de que Alexandre, o Grande, certa vez visitou Diógenes, o Cínico, a quem ele admirava muito, e perguntou se poderia fazer alguma coisa por ele. Como é notório, Diógenes respondeu: "Sim, você poderia se afastar, porque está bloqueando a luz do sol neste momento". Em ambas as histórias, um grande rei, apesar da riqueza material e do poder, é subitamente reduzido em posição quando confrontado com a completa "indiferença" de um filósofo a coisas externas. Há relatos de que Antígono se tornou um grande admirador de Zenão, talvez considerando-se um aspirante a estoico. Dizem que mais tarde ele escreveu pedindo a Zenão que viajasse à Macedônia para se tornar seu tutor pessoal, mas naquela época Zenão já era muito velho e frágil para uma viagem, então enviou um de seus melhores alunos, Perseu, em seu lugar (*Vidas*, 7.6). Antígono escreveu uma carta para Zenão dizendo: "Enquanto na fortuna e na fama eu me considero seu superior, na razão e na educação me considero inferior, assim como na perfeita Felicidade [*eudaimonia*] que você alcançou".

IDEIA CENTRAL: ATENÇÃO PLENA ESTOICA

A palavra *prosochê* significa literalmente "atenção" à "faculdade governante" da consciência, que poderíamos descrever como "atenção plena estoica". Essa palavra, que na verdade não é usada frequentemente na literatura remanescente, refere-se claramente a um aspecto central da prática estoica, e toda a diatribe de Epicteto foi explicitamente dedicada ao conceito (*Diatribes*, 4.12). Como naturalmente prestamos atenção ao que parece mais importante, segue-se que o sábio estoico irá continuamente procurar a fonte da virtude, seus julgamentos e suas ações voluntárias, o que o torna extraordinariamente dono de si mesmo em qualquer situação. Uma das "paixões saudáveis" cultivadas no estoicismo, chamada *eulabeia*, que significa "cautela" ou "discrição", também pode ser vista como uma forma de atenção plena. É definida como um sentimento racional de aversão a ceder à insensatez ou ao vício, um tipo de autoconsciência salutar que nos impede de ser "levados" por medos e desejos insalubres.

A dicotomia estoica ou preceito "soberano"

Como vimos, a atenção plena estoica está enraizada na doutrina central de que somente o que está sob nosso controle pode ser "bom" ou "ruim" e que tudo o que é externo é "indiferente". A seção de abertura do *Manual estoico* (ou *Encheirídion*), compilada a partir das lições de Epicteto por seu aluno Flávio Arriano, fornece o relato definitivo dessa doutrina e sua relação com a prática estoica. Essa é uma das passagens mais importantes da literatura estoica remanescente, particularmente por aplicar o estoicismo à vida diária, e por isso vale a pena sintetizá-la:

- Algumas coisas "são nosso encargo", ou estão sob nosso controle direto, enquanto outras não.
- Nossos julgamentos estão "a nosso encargo", particularmente os julgamentos de valor sobre o que é "bom" e "ruim" ou "útil" e "prejudicial", assim como "impulsos" ou intenções voluntárias de ação, desejos e aversões baseados nelas; resumindo, o que quer que sejam nossas próprias ações voluntárias.
- Em contraste, nosso corpo não depende de nós, nem bens materiais, reputação, status social ou profissional, ou seja, qualquer coisa que não nossa própria ação voluntária.
- O que "é nosso encargo" é nosso próprio "eu" verdadeiro e naturalmente livre e desimpedido; enquanto aquilo que não depende de nós é fraco, subalterno, obstrutivo e estranho a nós; não é verdadeiramente nosso próprio "eu".
- Lembre-se, portanto, de que, se você confundir essas coisas e considerar o que é naturalmente dependente como livre, e o

que não é seu como seu, você será prejudicado, sofrerá, ficará angustiado e culpará com muita fúria toda a humanidade, ficará ressentido da vida e até odiará os deuses.

- Em contraste, a promessa da filosofia é que, se você considerar apenas o que é seu como sendo seu, e o que não é seu como não sendo seu, exatamente como realmente é, ninguém jamais o forçará a fazer nada nem o impedirá de fazer nada. Você não vai culpar ou criticar ninguém, nem vai fazer nada contra a sua vontade. Você não terá nenhum inimigo, nem será prejudicado, pois nada genuinamente prejudicial poderá alcançar seu verdadeiro eu.
- Portanto, com metas tão ambiciosas, lembre-se de que você deve assumi-las imediatamente, sem reservas, pois não pode servir a dois mestres diferentes. Você terá que abandonar completamente alguns de seus objetivos de vida e colocar outros de lado por enquanto. Pois, se deseja ter a Felicidade e também status social e riqueza, pode significar sua infelicidade perder estes últimos porque você visa à sabedoria e à virtude. Mais importante ainda, você definitivamente não alcançará sabedoria e virtude, o que por si só produz liberdade e Felicidade (*eudaimonia*).
- Então, treine-se sem hesitação para responder à impressão inerente a toda paixão perturbadora dizendo: "Você é meramente uma aparência, e de maneira alguma a coisa real".
- Em seguida, examine e avalie essa impressão em relação às suas regras e padrões filosóficos, mas, antes de tudo, se é um juízo de valor sobre coisas que "dependem de nós" ou não dependem de nós. Caso seja algo que não depende de nós, julgue-a "indiferente" no que diz respeito a alcançar a virtude e a Felicidade, esteja pronto para dar a resposta: "Não é nada para mim".

Essa distinção fundamental entre o que é "nosso encargo" ou se está ou não sob nosso controle direto é, portanto, apresentada como a base de todo o *Encheirídion* de Epicteto. Eu o descrevi como a "dicotomia estoica" porque se refere a uma divisão muito clara e definida. Esse é um tema recorrente em todos os escritos de Epicteto, repetido de muitas formas em incontáveis passagens. É a essência do estoicismo de Epicteto, e sua aplicação prática é direta:

"O que, então, deve ser feito? Fazer o melhor do que está em nosso poder e aceitar o restante conforme naturalmente vá acontecendo" (*Diatribes*, 1.1).

A Oração da Serenidade, que vimos antes, expressa praticamente a mesma ideia – fazer o que podemos e aceitar serenamente o que não podemos mudar – e tem todas as características de ser derivada do próprio estoicismo (Pietsch, 1990).

 IDEIA CENTRAL:
"DICOTOMIA ESTOICA"

O foco da atenção plena estoica é a distinção básica entre o que "é nosso encargo", ou aquilo que está dentro do nosso controle, e o que não é. Isso é tão central para o estoicismo de Epicteto que é estabelecido na primeira frase do *Encheirídion*: "Algumas coisas são nosso encargo, enquanto outras não" (*Encheirídion*, 1). Shaftesbury também o descreveu como o dogma "soberano" do estoicismo (2005, p. 233). Como vimos, essa dicotomia básica é muito bem expressa na moderna Oração da Serenidade:

> Deus, conceda-me a serenidade para aceitar as coisas que eu não posso mudar, a coragem para mudar as coisas que eu posso, e sabedoria para saber diferenciá-las.

Entretanto, para os estoicos, as únicas coisas que "dependem inteiramente de nós", ou estão sob nosso controle, são nossos próprios julgamentos voluntários e nossas intenções de agir. Nossos medos e desejos, prazeres e sofrimento emocional são em última instância baseados neles, e por isso temos também que assumir a responsabilidade pelas "paixões". As três disciplinas de Epicteto – desejo, ação e julgamento –, portanto, correspondem às três faculdades que potencialmente "são nosso encargo". Em contraste, as coisas corporais e externas – saúde, riqueza e reputação – não dependem completamente "de nós", nem os resultados de nossas ações em geral, já que essas coisas estão sempre, em última instância, nas mãos da sorte. A Ética Estoica e a terapia das paixões exigem que nos lembremos continuamente dessa distinção, aplicando-a a cada situação específica e meditando profundamente em suas implicações. Ela também pode ser entendida como uma forma de traçar um limite claro e distinto em torno da "cidadela interior" do verdadeiro ego.

LEMBRE-SE:
QUATRO ESTRATÉGIAS PARA LIDAR COM AS PAIXÕES

Epicteto dá aos alunos várias possibilidades para lidar com medos irracionais e desejos insalubres etc. Elas pressupõem que você tenha conseguido captá-las cedo e adquirido "distância cognitiva" de suas impressões, em vez de permitir que desejos ou emoções perturbadoras fiquem fora de controle.

- *Adiamento*. Se você estiver se sentindo subjugado pelos sentimentos, tente simplesmente não fazer nada, dê um "tempo" e adie a resposta até ter se acalmado e conseguido pensar nas coisas racionalmente.

- *Modelagem.* Se você não tem certeza do que fazer, contemple o exemplo hipotético do Sábio ideal, ou considere indivíduos exemplares da vida real ou da ficção que você poderia imitar. O que eles fariam sob as mesmas circunstâncias? O que eles o aconselhariam a fazer?
- *Enfrentamento.* Pergunte-se quais recursos ou virtudes a Natureza lhe deu que poderiam ajudá-lo a lidar com o problema. Por exemplo, considere se a situação exige que você seja prudente, benevolente, corajoso ou contido etc.
- *Disputa filosófica.* Tente aplicar doutrinas filosóficas estoicas às suas impressões iniciais, particularmente ao perguntar-se primeiramente se as coisas que você julga importantes ("boas" ou "más", "úteis" ou "prejudiciais") estão ou não realmente sob seu controle direto. Se não, então diga a si mesmo: "Isto não é nada para mim" ou "O que não é 'meu encargo' é, em última análise, indiferente para mim".

Essas estratégias são semelhantes às comumente usadas na TCC moderna, e há provas empíricas demonstrando que, se feitas corretamente, podem ser formas saudáveis de responder a sentimentos negativos ou prejudiciais.

Adiamento: não ser "levado"

Ao longo das *Diatribes* e do *Encheirídion,* Epicteto se refere repetidamente à ameaça de sermos "levados" por nossas paixões, permitindo que elas assumam o controle da mente. Por exemplo, a diatribe intitulada "Como lutamos contra nossas impressões" trata de nossa capacidade de dar um passo para trás em relação às impressões iniciais, em vez de ser arrastado pela preocupação e angústia (*Diatribes*, 2.18).

Epicteto começa explicando que, assim como as habilidades físicas, as paixões tendem a se tornar mais habituais e automáticas quanto mais as deixamos de lado, até não as percebermos mais, pois se tornaram parte de nosso caráter.

"Em geral, portanto, se você quiser fazer algo, faça disso um hábito; se você quiser não fazer algo, abstenha-se de fazê-lo e acostume-se a fazer algo diferente" (*Diatribes*, 2.18).

Por exemplo, ao se entregar habitualmente a desejos sexuais desregrados ou à cobiça por dinheiro, eles se enraízam como "enfermidades" permanentes da mente. Entretanto, quando a razão é aplicada às impressões correspondentes, ela pode funcionar como um "remédio". Sexo e dinheiro não são bons nem maus, segundo o estoicismo, mas o apego excessivo ou a aversão a qualquer um deles é prejudicial. Quando compreendemos firmemente que as coisas externas são "indiferentes" e que somente nosso próprio caráter e nossas ações realmente importam, a força desses sentimentos perturbadores é minada e eles se tornam controláveis. O primeiro passo na terapia estoica das paixões é engajar-se no que os terapeutas agora chamam de "automonitoramento" de sintomas. Epicteto dá o exemplo de contar os dias em que você ficou irritado e registrar seu progresso na redução deles ao longo do tempo. Se pudermos passar trinta dias sem ira, diz ele, devemos nos regozijar. Ele sugere que pode levar dois ou três meses, no entanto, para mudar o perfil de caráter subjacente. A prática estoica exige, portanto, que pratiquemos esses exercícios como atletas, caso contrário, estaremos simplesmente nos entregando ao palavreado filosófico, muita conversa e nenhuma ação.

Além do automonitoramento, Epicteto aconselha os alunos a desde o início não se deixar levar por impressões prejudiciais, pois, se simplesmente "ganharmos tempo e descanso", mais facilmente comandaremos nossa mente (*Encheirídion*, 20).

No início do treinamento estoico, ou quando nossos sentimentos parecerem avassaladores, devemos adiar a resposta a eles e não fazer nada até que se acomodem. Podemos então avaliar as impressões subjacentes com calma e racionalidade, com uma atitude "filosófica", em um momento posterior. Devemos parar de imaginar o resultado futuro de nossos medos ou desejos até poder fazer isso com calma e racionalmente. Em particular, devemos nos ater aos fatos objetivos e nos abster de acrescentar quaisquer outros julgamentos de valor, como o de que alguém é um "homem feliz" porque tem algo que não temos. Essa simples capacidade de "adiar" a resposta a impressões passionais é a própria base da virtude e do autocontrole. O conselho sagaz de que nenhuma decisão importante deve ser tomada quando se trata de uma paixão desconcertante também foi atribuído aos antigos pitagóricos:

> Se, a qualquer momento, porém, qualquer um deles caísse em fúria ou em desânimo, simplesmente se retiraria da companhia de seus associados e, buscando a solidão, se esforçaria para assimilar e curar a paixão. Também é relatado que nenhum dos pitagóricos castigava um servo ou admoestava um homem livre durante a ira; esperava até recuperar a serenidade. Eles usam uma palavra especial, *paidartan*, para indicar tais reprimendas [autocontroladas], atingindo essa serenidade por meio do silêncio e do sossego (Jâmblico, *Vida pitagórica*).

Técnicas similares de "adiamento" ou *"time-out"* são empregadas na terapia moderna para controlar os impulsos, cortando-os na raiz antes que possam se transformar em episódios mais sérios de ira, preocupação ou depressão. Por exemplo, há evidências diretas de pesquisas psicológicas modernas de que adiar pensar nos problemas até determinado momento pode reduzir pela metade a intensidade e a duração da preocupação. Essa estratégia de "adiamento" tornou-se, portanto, um componente importante de várias formas modernas de TCC para o Transtorno de Ansiedade Generalizada.

Epicteto sugere que, quando estamos calmos o suficiente para abordar nossas impressões perturbadoras de forma racional, possivelmente depois de adiá-las, há várias estratégias que podem ser usadas. Devemos "nos retirar para a companhia dos homens bons e excelentes" e comparar nossa conduta ao padrão ideal do Sábio ou ao que consideramos louvável em outros. Quando tais paixões surgirem no futuro, se estivermos prontos para confrontar nossas impressões iniciais com os exemplos "belos e nobres" apresentados por pessoas exemplares, enfraqueceremos e não seremos "levados" por elas (*Diatribes*, 2.18). Da mesma forma, devemos nos perguntar quais recursos mentais ou virtudes potenciais a Natureza nos deu para corresponder a cada evento que nos acontece. Por exemplo, será que uma situação exige "paciência", e é mais provável que a paciência leve à *eudaimonia* do que a indulgência? Qual seria o curso de ação mais louvável? Em vez de seguirmos nossas impressões iniciais e sermos levados por paixões irracionais, deveríamos nos vangloriar pelo próprio ato de resistir ou de superar nossos pensamentos e impulsos iniciais, pois essa resposta é a base da virtude. De fato, Epicteto diz que, em última análise, o segredo de não ser "levado" por medos e desejos é simplesmente ter compreendido completamente o núcleo da Ética Estoica. Isso significa estar convencido de que a coisa mais importante no mundo é nosso próprio desenvolvimento e realização (*eudaimonia*), que vem da conquista da virtude.

FAÇA AGORA:
AUTOCONTROLE ESTOICO E ADIAMENTO

Ao longo do dia, tente estar continuamente atento a seus pensamentos e sentimentos, particularmente à forma como você responde a eles. Os antigos estoicos empregavam técnicas básicas de automonitoramento para ajudá-los nisso. Os estudantes modernos de estoicismo podem achar útil usar uma forma modificada de automonitoramento da TCC, por exemplo, a forma demonstrada a seguir, para anotar informações:

1. Onde e quando surgiram sentimentos problemáticos, tais como ansiedade, ira ou desejos impróprios? (Ao contrário da terapia cognitiva, o estoicismo agrupa tanto as emoções quanto os desejos como formas de "paixão"; trata a ira como um desejo de prejudicar alguém.)
2. Que emoções ou desejos ("paixões") você experimentou? Observe também quaisquer "sinais de alerta precoce" de que distúrbios começavam a se desenvolver, tais como tensão física ou sensações corporais.
3. Em que pensamentos ou julgamentos específicos esses sentimentos se baseavam? (Tente identificar quaisquer julgamentos questionáveis que possam ser fonte de emoções ou desejos inadequados, como ansiedade, raiva ou desejos impróprios.)
4. O que você realmente disse ou fez? O que você evitou fazer? (Se é que evitou.)

Tente registrar essas coisas assim que perceber os sentimentos. Para começar, simplesmente pratique o automonitoramento e tenha a disciplina de escrever as coisas paciente e concisamente para conseguir ir adquirindo maior "distância cognitiva" de suas impressões iniciais perturbadoras. Quando perceber os sinais de alerta precoce de uma "paixão" insalubre, em vez de se deixar arrastar por ela, lembre-se de que é apenas a "impressão" que o perturba, e não a coisa em si. Não faça mais nada, se possível, e adie a resposta até os sentimentos se tornarem menos intensos – especialmente quando confrontado por um desejo ou uma emoção aparentemente avassaladora. Isso pode levar uma hora ou mais, talvez até mesmo até o dia seguinte. Diga a si mesmo: "Voltarei a isso mais tarde, quando estiver no estado de espírito correto", em vez de permitir que suas impressões automáticas ditem quando e de que forma você pensa nelas.

Quando estiver pronto para agir com mais calma, examine e avalie suas impressões, empregando seus princípios filosóficos. Ajuda muito reservar um tempo e um lugar específicos para fazer isso, talvez durante a meditação matinal ou noturna. Aplique primeiramente a "dicotomia estoica", perguntando-se se você está fazendo julgamentos de valor ou experimentando "paixões" em relação às coisas que estão ou não sob seu controle. Lembre-se dos argumentos destinados a persuadir os estoicos de que as coisas corporais e externas não são nem boas nem más, mas "indiferentes" em relação à *eudaimonia*. Considere também o que o Sábio ideal faria e tente imitar seu exemplo. Talvez se pergunte quais recursos internos a Natureza lhe deu para lidar com o desafio que você enfrenta.

Com a prática, você descobrirá que é capaz de responder calmamente a pensamentos e sentimentos perturbadores sem a necessidade de adiar as coisas. Memorizar breves declarações "lacônicas" ajuda. Por exemplo, Epicteto ensinou seus alunos a responder a coisas "indiferentes" dizendo a si mesmos: "Isso não é nada para mim", ou "não volitivo = não maligno". Você deve formular suas próprias máximas e afirmações, usando-as com frequência, até que elas se tornem respostas habituais e familiares.

Estoicismo e a arte da felicidade

data/hora/ situação	sentimentos intensos (paixões)	pensamentos (impressões)	ações (impulsos)
3/4/2013 – 13h30 Uma mulher esbarrou em mim enquanto eu tentava ajudar meu bebê na entrada do hotel depois de ter derramado um copo de água sobre si mesma e no chão.	Ira – Percebi que eu estava tensionando os ombros, começando a franzir o rosto.	"Você é idiota?", "Não está vendo o que estou fazendo?" (O que ela está fazendo é ruim; ela está me atrapalhando no que eu tenho que fazer.)	Olhei para ela com raiva, mas não fiz nem disse mais nada. Não lhe pedi que esperasse até que tivéssemos terminado, porque eu estava muito zangado.

 LEMBRE-SE:
COMO ADIAR A RESPOSTA A SENTIMENTOS INTENSOS

Epicteto frequentemente aconselhava os alunos a adiar a resposta a impressões e paixões prejudiciais. Estratégias semelhantes foram consideradas eficazes na pesquisa sobre a TCC moderna, desde que não fossem utilizadas abusivamente como uma forma de supressão ou fuga emocional. Pense nisso em três estágios:

1. Identificando sentimentos intensos: Epicteto diz que devemos manter um registro de nossas paixões prejudiciais, ou podemos manter um registro mais detalhado, como o demonstrado anteriormente, olhando particularmente para os "sinais precoces de alerta" quanto a medos e desejos irracionais; isso ajuda a aumentar a consciência e a "distância cognitiva" das impressões automáticas.

2. Adiando as respostas: se elas forem potencialmente avassaladoras, evite ser "levado" por paixões perturbadoras recusando-se a dar consentimento às impressões subjacentes, em vez de segui-las; "ganhe tempo e tranquilidade" ao postergar a tomada de novas medidas até que você se acalme e as impressões não estejam mais "frescas" na mente; fique a certa "distância cognitiva", lembrando a si mesmo que são apenas impressões, e não as coisas que elas dizem representar, e que você está perturbado pelos próprios juízos de valor, e não pelas coisas ou acontecimentos em si.
3. Examinando filosoficamente: quando conseguir fazer isso com calma e racionalmente, comece a aplicar suas doutrinas estoicas às impressões que o incomodam; antes de tudo, examine se você está fazendo julgamentos de valor que entram em conflito com a doutrina básica de que apenas o que é "seu encargo" pode ser verdadeiramente "bom" ou "ruim"; você também pode considerar como uma pessoa modelo ou o Sábio ideal responderia à mesma situação; você pode se perguntar quais faculdades ou virtudes potenciais poderia ter que lhe permitiriam lidar melhor com a situação.

Por que meditar de manhã e à noite?

A meditação matinal (Contemplação prospectiva)

Epicteto disse que os estoicos deveriam ensaiar o dia que têm pela frente ao se levantarem de manhã, e rever seu progresso no fim do dia. De manhã, devemos nos perguntar: "O que me falta ainda para alcançar a liberdade das paixões [*apatheia*]?", "E o que falta para alcançar a tranquilidade?" (*Diatribes*, 4.6). Então devemos fazer uma pergunta baseada na famosa inscrição no Oráculo Délfico de Apolo: "Conhece-te a ti mesmo". Para os estoicos, corremos continuamente o risco de nos alienarmos de nossa verdadeira natureza e descer ao nível de animais selvagens ou gado ao permitir que nossa atenção escape. Devemos, portanto, perguntar: "O que eu sou?".

Os estoicos tentam desenvolver maior afinidade com sua natureza básica como animais racionais, em vez de se identificarem com seu corpo, bens ou reputação, como faz a maioria das pessoas. Podemos então perguntar o que a natureza exige de nós, como animais racionais, e praticar ações apropriadas para o dia que começa, aspirando a uma maior razão e virtude. Marco Aurélio também diz:

"Ao amanhecer, quando relutante em se levantar, tenha este pensamento pronto na mente: 'Estou me levantando para fazer o trabalho de um ser humano'" (*Meditações*, 5.1).

Ele também concentrava seus preparativos em viver em harmonia com o restante da humanidade, dizendo a si mesmo que, naquele dia, se depararia com pessoas intrometidas, ingratas, prepotentes, traiçoeiras, invejosas e antissociais, antecipando o pior que poderia acontecer como se fosse inevitável (*Meditações*, 2.1). Entretanto, ele tinha seus princípios estoicos prontos, lembrando a si mesmo que elas agiriam dessa maneira porque lhes faltava sabedoria e não conheciam a verdadeira natureza do "bem" ou do "mal". O que importa, em última análise, é que ele mesmo compreendeu a verdadeira natureza do "bem". Ele também tem em mente que aqueles que se opõem a ele e fazem o mal são fundamentalmente semelhantes a ele: "Não têm o mesmo sangue ou nascimento que eu, mas a mesma mente", compartilhando uma centelha da razão divina. Ele ensaia cuidadosamente os preceitos estoicos de que ninguém pode realmente prejudicá-lo nem o implicá-lo em vício, e que ele não pode sentir as paixões da ira ou do ódio contra eles quando reconhece sua afinidade com eles, e que o conflito é antinatural. "Nascemos para trabalhar juntos como pés, mãos e olhos, como as duas arcadas dentárias, superior e inferior."

Marco também citou o fato, como observado acima, de que os antigos pitagóricos meditavam todas as manhãs sobre as estrelas e o sol nascente, talvez introduzindo elementos da cosmologia filosófica em suas contemplações matinais.

"Vejam, disseram os pitagóricos, no céu, pela manhã, podemos recordar aquelas hostes do céu que seguem o mesmo curso e realizam seu trabalho da mesma maneira, e seu sistema ordenado, e sua pureza, e sua nudez; pois não há véu diante de uma estrela" (*Meditações*, 11.27).

Os estoicos podem, portanto, ter ensaiado potencialmente "viver de acordo com a Natureza" em três níveis, uma atitude de harmonia e afeição natural pela razão, sua própria natureza essencial, pela irmandade da humanidade e pela Natureza, ou pelo cosmo, como um todo.

Como vimos, Jâmblico também disse que a preparação mental dos pitagóricos nas manhãs envolvia "formar um plano do que deveria ser feito mais tarde". Essas deliberações, como as dos estoicos, aparentemente levavam em conta quaisquer possíveis catástrofes que pudessem ocorrer, a fim de cultivar uma sensação estoica de ser resistente e estar "pronto para tudo".

"Era um preceito deles que nenhuma baixa humana deveria ser inesperada pelos inteligentes, esperando tudo o que não estivesse em seu poder prevenir" (*Vida Pitagórica*, 31).

Como vimos, ao planejar qualquer ação, ou presumivelmente o dia todo, o estoico acrescenta a "cláusula de reserva", uma advertência como "se o destino permitir". Quaisquer que sejam os planos, a sorte pode intervir, e a única certeza é que nosso corpo acabará sendo destruído e que perderemos tudo.

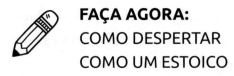

**FAÇA AGORA:
COMO DESPERTAR
COMO UM ESTOICO**

Ao acordar a cada manhã, reserve alguns momentos para se compor e depois passe de cinco a dez minutos ensaiando pacientemente o dia que está por vir. Como você pode avançar alguns passos em direção ao ideal do Sábio Estoico? Como pode tomar medidas adequadas, enquanto aceita coisas além de seu controle?

1. Marco Aurélio alude à antiga prática pitagórica de caminhar em solidão para um lugar tranquilo ao amanhecer e meditar sobre as estrelas e o sol nascente, enquanto desenvolve a atenção plena da faculdade de raciocínio em preparação para o dia que se avizinha. Talvez você tenha que se contentar em reservar um lugar particular em casa para fazer isso, como sentar-se no canto da cama ou ficar em pé diante do espelho no banheiro. No entanto, você ainda pode pensar no nascer do sol em um cenário de estrelas – discutiremos mais meditações "cosmológicas" como essa mais tarde.

2. Escolha um preceito filosófico específico que você queira ensaiar e repita para si mesmo algumas vezes antes de imaginar como poderia segui-lo mais completamente durante o restante do dia. Para começar, escolha o princípio geral: "Algumas coisas estão sob nosso controle enquanto outras não estão". Mantenha essa ideia à mão enquanto pratica, dando mais importância ao seu próprio caráter e às suas ações e considerando os eventos externos indiferentes.

3. Como alternativa, você pode escolher uma virtude específica que deseja desenvolver, e ensaiar mentalmente seu dia à frente, em linhas gerais, enquanto tenta imaginar como agiria se mostrasse mais sabedoria, justiça, coragem, autodisciplina etc.

Uma vez que você adquira o hábito de fazer isso, tente imaginar desafios maiores, pessoas difíceis etc., como discutido no capítulo sobre premeditação de futuras adversidades. Como vimos, alguns estoicos também recordam a própria mortalidade enquanto planejam o dia seguinte. Por exemplo, Sêneca de fato recomenda que, quando acordemos a cada manhã, digamos a nós mesmos: "Você pode nunca mais dormir de novo".

**IDEIA CENTRAL:
AS MEDITAÇÕES NOTURNAS
E MATINAIS**

Os estoicos adotaram a prática pitagórica, descrita em *Os versos de ouro*, de contemplar pacientemente os acontecimentos do dia, talvez três vezes, antes de se recolherem para dormir. As famosas perguntas de *Os versos de ouro*, citadas por Epicteto, eram: "Onde errei? O que fiz? Qual obrigação foi deixada por cumprir?". Para os estoicos, todas essas perguntas se referem ao seu objetivo supremo, e por isso Epicteto recomenda especificamente perguntar onde erramos no que diz respeito a viver uma vida "fluida e harmoniosa" de acordo com a sabedoria e a virtude. Os estoicos podem também examinar se eles estão realmente vivendo em harmonia com sua própria natureza racional, com o restante da humanidade e com a Natureza como um todo – o triplo sentido de "viver de acordo com a Natureza".

Uma das perguntas fundamentais que um estoico deve fazer ao planejar o dia que tem pela frente é: como posso progredir para estar mais próximo de me tornar um Sábio perfeito? Isso é sem dúvida influenciado pelo que ele aprendeu sobre as próprias fraquezas durante a contemplação da noite anterior. O que é necessário para superar quaisquer medos e desejos irracionais que permanecem? Falta-me coragem, autodisciplina ou alguma outra virtude que a vida exige de mim? Epicteto compara isso com um atleta ou um treinador planejando um regime de treinamento e colocando-o em prática. Basicamente, o estoico também se prepara, ao despertar, para aplicar o preceito geral, conforme o qual as coisas externas são indiferentes para nós e o nosso principal bem reside em se destacar naquilo que é "seu encargo", o próprio caráter e as ações, e isso se sobrepõe à técnica mais geral de "premeditação da adversidade", discutida anteriormente.

A meditação noturna (contemplação retrospectiva)

Sêneca descreveu um método de meditação noturna ensinado pelo filósofo romano Quinto Séxtio, que combinava pitagorismo e estoicismo. Ele diz que, para que a mente se desenvolva como a natureza pretende, devemos nos treinar continuamente, fazendo-nos algumas perguntas antes de nos retirar para dormir:

1. Que mau hábito você corrigiu hoje?
2. Qual foi a falha contra a qual você se opôs?
3. Em que aspecto você se sente melhor?

Esse autoexame filosófico e terapêutico é comparado a um julgamento em tribunal: "Cada dia pleiteio meu caso perante mim como juiz". As paixões se acalmam, e é possível ter mais controle sobre elas, diz ele, quando sabemos que devemos prestar contas perante um juiz todas as noites. Em outras palavras, essa rotina contribui para a atenção plena ao longo do dia. Além disso, ao contrário de alimentar a preocupação, Sêneca diz que ela é propícia a um sono mais sadio – o que pode ser tomado como uma indicação de que a prática está sendo usada corretamente.

Quando a lâmpada é retirada da minha vista e minha esposa, que agora não é estranha ao meu hábito, fica em silêncio, examino o dia inteiro e retraço minhas ações e palavras, não escondo nada de mim, não passo por cima de nada. Por que eu deveria ter medo de qualquer um dos meus erros quando posso dizer: "Tome cuidado para não repetir isso, desta vez eu o perdoo"? (*Sobre a ira*, 3).

Os exemplos de autorrepreensão de Sêneca ilustram claramente que, em vez de se entregar a uma autocrítica mórbida, ele adotou a atitude de um amigo que oferece conselhos sábios e benevolentes:

Nessa discussão, você falou muito agressivamente: não entre em conflito com pessoas sem experiência; aqueles que nunca estudaram tornam-se alunos pouco dispostos. Você foi mais franco ao criticar aquele homem do que deveria ter sido, e assim ofendeu-o, ao invés de melhorá-lo: no futuro, considere não apenas a verdade do que você diz, mas também a questão de saber se o homem a quem você se dirige pode aceitar a verdade: um bom homem acolhe a crítica, mas quanto pior é um homem, mais feroz é o seu ressentimento em relação à pessoa que o corrige (*Sobre a ira*, 3).

Diz-se que os pitagóricos praticavam a revisão da sucessão de eventos que aconteciam durante o dia como um método para melhorar a memória. Os estoicos preferem se concentrar em seu potencial como um método de autoanálise ética e terapêutica. Entretanto, Epicteto cita para seus alunos as linhas relevantes de *Os versos de ouro*, dizendo que devemos mantê-las "à mão, prontas para o uso", aplicando-as à nossa vida diária; ao contrário de Sêneca, ele se apega às tradicionais perguntas pitagóricas.

1. Onde errei?
2. O que fiz (certo)?
3. Qual obrigação foi deixada por cumprir?

O passado é, em última análise, indiferente. No entanto, podemos aprender com nossos erros, e talvez haja um sentido no qual possamos "regozijar-nos com o que fizemos bem", como diz Epicteto. Devemos desejar fazer o que ficou por fazer, "se o destino permitir". As rotinas de meditação da manhã e da noite parecem, portanto, se complementar, formando etapas em um processo cíclico de reflexão, aprendizado e preparação mental para a ação.

**FAÇA AGORA:
DURMA COMO UM ESTOICO**

À noite, antes de dormir, tome cinco a dez minutos para rever calmamente os eventos do dia. Se possível, visualize-os na mente. Tente lembrar-se da ordem em que você encontrou diferentes pessoas ao longo do dia, as tarefas em que se envolveu, o que disse e fez etc. Embora isso possa exercitar e melhorar sua memória, para os estoicos o aspecto mais importante é que você questiona se poderia ter vivido mais consistentemente a serviço da sabedoria e da *eudaimonia*.

1. "O que você fez errado?" Você se permitiu ser governado por medos ou desejos de um tipo excessivo, irracional ou nocivo? Você sacrificou a *eudaimonia* por algo externo?
2. "O que você fez certo?" Você fez progressos em direção à sabedoria e à virtude? Você agiu "apropriadamente", de acordo com seus princípios?

3. "O que você deixou de fazer?" Você falhou em fazer o que era "apropriado" ou seu dever? Você negligenciou alguma oportunidade de exercer sabedoria prática, justiça, coragem ou autodisciplina?
4. Considere de que forma algo mal feito ou negligenciado poderia ser feito de forma diferente no futuro. O que faria o Sábio perfeito?
5. Elogie-se por qualquer coisa bem-feita.

Você está praticando o papel de um amigo e conselheiro sábio consigo mesmo, e esse relacionamento deve ser mantido em mente. Além disso, Sêneca diz que devemos dizer a nós mesmos todas as noites antes de dormir: "Você pode não acordar". Lembre-se de que todos esses eventos são passado, e portanto rigorosamente "indiferentes" para você; aceite-os como determinados pelo destino a acontecer. Você pode achar útil experimentar escrever em um diário também, parafraseando preceitos estoicos, como fez Marco Aurélio em suas *Meditações*.

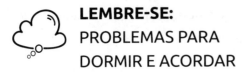

LEMBRE-SE: PROBLEMAS PARA DORMIR E ACORDAR

Vai ser preciso alguma tentativa e erro para encontrar as melhores rotinas matinais e noturnas, então você tem que adotar uma abordagem flexível. Provavelmente não é recomendável tentar fazer esses exercícios enquanto estiver deitado e sonolento, e é melhor se sentar ou ficar em pé e desperto. Você levaria cerca de dezesseis horas para planificar ou rever seu dia inteiro em "tempo real", então, é claro, vai revisar as coisas em grandes linhas, escolhendo eventos cruciais. Evite se preocupar com coisas que parecem preocupantes, especialmente se for provável que isso interfira em seu sono. A preocupação mórbida é o oposto do que você deveria estar fazendo. Lembre-se sempre de que as coisas além de seu controle devem ser julgadas como "indiferentes" em termos estoicos.

 ## PONTOS DE ATENÇÃO

Os principais pontos a serem lembrados deste capítulo são:

- Muitas pessoas consideram atraente o conceito de "atenção plena" no budismo, mas uma prática similar, chamada *prosochê* ou "atenção" à "faculdade governante" consciente, era um ponto central do antigo estoicismo.
- O *Manual de Epicteto* começa com a prática fundamental de avaliar nossas impressões usando a "dicotomia estoica", a distinção entre o que é "meu encargo" e o que não é, lembrando que as coisas externas são inerentemente "indiferentes" com relação à virtude e à *eudaimonia*.
- Planejar o dia que se inicia e rever o dia que passou pode ajudá-lo a manter uma rotina estruturada de viver sabiamente, seguindo os princípios estoicos.

PRÓXIMO PASSO

Cobrimos agora a teoria da Ética Estoica e as práticas básicas envolvidas nas três disciplinas de Epicteto, bem como a noção de uma rotina matinal e noturna, dando estrutura ao autoexame filosófico. Vamos agora analisar alguns exercícios estoicos contemplativos mais dramáticos e desafiadores.

10.

A visão do alto e a cosmologia estoica

Neste capítulo, você aprenderá:

➤ Que o antigo estudo da Natureza, ou "Física" filosófica, estava ligado a importantes exercícios psicológicos.

➤ Como contemplar a vida como um "festival", uma antiga metáfora pitagórica adotada pelos estoicos.

➤ Como praticar a meditação estoica que os estudiosos modernos chamam de "visão do alto".

➤ Como contemplar o tempo e a transitoriedade de todas as pessoas, coisas materiais, adotando uma perspectiva "cosmológica" sobre a vida.

Tenha uma visão do mundo com olhos de pássaro, vendo de cima: suas numerosas aglomerações e cerimônias, muitas jornadas na calmaria e na tempestade e as diferentes formas como as coisas surgem tomam parte e deixam de existir. Reflita também sobre a vida vivida há muito tempo por outros homens, a vida que será vivida depois que você se for e a que agora está sendo vivida em terras estrangeiras; sobre quantos nunca sequer ouviram seu nome, quantos muito em breve o esquecerão, e quantos, embora talvez até o elogiem agora, muito em breve o responsabilizarão; e que nem a memória, nem a fama, nem qualquer outra coisa vale alguma coisa (*Meditações*, 9.30).

Que pequeno fragmento do tempo ilimitado e abismal foi designado para cada homem! Pois em um momento ele está perdido na eternidade. E quão minúscula parte da substância universal! Quão minúscula da alma universal! E quão minúsculo é o torrão da Terra inteira que você arrasta! Tendo todas essas coisas em mente, não pense em nada do momento, exceto em fazer o que sua natureza o conduz a fazer, e em suportar o que a natureza universal lhe proporciona (*Meditações*, 12.32).

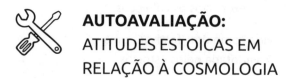

AUTOAVALIAÇÃO: ATITUDES ESTOICAS EM RELAÇÃO À COSMOLOGIA

Antes de ler este capítulo, avalie quão fortemente você concorda com as seguintes declarações, usando a escala de cinco pontos (1-5) abaixo, e então repita sua avaliação uma vez que tenha lido e assimilado o conteúdo.

1. discorda fortemente,
2. discorda,
3. não concorda nem discorda,
4. concorda,
5. concorda fortemente.

1. "Imaginar eventos como se os estivesse vendo da perspectiva de um pássaro pode me ajudar a alcançar tranquilidade e uma perspectiva racional."
2. "A vida é como um festival ou cortejo, que dura pouco tempo, e devemos ser gratos por participar disso."

3. "Quando penso na brevidade da vida em termos da história do universo, me lembro de valorizar mais minhas próprias ações do que minhas propriedades."

Por que a contemplação da natureza é importante?

O que acontece se você der um passo para trás em sua vida e olhar para ela de um ponto de vista diferente? Como é o quadro geral? Perguntas desse tipo estão na base de alguns exercícios básicos de mudança de perspectiva empregados pelos estoicos como forma de contemplação filosófica. Este capítulo analisa em particular as meditações relacionadas à Física Estoica, destinadas a ampliar nossa imaginação, encorajando a aceitação desapegada dos acontecimentos, de acordo com a "disciplina estoica do desejo" e a terapia das paixões. Elas nos treinam a expandir nossa consciência e ao mesmo tempo reduzir a importância que percebemos das coisas externas.

Essa noção de expandir a mente está relacionada a outra importante virtude chamada "magnanimidade" (*megalopsuchia*, uma "megapsique"), que literalmente significa "grandeza de espírito" ou "grandeza de mente" – ter uma grande alma. É definida como a qualidade que nos permite permanecer superiores e desapegados de tudo o que nos acontece na vida, independentemente de os acontecimentos serem considerados "bons" ou "ruins" pela maioria, ou seja, os objetos comuns do medo e do desejo. Zenão escreveu que a magnanimidade por si só é suficiente para "nos elevar muito acima de todas as coisas" e que, por ela ser uma parte essencial de toda virtude, o Sábio necessariamente "desprezará todas as coisas que pareçam problemáticas" e alcançará a Felicidade ou *eudaimonia*, independentemente de suas circunstâncias externas.

Embora isso possa parecer peculiar aos leitores modernos, Sêneca argumenta que, pelo fato de os estoicos acreditarem que todo bem verdadeiro reside na mente, e não em coisas externas ou corporais, segue-se que tudo o que fortalece, eleva ou amplia a mente é bom para nós. A virtude, na forma de "magnanimidade", eleva a mente acima das coisas "indiferentes" e a amplia muito além de sua influência. Por outro lado, o apego a coisas externas e corporais de certa forma "sobrecarrega" a mente e a enfraquece, em vez de permitir-lhe desabrochar, crescer e expandir-se naturalmente. Quando ficamos absortos em coisas mesquinhas, como a busca pela riqueza ou reputação, de certa forma a alma encolhe e é arrastada para uma perspectiva estreita na vida.

Expandir a mente, de acordo com a sabedoria e a virtude, era, portanto, uma característica importante da Física Estoica e da disciplina do desejo. Um dos temas principais de Marco Aurélio em suas *Meditações* é a vastidão do tempo e do espaço e o quão ínfimos são o corpo e a extensão da vida por comparação. A mera experiência de ler essas passagens, que se repetem diversas vezes, é suficiente para evocar uma sensação de expansão da consciência em muitas pessoas. Marco diz que "nada é tão propício à grandeza da mente", ou magnanimidade, quanto a prática de exercícios derivados da Física Estoica; por exemplo, fazer um estudo detalhado dos processos da Natureza, da "mudança recíproca de todas as coisas" uma na outra, e ver todas as coisas objetivamente, despojadas de juízos de valor e dentro do contexto de toda a Natureza (*Meditações*, 10.11; 3.11). É como se o universo nos concedesse o dom da consciência precisamente para que pudéssemos expandir a mente dessa maneira.

"A sabedoria é algo grande e extenso; precisa de espaço; é necessário aprender sobre questões, divinas e humanas, sobre o passado e o futuro, sobre as questões transitórias e eternas, sobre o tempo" (Sêneca, *Carta*, 88).

Os estoicos eram basicamente panteístas. Para eles, "Natureza" e "Deus" (ou "Zeus") eram praticamente termos sinônimos. Zeus é um ser imortal, perfeitamente racional, completamente Feliz, distancia-se de qualquer coisa má e cuida de todo o cosmos, mas não é "antropomórfico", ou seja, não se parece com um homem de barba suspenso em uma nuvem. Os outros deuses são simplesmente manifestações dele, em diferentes disfarces. Seu corpo é a totalidade da Natureza, e sua vontade é a vasta cadeia de causalidade, denominada "Destino", que determina de forma natural o resultado de todos os eventos. Para Marco Aurélio, contemplar o universo como um único organismo, do qual somos todos membros individuais, torna-se um importante exercício psicológico: "Medite frequentemente na união íntima e na interdependência mútua de todas as coisas no cosmos" (*Meditações*, 6.38).

Além de contemplar o sábio mortal ideal, portanto, os estoicos contemplavam a perspectiva do ideal, perfeitamente sábio e virtuoso, do ser imortal, Zeus, ao contemplar a Natureza em sua totalidade. Eles imaginavam que Zeus devia estar distante das preocupações mundanas e completamente em paz consigo mesmo. Eles procuravam visualizar a vida a partir de sua perspectiva divina, abrangendo a totalidade de sua criação em uma única visão. Empregando a Física Estoica como uma espécie de exercício contemplativo de expansão da mente, eles desejavam emular a serenidade perfeita e a magnanimidade dos próprios deuses.

Segundo Cícero, os três tópicos teóricos da filosofia tipicamente começam com a Física, a contemplação das estrelas e da natureza do universo, em particular da vida e da morte, e a inconstância e mutabilidade de todas as coisas, de acordo com as leis do determinismo causal. Ao imergir noite e dia nessas meditações sobre a Natureza do cosmo, progredimos em direção à sabedoria e à alegria racional, até conseguir desprezar serenamente as preocupações da vida cotidiana, que parecem mesquinhas em comparação. Tanto Cícero como, mais tarde, Epicteto parecem sugerir que a Física Estoica, ou a disciplina do desejo, funciona como uma espécie de terapia para as paixões, que os estudantes de filosofia devem dominar primeiro, a fim de alcançar a tranquilidade e a magnanimidade necessárias para embarcar com segurança no segundo ramo da filosofia, o estudo da Ética, e na disciplina da ação. No entanto, essas contemplações não eram apenas para os novatos.

Embora, paradoxalmente, esteja distante de todas as coisas externas, o Sábio estoico se torna mais firmemente ancorado em toda a Natureza e mais unido ao cosmos, e genuinamente confortável. Epicteto gostava de lembrar aos alunos que, quando perguntado a que país ele pertencia, Sócrates diria: "Eu sou um Cidadão do Universo", algo ecoado por Diógenes, o Cínico, e posteriormente pelos estoicos, "cosmopolitas" no sentido original e filosófico da palavra. Marco também diz que o objetivo da filosofia é viver de acordo com a Natureza, e assim "não se tornar um estrangeiro em sua pátria", mas um verdadeiro Cidadão do Universo, o que significa não depender de coisas externas nem ser surpreendido por elas.

Por meio da disciplina do desejo, o estoico se identifica com a Natureza, como parte do todo – em certo sentido, o todo é o fundamento de seu ser, portanto, e sua própria identidade verdadeira –; não como um ateniense ou um romano, mas um cosmopolita, em sua própria essência.

Neste capítulo, veremos duas práticas estoicas contemplativas. A primeira se baseia em uma metáfora pitagórica muito antiga que incentiva os filósofos a ver a vida como um "festival" ou um desfile. A segunda foi denominada "visão do alto" por Pierre Hadot, que a chamou de "a própria essência da filosofia" e encontrou repetidos exemplos dela ocorrendo em toda a literatura clássica, sob diversas formas, em todas as escolas de filosofia antiga. Ela envolve imaginar a vida na Terra como se fosse vista de cima, e isso naturalmente leva a uma perspectiva mais ampla do espaço e do tempo, que se confunde às meditações cosmológicas estoicas.

Apesar de serem à primeira vista exercícios bastante diferentes, eles servem, sem dúvida, a um propósito semelhante. A vida é um espetáculo e uma oportunidade a ser desfrutada, ainda que brevemente, como um presente da Natureza, não obstante, do ponto de vista desapegado de um visitante em passagem. Portanto, ambos os exercícios podem nos dar vislumbres de magnanimidade, "elevando-se acima" ou permanecendo distantes da azáfama da vida comum e da ilusão dos valores convencionais.

ESTUDO DE CASO:
O SONHO DE CIPIÃO

Cipião Emiliano (185-129 a.C.) era reconhecido como um romano culto, mais tarde conhecido como Cipião Africano, o Jovem, graças ao avô adotivo, um general altamente reverenciado. Ele se cercou de intelectuais, o "Círculo Cipiônico", incluindo seu amigo estoico Lélio, o Sábio, que encontramos antes, e o erudito Panécio. O Sonho de Cipião, da República de Cícero, é uma renomada vitrine do início de sua carreira e um dos exemplos mais icônicos da "visão do alto".

É o início da terceira Guerra Púnica (149-146 a.C.), e os poderosos exércitos de Roma estão sitiando a antiga cidade de Cartago, no norte da África. Em sua chegada como jovem oficial, Cipião procura a hospitalidade do rei Masinissa, da Numídia. Eles conversam até tarde da noite sobre Africano, o Ancião, um velho amigo do rei que supostamente alcançou status divino após a morte em recompensa por sua vitória lendária sobre Aníbal em Cartago, décadas antes. Cipião adormece profundamente e tem um sonho estranho e místico, no qual ele ascende ao encontro de Africano, o Ancião, nos céus distantes, e juntos eles olham para baixo, para todo o cosmos. Emiliano exclama que a Terra parece minúscula, acrescentando: "Comecei a pensar menos neste nosso império, que equivale apenas a um ponto em sua superfície". No entanto, ele está tomado de admiração pela beleza e harmonia avassaladoras do universo. Africano, o Ancião, mostra-lhe que a Terra e a vida mortal são partes minúsculas de todo o cosmos e que "os lábios da humanidade não podem lhe conceder fama ou glória que valha a pena buscar".

Ele percebe que Roma é apenas uma fração da Terra, e que a maior parte de sua superfície é despovoada, ou habitada por homens que nunca saberão de suas realizações. Mesmo aqueles que o fazem morrerão em breve, e as lendas transmitidas através de gerações inevitavelmente desaparecerão com o tempo.

Cipião Africano o encoraja a ver além das opiniões superficiais da maioria e a ser fiel à sua natureza mais íntima. O velho general aconselha: "Entenda que você é um deus". Ele deve esquecer a reputação e agir puramente a serviço da sabedoria e da virtude, pois uma alma fazendo isso encontrará "a mais fácil de todas as maneiras de elevar-se para esse lugar, que é sua própria morada e lar". Ele acrescenta que a ascensão será mais fácil se, durante a vida, confinado pelo corpo, ele tiver "alcançado livremente o exterior ao visualizar e meditar sobre o que está fora de si mesmo, tiver trabalhado para se dissociar do corpo no maior grau possível".

Como profetizado no sonho, a carreira de Cipião avança a um ritmo extraordinário. Em um ano, ele foi nomeado cônsul romano e então colocado no comando das legiões na África. Por fim, Cartago foi entregue às tropas romanas sob sua liderança, conquistando-lhe o mesmo título honorífico de seu avô: "Africano". Cartago foi "destroçada, pedra por pedra", pondo um fim ao maior adversário de Roma e assegurando seu poder por muitos séculos. No entanto, enquanto observava, Cipião refletia que um dia Roma também se extinguiria, pois todas as coisas são passageiras, da perspectiva do cosmos.

O "festival" pitagórico

Pitágoras comparou o papel do filósofo ao de um espectador de um "festival" (*panêguris*) com vários eventos esportivos e formas de entretenimento. Ele aparentemente quis dizer que eles são espectadores do cosmos procurando contemplar a beleza e a ordem de todo o universo. Diógenes, o Cínico, também disse que um bom homem considera cada dia um festival, e Epicteto posteriormente ensinou seus estudantes estoicos a contemplarem a vida dessa maneira. Os estoicos usaram essa metáfora para transmitir um sentimento de gratidão pela oportunidade da vida, enquanto aceitavam que ela é temporária e que logo chegaria ao fim. A maioria das pessoas nesse "festival" ou "desfile" de vida está interessada puramente no ganho material, como o gado interessado apenas em suas forragens, enquanto alguns "assistem ao festival porque gostam do espetáculo", diz Epicteto. Esses espectadores são pessoas que curiosamente se perguntam "O que é o cosmos e quem o governa?" ou, como poderíamos dizer, "O que tudo isso significa?". Chocados por essa pergunta, os filósofos naturais são atraídos pela busca do conhecimento, que se torna seu principal objetivo na vida – "estudar o festival antes de deixá-lo".

Epicteto enfatizou que eles são, portanto, inevitavelmente ridicularizados por aqueles que preferem buscar riqueza e glória. Entretanto, os filósofos não devem ser mais perturbados pelo ridículo dos ignorantes do que seriam se o gado pudesse falar, pois, olhando momentaneamente de seus cochos, "eles também ririam daqueles que têm admiração e fascínio por qualquer coisa além de suas forragens". Embora a maioria das pessoas adote uma perspectiva estreita sobre a vida, absorvida em buscas, em última análise, triviais, os filósofos buscam sabedoria, acima de tudo, através da contemplação de todo o espetáculo da Natureza.

Epicteto usa essa metáfora várias vezes, instruindo seus estudantes a considerarem a agitação da vida de uma maneira mais distante, como se fosse apenas a agitação inevitável de um festival movimentado, como os Jogos Olímpicos. Ninguém se queixa do barulho ou da agitação da multidão, e todos aceitam que devem eventualmente partir, embora naturalmente preferissem ficar.

Epicteto diz que devemos abordar o "festival" da vida com essa atitude, lembrando que nossa vida é "emprestada" pela Natureza, à qual se agradece por nos ser permitido participar, mesmo que temporariamente. Os estoicos acreditavam que Zeus criou a humanidade e lhe deu o dom da consciência e da razão precisamente para desfrutar do espetáculo da Natureza. O estudo da filosofia natural nos permite expandir nossa contemplação para contemplar ainda mais a criação. É nosso dever progredir em direção à sabedoria, vivendo de acordo com nossa experiência da Natureza, porque "Deus não precisa de um espectador que encontre falhas".

IDEIA CENTRAL:
O "FESTIVAL" PITAGÓRICO E AS "TRÊS VIDAS"

Diz a lenda que Pitágoras cunhou o termo "filósofo" ou amante da sabedoria, o qual ele supostamente explicou usando a alegoria da vida humana como um "festival" movimentado, como os antigos Jogos Olímpicos. Há atletas que competem pela glória, proprietários de estandes que vendem mercadorias com fins lucrativos e espectadores que simplesmente querem aproveitar toda a experiência que os cerca. De acordo com Pitágoras, eles ilustram três modos de vida:

1. Os *ambiciosos* (competidores), que buscam aclamação do público e reputação como o principal bem na vida.
2. Os *gananciosos* (comerciantes), que valorizam a riqueza e o ganho material acima de tudo.
3. Os *filósofos* ou "amantes da sabedoria" (espectadores), que prezam a verdade e o conhecimento, procurando compreender a vida em sua totalidade.

Os filósofos se distanciam dos acontecimentos e não são "escravizados" pelo desejo de riqueza ou reputação, mas simplesmente se alegram com a oportunidade de testemunhar o espetáculo. Epicteto enfatizou que a sabedoria consiste em ser grato pelo festival ou concurso da vida, ao mesmo tempo que se aceita que ela é emprestada a nós, e inevitavelmente chegará ao fim.

FAÇA AGORA:
CONTEMPLANDO O "FESTIVAL" DA VIDA

Imagine que você está participando de um grande festival de música como Glastonbury[15,] um evento esportivo como os Jogos Olímpicos modernos ou uma exposição movimentada em um museu ou uma galeria de arte. Pense nisso como uma metáfora para sua vida, ao mesmo tempo que se dedica aos afazeres do dia a dia.

Você é apenas um visitante, em breve tudo estará terminado e, finalmente, todo o local será limpo. Pense no seu ingresso como um presente e que você tem o privilégio de estar aqui, mesmo que isso

---

15. O Festival de Glastonbury é o segundo maior festival de música a céu aberto do mundo. Conhecido principalmente por suas apresentações musicais, também oferece atrações de dança, humor, teatro, circo, cabaré e outras formas de arte. (N.T.)

dure apenas alguns dias. Nada disso realmente lhe pertence, toda a experiência é temporária e emprestada.

Seu trabalho é "absorver tudo" corretamente e realmente apreciar a oportunidade. Estude todo o espetáculo que se desenrola ao seu redor, de forma distanciada e filosófica, como se estivesse vendo tudo pela primeira vez. A maioria das pessoas pode ficar envolvida na busca de riqueza, na busca de reputação ou na satisfação de prazeres vãos. É inevitável que, ocasionalmente, haja confusão ou esbarrem em você – isso é apenas parte da agitação natural. Não vale a pena reclamar, agora que você está aqui, se não gosta da programação do evento – não seja um espectador ressentido ou "à procura de falhas". Apenas esteja onde você está e aproveite cada momento como ele vem. Neste momento, isso é tudo o que existe. Em poucas palavras, afaste-se da "corrida de ratos" e comece a realmente sentir a vida, sendo grato pelo "aqui e agora".

LEMBRE-SE:
A FÍSICA ESTOICA COMO MEDITAÇÃO CONTEMPLATIVA

Conforme Crisipo, a Física Estoica ou "filosofia natural" foi estudada principalmente visando ao progresso na Ética, à transformação do próprio caráter por meio da obtenção da virtude. Embora o estudo da natureza às vezes tenha tomado a forma de especulações filosóficas e científicas primitivas, também culminou em exercícios contemplativos, que transformam nossa perspectiva de vida. "O objetivo da física como exercício espiritual era deslocar a existência humana dentro do infinito do tempo e do espaço e da perspectiva das grandes leis da natureza" (Hadot, 1995, p. 244). Os estoicos consideravam que isso tinha poderosas repercussões terapêuticas, relacionadas com a disciplina do desejo. Assim, Marco Aurélio escreveu: "Visões desse tipo purificam a impureza de nossa vida ligada à terra" (*Meditações*, 7.47).

A contemplação filosófica da Natureza pode assumir inúmeras formas, incluindo a contemplação da Terra vista do alto, ou mesmo de todo o espaço e do tempo como uma grande perspectiva. A Física Estoica foi empregada como uma forma de superar medos nocivos, particularmente da morte, e de dominar desejos excessivos, vendo coisas materiais e a reputação como transitórias e, em última análise, insignificantes.

A "visão do alto" e a "consciência cósmica"

O livro perdido de Zenão intitulado *On the Whole* [Sobre o todo] presumivelmente expôs a concepção do universo no qual a Física Estoica foi inicialmente baseada. Como vimos, a antiga "filosofia natural" muitas vezes culminou em exercícios psicológicos, com implicações éticas e terapêuticas. Em particular, a contemplação da Natureza como um todo, ou em grande escala, era frequentemente descrita como uma poderosa prática transformadora. Ainda hoje falamos em tomar a "visão do alto", a "visão do pássaro", olhar para "o quadro geral", e considerar como os eventos se encaixam no "grande esquema das coisas" etc.

Hadot cunhou o termo "a visão do alto" para descrever uma das mais comuns dessas meditações. Para ele, a Física Estoica como prática contemplativa começa com "um exercício que consiste em reconhecer-se como parte do Todo, elevando-se à consciência cósmica, ou mergulhando na totalidade do cosmos", e, "para conseguir isso, devemos praticar o exercício imaginativo que consiste em ver todas as coisas humanas de cima" (Hadot, 2002, p. 136).

A "visão do alto", como a meditação sobre a morte e a contemplação do Sábio, transparece como fundamental para toda a prática da filosofia estoica, pois encerra muitos temas importantes em uma única imagem. Shaftesbury disse que deveríamos estar "mergulhados nessa imaginação" de todo o cosmos e da história do universo, caso contrário, seríamos como crianças estreitamente absorvidas em brincar com seus brinquedos, alheios ao seu verdadeiro ambiente (Shaftesbury, 2005, p. 19). Os assuntos humanos em geral e nossos infortúnios em particular parecem mais triviais a partir dessa perspectiva, acrescenta ele.

O renascentista neoestoico Justo Lípsio descreveu a "visão do alto" como um exercício de visualização envolvendo a imagem do mundo como se fosse visto do topo do Monte Olimpo. Na verdade, talvez tenha tido origem na primitiva noção de Zeus olhando para a vida mortal dessa forma. Algumas das descrições mais vivas desse exercício são encontradas nas *Meditações* de Marco Aurélio. Ele repetidamente se exorta a reconhecer que, se ele imagina olhar os assuntos humanos dos céus, naturalmente se descobre "olhando para baixo" para eles também no sentido moral, ou seja, com suprema indiferença. Considerando a vastidão dos céus e a multidão das estrelas "em uma só vista", todas as coisas parecem igualmente inconsequentes: "tudo idêntico em espécie, tudo fugaz" (*Meditações*, 12.24).

Embora essas afirmações não ocorram em suas obras remanescentes, Marco parece atribuir o conceito a Platão, que escreveu, mais de quinhentos anos antes:

> Observe as estrelas em seus cursos como se estivessem ao seu lado e pense constantemente nas mudanças recíprocas dos elementos, pois os pensamentos sobre essas coisas nos purificam do lamaçal de nossa vida terrena.

> Esse ditado de Platão é belíssimo. Quem quer que fale da humanidade deve observar, como de alguma alta torre de vigia, as coisas da Terra: seus encontros durante a paz e a guerra, casamentos e sepa-

rações, nascimentos e mortes, o alvoroço dos tribunais e o silêncio do deserto, os povos estrangeiros de toda espécie, suas festas, lutos e feiras, o conjunto de tudo isso e a ordem harmoniosa dos contrastes. Revise as coisas distantes do passado e sua inúmera sucessão de soberanias. Você pode olhar para a frente e ver o futuro também. Pois ele certamente terá o mesmo caráter, e não pode deixar de continuar no ritmo das coisas existentes. Consequentemente, é tudo um, quer testemunhemos a vida humana durante quarenta anos ou dez mil anos. O que mais você poderá ver? (*Meditações*, 7.47-49).

A "visão do alto" e a contemplação da inconstância culminam naturalmente numa perspectiva mais abrangente que tem sido chamada de "ponto de vista do cosmos" ou "consciência cósmica". Essa "perspectiva cósmica" talvez tenha vindo de uma teologia um pouco mais sofisticada e metafísica, na qual Zeus está em toda parte e vê tudo em uma grande visão unificada. Marco resume isso de forma clara e trata-a como um exercício contemplativo regular: "Imagine continuamente o tempo e o espaço como um todo, e cada coisa individual, em termos de espaço, é uma pequena semente; em termos de tempo, é o mero girar de um parafuso" (*Meditações*, 10.17).

É claro que os estoicos empregaram isso como uma terapia psicológica das paixões. Marco Aurélio diz, por exemplo, que temos a capacidade de nos livrar de muitos problemas desnecessários que existem exclusivamente em nossa imaginação se simplesmente nos colocarmos num espaço ampliado, "abraçando todo o universo em sua mente e incluindo em seu tempo de observação a eternidade", observando a transitoriedade de todas as coisas, inclusive de nossa própria vida (*Meditações*, 9.32).

Uma das descrições mais notáveis de tais exercícios contemplativos é encontrada nos escritos de Plotino, que assimilou aspectos do estoicismo em sua filosofia neoplatônica posterior. Ele diz que devemos manter na mente a imagem de uma esfera de vidro contendo todo o universo e todos os seres vivos, como uma espécie de globo de neve cósmico. "Vamos formar uma imagem mental desse universo", diz ele, e "entreter a representação luminosa de uma esfera, encerrando toda a criação", cada parte prevista como distinta, mas, mesmo assim, formando uma unidade. Devemos assim imaginar em uma única visão todas as estrelas do cosmos, nosso sol, a terra e o mar, e todas as criaturas vivas, "como seriam vistas dentro de um globo transparente" (*Enéadas*, 5.8).

Há outro exemplo notável de um exercício semelhante em um texto antigo da chamada tradição grega "hermética", provavelmente influenciado pelo neoplatonismo, que vale a pena citar.

> Reflita sobre Deus como se tudo dentro Dele fossem ideias: o cosmos, Ele mesmo, o todo. Se você não se faz igual a Deus, você não pode compreendê-Lo. O Semelhante é entendido pelo semelhante. Cresça até um tamanho imensurável. Seja livre de todos, transcenda todo o tempo. Torne-se eternidade, e assim você entenderá Deus. Suponha que nada seja impossível para você. Considere-se imortal e capaz de compreender tudo: todas as artes, ciências e a natureza de cada ser vivo. Torne-se mais alto que todas as alturas e mais baixo que todas as profundezas. Sinta como alguém que tem dentro de si toda a criação: o fogo, a água, o seco e o úmido. Conceba que está em todos os lugares ao mesmo tempo: na terra, no mar, no céu; que ainda não nasceu, que está dentro do ventre, que é jovem, velho, morto; que está além da morte. Conceba tudo ao mesmo tempo: tempos, lugares, ações, qualidades e quantidades; então você poderá compreender Deus (*Corpus Hermeticum*, 11.18-22).

Como vimos, estender a mente dessa forma e expandir a consciência está ligado à virtude da "magnanimidade", a capacidade de observar com indiferença as coisas que as pessoas valorizam por engano, tais como riqueza, propriedade e status social.

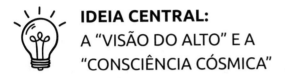

IDEIA CENTRAL: A "VISÃO DO ALTO" E A "CONSCIÊNCIA CÓSMICA"

Hadot denominou "visão do alto" um dos principais exercícios psicológicos estoicos, que envolve visualizar o mundo como se estivesse sendo visto de cima para baixo – uma "perspectiva olímpica". Há muitas variações desse exercício, sem dúvida muito antigo, que se repetem através da literatura clássica em todas as escolas de filosofia. Ver o mundo de cima é abraçar a perspectiva da filosofia natural, procurando contemplar a criação e o universo físico de uma forma distanciada. Um exercício intimamente relacionado envolvia tentar imaginar todo o espaço e o tempo sob a perspectiva de Deus ou da eternidade – uma "perspectiva cósmica".

Essa é uma meditação verdadeiramente cosmológica sobre toda a Natureza como uma entidade única. Para os estoicos, como panteístas, isso equivale a vislumbrar a perspectiva de Zeus e sua profunda serenidade, magnanimidade e libertação da dor. Portanto, esse exercício une filosofia natural, teologia e terapia psicológica. Nunca deixe de pensar no cosmos como um só ser, possuidor de uma única essência e de uma única mente", diz Marco Aurélio, tratando o conceito como uma espécie de exercício psicológico (*Meditações*, 4.40). Mesmo que hoje abordemos isso simplesmente como uma metáfora ou experiência de pensamento, ainda podemos nos beneficiar de seus conselhos.

FAÇA AGORA: CONTEMPLANDO A "VISÃO DO ALTO" E A "PERSPECTIVA CÓSMICA"

Este é um dos grandes... Primeiramente, reserve um momento para fechar os olhos e relaxar, pois essa contemplação pode exigir alguma paciência e esforço, mas deve ser praticada regularmente:

1. Imagine-se deixando o corpo e elevando-se enquanto olha para baixo e para as coisas ao seu redor.
2. Imagine antes de tudo como você se apresenta nesse momento, como se estivesse sendo visto de fora.
3. Agora, suba mais e imagine seu entorno, como se estivesse sendo visto de cima – se você estiver dentro de casa, imagine que o teto desaparece para que você possa observar as coisas de cima!
4. Então suba ainda mais alto e imagine olhar a cidade em que você mora; imagine quantas pessoas diferentes estão fazendo coisas diferentes.
5. Subindo ainda mais alto, imagine o país inteiro onde você está, e a região terrestre ou marítima ao seu redor; contemple a maneira como algumas áreas são mais povoadas do que outras e a variedade de coisas que acontecem lá embaixo.
6. Agora, imagine subir aos céus, por assim dizer, e ver todo o planeta Terra como se estivesse sendo visto do espaço; imagine-se vendo as calotas polares, norte e sul, e a terra e os oceanos no intervalo.
7. Lembre-se de que seu corpo vive lá embaixo, apenas um pequeno ocupante de um planeta enorme e diverso, mas perceba

que sua mente é capaz de compreender o conceito de toda a Natureza; pense na transitoriedade e na interação de todas as coisas materiais e imagine todas as coisas em conjunto como uma coisa só, partes de um mesmo todo.

8. Esteja ciente de sua vida como parte de toda a rede de eventos na Terra lá embaixo, apenas mais uma dos sete bilhões de pessoas. Ao longo do tempo, tente expandir sua perspectiva para contemplar todo o tempo e espaço a partir de uma perspectiva mais "cosmológica". Se quiser, tente contemplar essas coisas como se o universo estivesse contido dentro de uma esfera de vidro, como Plotino descreve, ou experimente com outras variações. O que parece trivial? O que parece importante? Como essa contemplação se relaciona com a filosofia estoica sobre a qual você tem lido? Tente memorizar o que essa contemplação lhe diz sobre a vida, talvez fazendo algumas anotações rápidas depois.

LEMBRE-SE:
VOCÊ NÃO PODE VISUALIZAR O UNIVERSO INTEIRO

Algumas pessoas dizem que é um tanto complicado visualizar todo o espaço e o tempo! Isso é certamente verdade. Entretanto, se podemos falar sobre isso, podemos contemplar seu significado, e isso é tudo o que é realmente necessário. Você pode apenas pensar mais profundamente na ideia abstrata, ou imaginar imagens compostas que, no entanto, o ajudem a contemplar a noção de toda a Natureza. Alternativamente, você pode tentar representar a Natureza esquematicamente para si mesmo desenhando ou visualizando um diagrama de algum tipo, talvez até algo tão simples como um círculo com um pequeno ponto no centro, para representar toda a Natureza como uma única entidade, e a infinitamente pequena parte do espaço e tempo ocupada por seu corpo neste momento.

A contemplação da inconstância e da "recorrência eterna"

As *Diatribes* sobreviventes de Epicteto contêm muito pouco sobre Física, mas até mesmo ele aconselha seus alunos a se lembrarem com frequência do que os filósofos naturais ensinavam sobre o universo ser uma entidade única, em constante mudança. Isso naturalmente leva a contemplar a transitoriedade de sua própria vida.

"Eu não sou eterno, e sim um ser humano; uma parte do todo, assim como uma hora é uma parte do dia. Como uma hora eu devo vir e, como uma hora, partir" (*Diatribes*, 2.5).

A mudança é a lei universal da natureza. Nós mesmos estamos continuamente nos transformando, em certo sentido decaindo, gradualmente trilhando nosso caminho para a extinção junto com todo o cosmos. Conforme ensinou Epicteto, considerar-se alienado ou desligado do restante do universo é estar propenso a esquecer nossa mortalidade. Entretanto, ao pensar que somos parte de uma vasta cadeia de causas interligadas, somos lembrados de nossa vulnerabilidade a fatores fora de nosso controle que podem destruir o corpo. Essa é uma perspectiva que nos torna mais humildes. Ele diz que divorciar-se da natureza, mas se entregando a uma espécie de ilusão de independência, prejudica nossa natureza essencial, e deixamos de ser seres humanos verdadeiros.

Como vimos, Marco também treinava a mente por meio da filosofia natural para contemplar a transitoriedade das coisas materiais e sua transformação, uma em outra, porque "nada é tão propício à grandeza da mente" (*Meditações*, 10.11). Segundo ele, assim reduzimos a fixação ao corpo e eliminamos o medo ou o desejo sobre as coisas externas. Isso nos libera para cultivar a virtude em nossas ações e na aceitação de qualquer coisa que o destino nos reserve. Marco, portanto, lembra-se de pensar na famosa metáfora de Heráclito sobre o tempo ser como um rio, no qual todas as coisas materiais fluem para o passado, mudando constantemente.

> Pense frequentemente na rapidez como as coisas que existem e que estão surgindo são varridas para além de nós e levadas para longe da vista. Pois toda substância é como um rio em fluxo incessante, suas atividades sempre mudando e suas causas sujeitas a inúmeras variações, e quase não há estabilidade. Sempre ao nosso lado estão essa infinidade do passado e o abismo profundo do futuro, em que todas as coisas desaparecem. Não é insensato quem em tal ambiente se exalta, ou se distrai, ou se preocupa com um problema duradouro e de longo alcance? (*Meditações*, 5.23).

Sêneca acrescenta que não faz diferença, da perspectiva da eternidade, se vivemos a mais curta ou a mais longa das vidas humanas quando tentamos comparar o número de anos que um homem vive com o número de anos durante os quais ele não existe.

> Todas as coisas humanas estão condenadas a uma vida curta e perecível, e, na ausência de limites de tempo, elas não ocupam parcela alguma. Se aplicarmos a escala do universo, esta Terra com suas cidades e povos, seus rios e mares circunvizinhos, podemos considerar como um alfinete: se comparada com todo o tempo, nossa vida ocupa menos espaço do que um alfinete, pois a eternidade tem uma escala maior do que a do mundo, que, é claro, se renova com frequência ao longo do tempo (Sêneca, *Consolação a Márcia*, 21).

A saúde, a riqueza e a reputação parecem, em última análise, menos importantes quando contemplamos a porção fugaz de tempo cósmico que elas ocupam. Entretanto, os estoicos também acreditavam que a virtude e a *eudaimonia* têm uma qualidade atemporal, e seu valor não é minado pela brevidade de sua duração. Um ato de sabedoria e coragem exemplar que dura uma fração de segundo ainda é intrinsecamente bom, enquanto uma fração de segundo de dor é algo que a maioria das pessoas consideraria bastante trivial. Crisipo disse: "Se alguém tem sabedoria por um instante, não será menos feliz do que aquele que a tem por toda a eternidade".

Acreditava-se que a contemplação da Física Estoica também revelava a "homogeneidade", ou mesmice e repetitividade de todas as coisas. Para o Sábio, não há nada de novo sob o sol. Sêneca cita o antigo ditado de Heráclito: "Um dia é como qualquer dia" (*Carta*, 12).

"Quem viu o presente viu tudo: tudo o que ocorreu desde toda a eternidade e tudo o que ocorrerá ao longo do infinito, pois tudo é homogêneo e idêntico na forma" (*Meditações*, 6.37).

A Física Estoica sustenta que o universo é infinitamente variado e perpetuamente mutável quanto às suas qualidades físicas. No entanto, de outra perspectiva, o mais importante na vida é completamente uniforme. Essa é a perspectiva da Ética Estoica e da disciplina da ação, para a qual todas as virtudes são uma e todos os eventos externos são igualmente (absolutamente) indiferentes, literalmente "não diferentes" uns dos outros, no que diz respeito à boa vida. Inúmeras gerações que vieram antes de nós, ou virão depois de nós, apesar de suas muitas diferenças, enfrentam exatamente o mesmo desafio fundamental para se tornarem boas, desenvolvendo-se em termos de sua natureza básica.

IDEIA CENTRAL: "TUDO FLUI" E A "RECORRÊNCIA ETERNA"

A doutrina da inconstância é hoje familiar a muitas pessoas como uma das fundações da filosofia budista.[16] No entanto, mais de quinhentos anos antes de as primeiras escrituras budistas serem escritas, o enigmático filósofo pré-socrático Heráclito tornou famosa uma teoria chamada *panta rhei*, ou "tudo flui". Heráclito disse que nada permanece o mesmo na vida, o que ele ilustrou com a conhecida metáfora do rio: "Não se pode pisar duas vezes no mesmo rio porque sempre novas águas estão fluindo".

Essa ideia se tornou muito conhecida pelos diálogos de Platão. Entretanto, a Física Estoica foi aparentemente influenciada pela filosofia natural de Heráclito. Marco Aurélio alude a suas teorias ao longo das *Meditações*, ao citá-lo ao lado de Sócrates, Diógenes e Pitágoras como um grande filósofo (*Meditações*, 6.47; 8.3). Para os estoicos, a doutrina de que "tudo flui" é importante porque, como parte da "disciplina do desejo", tem o efeito psicológico de reduzir a percepção da importância das coisas externas e nosso apego (ou aversão) a elas.

Os estoicos acreditavam que a alma não é imortal, mas física e, portanto, inconstante. Então, como podemos aceitar nossa mortalidade? Eles tinham uma estranha teoria que oferecia uma explicação para isso, e que atraiu outros filósofos, mais notadamente Friedrich Nietzsche. A teoria da "recorrência eterna" sustenta que o universo será recriado absolutamente da mesma forma em um número infinito de ciclos, começando e terminando com uma conflagração cósmica. Nietzsche entendeu que isso se deve ao fato de que o universo vem do nada e que todas as coisas

---

16. "*Anicca*", palavra do Pāli que significa "impermanência" ou, mais literalmente, inconstância. (N.T.)

são determinadas pelas leis da Natureza. Finalmente, o universo voltará ao nada, a partir de onde, segundo essa visão, todo o ciclo deve recomeçar e seguir exatamente o mesmo curso. Não está claro se isso é exatamente o que os estoicos queriam dizer. No entanto, Nietzsche pode ter tido razão em considerar uma ideia psicologicamente muito poderosa. Talvez não precisemos ser imortais, desde que possamos ser recorrentes!

**FAÇA AGORA:
CONTEMPLANDO
A IMENSIDÃO DO TEMPO
E A RECORRÊNCIA ETERNA**

Este é outro dos grandes... Mais uma vez, reserve um tempo para se acomodar, fechar os olhos e ficar fisicamente confortável e mentalmente preparado antes de começar.

1. Concentre a atenção no que você está realmente fazendo aqui e agora, tornando-se atento às suas ações no momento presente.
2. Amplie gradualmente sua perspectiva sobre o tempo, tornando-se consciente da pequenez do momento presente, cada segundo que passa, dentro da duração total de todo o seu dia de vigília – se ajudar, observe o ponteiro dos segundos em um relógio e lembre-se de que há 86.400 segundos em cada dia!
3. Pense no instante presente dentro do contexto de toda a sua vida, os anos passados e os que estão por vir, e como esses poucos segundos são precedidos ou seguidos por incontáveis milhões e milhões de instantes, todos diferentes e ainda assim iguais.
4. Agora pense em sua própria vida como apenas uma entre muitas, precedida e seguida pela vida de muitos bilhões de outras pessoas; pense em quantas pessoas famosas ou importantes viveram

e morreram antes de você ("Onde elas estão agora?") e quantas viverão e morrerão muito tempo depois de você ter partido.

5. Amplie sua perspectiva para pensar em toda a história da raça humana como parte da história natural do planeta Terra, e como a duração da humanidade é minúscula em comparação com a vida de nosso planeta. Os seres humanos como os conhecemos hoje existem há centenas de milhares de anos, mas a vida animal já está na Terra há vários bilhões de anos.

6. Pense em toda a história planetária da própria Terra e como ela nasceu dos escombros de uma estrela que explodiu, incontáveis bilhões de anos atrás, e um dia será consumida pelo calor do nosso próprio sol. Contemple seu próprio lugar, agora mesmo, dentro desta vasta época cósmica.

7. Finalmente, contemple a história do cosmos em sua totalidade, como o momento presente é uma parte tão infinitamente pequena do vasto rio do tempo, a mera volta de um parafuso em uma era cósmica incompreensivelmente longa; pense na transição de todas as coisas, incluindo sua própria vida, e contemple todas as coisas que acontecem ao longo do tempo como uma só coisa, como partes de uma única tapeçaria, fios entrelaçados formando toda a história do cosmos.

8. Se você quiser, tente também imaginar que, embora cada momento seja transitório, todo o universo um dia será destruído e, como uma fênix, surgirá de novo exatamente na mesma forma, um número infinito de vezes. De modo que cada momento de sua vida já foi repetido vezes sem fim, e continuará a ser repetido eternamente no futuro. Tente pensar em cada momento como transitório e ao mesmo tempo intemporal. O que importa não é o que acontece, mas como você responde a isso. Mais uma vez,

tire disso algo que você possa lembrar e continuar a contemplar, vinculando essa meditação aos seus estudos estoicos.

 LEMBRE-SE:
TRATA-SE DE "MAGNANIMIDADE",
E NÃO DE BANALIZAR TUDO

Algumas pessoas poderiam dizer que esses exercícios as fazem se sentir muito pequenas e insignificantes, de uma forma desanimadora. Epicteto respondeu precisamente a essa crítica, ensinando aos alunos que, embora o nosso corpo seja de fato uma parte muito pequena e transitória do universo físico, paradoxalmente somos iguais aos deuses em consciência, que pode alcançar a vastidão da Natureza. Como panteístas, os estoicos presumiam que contemplar toda a existência era equivalente a assumir a perspectiva de Zeus, que contempla eternamente sua própria criação. Portanto, esse exercício pode ser visto como um meio de emular Zeus, e também como uma imitação da perspectiva de um sábio estoico ideal.

Sêneca disse que, como o único bem verdadeiro reside inteiramente em nossa mente, na "faculdade governante" ou consciência, devemos de alguma forma procurar ampliar essa parte de nós mesmos, porque, ao fazer isso, "nos elevamos acima" das coisas externas individuais, diluindo seu significado aparente. Tornamo-nos "maiores que" os eventos que incomodam a maioria das pessoas. Os estoicos disseram que tal "magnanimidade", ou grandeza de alma, é uma característica essencial de toda virtude verdadeira. "Os assuntos humanos, quando vistos de cima, parecem muito pequenos e insignificantes; eles não são dignos de serem desejados, nem a morte aparece como algo a ser temido" (Hadot, 1998, p. 173).

Praticar frequentemente esses exercícios de mudança de perspectiva pode ajudar a administrar emoções e desejos, obter uma centelha de tranquilidade e fazer progresso, embora em pequenos passos, em direção ao objetivo elevado da *eudaimonia* estoica.

 PONTOS DE ATENÇÃO

Os principais pontos a serem lembrados deste capítulo são:

- Os estoicos acreditavam que podemos expandir a mente por meio da filosofia natural, ou do estudo da Física, quando encarado como um exercício contemplativo.
- A "visão do alto" e a metáfora do "festival" foram usadas pelos estoicos para mudar a perspectiva da vida e treinar para ver os eventos com maior desapego e magnanimidade.
- A "física", ou filosofia natural, foi a base de uma série de exercícios contemplativos empregados pelos estoicos para transformação psicológica e moral como parte da "disciplina do desejo".

PRÓXIMO PASSO

Neste capítulo final, acho apropriado concluir com estas magníficas palavras de Spinoza:

> Se o caminho que apontei como o que leva a esse resultado parece extremamente difícil, ele pode, no entanto, ser descoberto. As suas exigências devem ser difíceis, já que raramente é encontrado. Se a salvação estivesse à nossa disposição e pudesse ser encontrada sem grande trabalho, como seria possível que ela fosse negligenciada por quase todos os homens? Mas todas as coisas excelentes são tão difíceis quanto raras (Spinoza, *Ética*, 5.42n).

Leitura adicional

Capítulo 1
Marco Aurélio, *Meditações*
Epicteto, *Manual*
John Sellars, *The Art of Living: The Stoics on the Nature and Function of Philosophy* (2003)
Jules Evans, *Philosophy for Life* (2012)
William Irvine, *A Guide to the Good Life: The Ancient Art of Stoic Joy* (2009)

Capítulo 2
Diógenes Laércio, *Vidas* (Livro 7)
Cícero, *On the Ends of Good and Evil* (esp. Livro 3) e *Disputations at Tusculum* (Livro 5)

Capítulo 3
Epicteto, *Manual* (Enchiridion)
A. A. Long, *Epictetus: A Stoic and Socratic Guide to Life* (2002)
D. Robertson, *The Philosophy of Cognitive-Behavioural Therapy* (2010)
Pierre Hadot, *What is Ancient Philosophy?* (2002)

Capítulo 4
Pierre Hadot, *The Inner Citadel* (1998) (Cap. 7, "The Discipline of Desire, or amor fati")

Pierre Hadot, *Philosophy as a Way of Life* (1995) (esp. Cap. 8 em diante)

Keith Seddon, *Stoic Serenity* (2006)

Capítulo 5

Epicteto, *Discourses* ('Of Natural Affection', 1.11; 'Of Friendship', 2.22; 'That we ought not to yearn for the things that are not under our control', 3.24)

Cícero, *Laelius: On Friendship*

Shaftesbury, *Philosophical Regimen* (Cap. 1, 'Natural Affection')

Pierre Hadot, *Philosophy as a Way of Life* (1995) (Cap. 10, "On the Sage")

Xenofonte, *Symposium and Memorabilia* (esp. Cap. 2)

Platão, *Apology, Crito, and Phaedo*

Capítulo 6

Michael Shoster, *The Stoic Idea of the City* (1999)

Pierre Hadot, *The Inner Citadel* (1998) (Cap. 8, 'The Discipline of Action, or Action in the Service of Mankind')

Capítulo 7

Sêneca, *Cartas* (18, 24, and 91)

Tácito, *Annals* (Livro 15, "The account of Seneca's death")

Capítulo 8

Epicteto, *Discourses* ('On attention', 4.12; 'How we struggle against our impressions', 2.18)

The Golden Verses of Pythagoras (Veja também Sêneca, *On Anger*, Livro 3, e Epicteto, *Discourses*, 'In what manner we ought to bear sickness', 3.10, e 'Against those who lament over being pitied', 4.6)

Capítulo 9
Pierre Hadot, *Philosophy as a Way of Life* (1995) (Cap. 9, 'The View from Above')

Cícero, 'The Dream of Scipio' (Livro 6 da *República*)

Boécio, *Consolation of Philosophy* (Livros 4 e 5)

Capítulo 10
Sêneca, *Cartas* (4, 24, 70 e 82)

Sêneca, *Consolations to Marcia, Helvia and Polybius*, e *On Earthquakes*

Referências

Alford, B. A., & Beck, A. T. (1997). *The Integrative Power of Cognitive Therapy*. New York: Guilford.

Aurelius, M. (2003). *Meditations: Living, Dying and the Good Life*. (G. Hays, Trans.) London: Phoenix.

Baudouin, C., & Lestchinsky, A. (1924). *The Inner Discipline*. London: George Allen & Unwin.

Beck, A. T. (1976). *Cognitive Therapy & Emotional Disorders*. New York: International University Press.

Beck, A. T., Emery, G., & Greenberg, R. (2005). *Anxiety Disorders and Phobias*: A Cognitive Perspective (20th Anniversary Edition). Cambridge, MA: Basic Books.

Beck, A. T., Rush, A. J., Shaw, B. F., & Emery, G. (1979). *Cognitive Therapy of Depression*. New York: Guilford Press.

Becker, L. C. (1998). *A New Stoicism*. NJ Princeton University Press.

Becker, L. C. (2004). Stoic emotion. In S. Strange, & J. Zupko (Eds.), *Stoicism: Traditions & Transformations*. Cambridge: Cambridge University Press.

Benson, H. (1975). *The Relaxation Response*. New York: William Morrow.

Borkovec, T. (2006). Applied Relaxation and Cognitive Therapy for Pathological Worry and Generalized Anxiety Disorder. In G.

C. Davey, & A. Wells (Eds.), *Worry & its Psychological Disorders: Theory, Assessment & Treatment*. Chichester: Wiley.

Brunt, P. A. (2013). *Studies in Stoicism*. (M. Griffin, & A. Samuels, Eds.) Oxford: Oxford University Press.

Burkeman, O. (2012). *The Antidote: Happiness for People who Can't Stand Positive Thinking*. London: Canongate.

Clark, D. A., & Beck, A. T. (2010). *Cognitive Therapy of Anxiety Disorders: Science & Practice*. New York: Guilord Press.

Dubois, P., & Gallatin, L. (1908). *The Influence of the Mind on the Body*. New York: Funk and Wagnalls.

Ellis, A. (1962). *Reason & Emotion in Psychotherapy*. Secaucus, NJ: Citadel.

Ellis, A., & MacLaren, C. (2005). *Rational Emotive Behavior Therapy: A Therapist's Guide* (Second ed.). Atascadero, CA: Impact.

Engberg-Pedersen, T. (2009). Stoicism in the Apostle Paul: A Philosophical Reading. In S. K. Strange, & J. Zupko (Eds.), *Stoicism: Traditions and Transformations* (pp. 52–75). Cambridge: Cambridge University Press.

Epictetus. (1995). *The Discourses, The Handbook, Fragments*. (R. Hard, Trans.) London: Everyman.

Evans, J. (2012). *Philosophy for Life and Other Dangerous Situations*. London: Rider.

Foucault, M. (1988). Technologies of the Self. In L. H. Martin, H. Gutman, & P. H. Martin (Eds.), *Technologies of the Self: A Seminar with Michel Foucault*. Massachusetts: University of Massachusetts Press.

Gill, C. (2003). The School in the Roman Imperial Period. In B. Inwood (Ed.), *The Cambridge Companion to Stoicism* (pp. 33–58). Cambridge: Cambridge University Press.

Gill, C. (2006). *The Structured Self in Hellenistic and Roman Thought.* Oxford: Oxford University Press.

Gill, C. (2010). *Naturalistic Psychology in Galen and Stoicism.* Oxford: Oxford University Press.

Gill, C. (2011). Introduction. In M. Aurelius, *Meditations with Selected Correspondence* (R. Hard, Trans.). Oxford: Oxford University Press.

Graver, M. R. (2007). *Stoicism and Emotion.* Chicago: University of Chicago Press.

Hadot, P. (1995). *Philosophy as a Way of Life.* (A. I. Davidson, Ed., & M. Chase, Trans.) Malden, MA: Blackwell.

Hadot, P. (1998). *The Inner Citadel: The Meditations of Marcus Aurelius.* (M. Chase, Trans.) Cambridge, MA: Harvard University Press.

Hadot, P. (2002). *What is Ancient Philosophy?* (M. Chase, Trans.) Cambridge, MA: Harvard University Press.

Hayes, S. C., Strosahl, K. D., & Wilson, K. G. (2012). *Acceptance and Commitment Therapy: The Process and Practice of Mindful Change* (Second ed.). New York: Guilford.

Hierocles. (2012). Ethical Fragments Preserved by Stobaeus. In T. Taylor, *Political Fragments of Archytas, Charondas, Zaleucus, and Other Ancient Pythagoreans* (pp. 75–115). Forgotten Books.

Iamblichus. (1988). The Life of Pythagoras. In K. S. Guthrie, *The Pythagorean Sourcebook and Library.* Grand Rapids, MI: Phanes.

Irvine, W. B. (2009). *A Guide to the Good Life: The Ancient Art of Stoic Joy*. New York: OUP.

Jarrett, T. (2008, July-September). Warrior Resilience Training in Operation Iraqi Freedom: combining rational emotive behavior therapy, resiliency, and positive psychology. *US Army Medical Department Journal*, 32–38.

Kelley, K. W. (Ed.). (1988). *The Home Planet*. Boston: Addison-Wesley.

King, C. (2010). *Musonius Rufus: Lectures & Sayings*. Lulu.

Lazarus, A. A. (1981). *The Practice of Multimodal Therapy*. Baltimore: John Hopkins University Press.

LeBon, T. (2001). *Wise Therapy: Philosophy for Counsellors*. London: Sage.

LeBon, T. (2012). *Report on Exeter University 'Stoic Week'*. Retrieved from Stoicism Today: University of Exeter: http://blogs.exeter.ac.uk/stoicismtoday/files/2013/01/Stoic-Week-Report-Web.pdf

Lipsius, J. (2006). *On Constancy*. (J. Sellars, Ed., & S. J. Stradling, Trans.) Exeter: Bristol Phoenix Press.

Long, A. (2002). *Epictetus: A Stoic and Socratic Guide to Life*. Oxford: Oxford University Press.

Long, A., & Sedley, D. (1987). *The Hellenistic Philosophers*: Volume 1 (Translations of the principal sources with philosophical commentary). Cambridge: Cambridge University Press.

Marks, I. M. (2005). *Living with Fear: Understanding and Coping with Anxiety* (Second ed.). London: McGraw-Hill.

Meichenbaum, D. (1985). *Stress Inoculation Training*. New York: Pergamon.

Nussbaum, M. C. (1994). *The Therapy of Desire: Theory & Practice in Hellenistic Ethics*. New Jersey: Princeton University Press.

Pietsch, W. V. (1990). *The Serenity Prayer Book*. New York: Harper Collins.

Reivich, K., & Shatté, A. (2002). *The Resilience Factor*. New York: Three Rivers.

Robertson, D. J. (2005, July). Stoicism: A Lurking Presence. *Counselling & Psychotherapy Journal (CPJ)*.

Robertson, D. J. (2010). *The Philosophy of Cognitive-Behavioural Therapy (CBT): Stoic Philosophy as Rational & Cognitive Psychotherapy*. London: Karnac.

Robertson, D. J. (2012). *Build your Resilience*. London: Hodder. & Stoughton

Roth, A., & Fonagy, P. (2005). *What Works for Whom? A Critical Review of Psychotherapy Research* (Second ed.). New York: Guilford.

Russell, B. (1930). *The Conquest of Happiness*. Padstow: Routledge.

Schofield, M. (1999). *The Stoic Idea of the City*. Cambridge: Cambridge University Press.

Seddon, K. (2006). *Stoic Serenity: A Practical Course on Finding Inner Peace*. Lulu.

Sedley, D. (2003). The School, from Zeno to Arius Didymus. In B. Inwood (Ed.), *The Cambridge Companion to the Stoics* (pp. 7–31). Cambridge: Cambridge University Press.

Seligman, M. E. (2002). *Authentic Happiness: Using the New Positive Psychology to Realize your Potential for Lasting Fulfilment*. New York: Simon & Schuster.

Seligman, M. E. (2011). *Flourish: A New Understanding of Happiness and Well-being*. London: Nicholas Brealey.

Sellars, J. (2003). *The Art of Living: The Stoics on the Nature and Function of Philosophy*. Burlington, VT: Ashgate.

Seneca. (2004). *Letters from a Stoic*. (R. Campbell, Trans.) Middlesex: Penguin.

Seneca. (2009). *On Benefits*. (A. Stewart, Trans.) BiblioLife.

Shaftesbury, A. A. (2005). *The Life, Unpublished Letters, and Philosophical Regimen of Antony, Earl of Shaftesbury*. (B. Rand, Ed.) Elibron Classics.

Sherman, N. (2005). *Stoic Warriors: The Ancient Philosophy behind the Military Mind*. New York: Oxford University Press.

Sorabji, R. (2004). Stoic First Movements in Christianity. In Strange, & Zupko (Eds.), *Stoicism: Traditions & Transformations*. Cambridge: Cambridge University Press.

Stephens, W. O. (1996, December). Epictetus on How the Stoic Sage Loves. *Oxford Studies in Ancient Philosophy*, pp. 193–210.

Still, A., & Dryden, W. (1999). The Place of Rationality in Stoicism and REBT. *Journal of Rational-Emotive & Cognitive-Behavior Therapy*, 17(3), pp. 143–164.

Stockdale, J. (1995). *Thoughts of a Philosophical Fighter Pilot*. Stanford, CA: Hoover Institute Press.

Taylor, T. (2012). Political Fragments of Archytas, Charondas, Zaleucus, and Other Ancient Pythagoreans. Forgotten Books. *The Stoics Reader: Selected Writings and Testimonia*. (2008). (B. Inwood, & L. P. Gerson, Trans.) Cambridge: Hackett.

Ussher, P. (2012). *Stoicism and Western Buddhism: A Comparative Study of Two Philosophical Ways of Life* (Unpublished Dissertation). Exeter: University of Exeter.

Wolfe, T. (1998). *A Man in Full*. New York: Farrar, Straus and Giroux.

Livros para mudar o mundo. O seu mundo.

Para conhecer os nossos próximos lançamentos
e títulos disponíveis, acesse:

🌐 www.citadel.com.br

f /citadeleditora

📷 @citadeleditora

🐦 @citadeleditora

▶ Citadel – Grupo Editorial

Para mais informações ou dúvidas sobre a obra,
entre em contato conosco por e-mail:

✉ contato@citadel.com.br